MIL PEDAÇOS DE VOCÊ

MIL PEDAÇOS DE VOCÊ

DA AUTORA BEST-SELLER DO *THE NEW YORK TIMES*
CLAUDIA GRAY

Tradução de
Gabriela Fróes

AGIR NOW

Título original: *A thousand pieces of you*

Rua Nova Jerusalém, 345 – Bonsucesso – 21042-235
Rio de Janeiro – RJ – Brasil
Tel.: (21) 3882-8200 – Fax: (21)3882-8212/8313

CIP-Brasil. Catalogação na fonte
Sindicato Nacional dos Editores de Livros, RJ

G82m

Gray, Claudia
Mil pedaços de você / Claudia Gray ; tradução Gabriela Fróes. - 1. ed. - Rio de Janeiro : Agir Now, 2015.
288 p. ; 23 cm. (Firebird)

Tradução de: A thousand pieces of you
ISBN 978.85.69809.09-8

1. Ficção infantojuvenil americana. I. Fróes, Gabriela. II. Título. III. Série.

CDD: 028.5
CDU: 087.5

1

Minha mão treme no instante em que me apoio no muro de tijolos. A chuva fria cai com força na minha pele, vinda de um céu que não reconheço. É difícil respirar, difícil entender onde estou. Tudo o que sei é que o Firebird funcionou. Está pendurado no meu pescoço, ainda brilhando por causa do calor da viagem.

Não há tempo. Não sei se ainda tenho minutos, segundos ou até menos que isso. Desesperada, começo a vasculhar estas roupas desconhecidas: um vestido curto e uma jaqueta brilhante sem bolsos, mas noto que há uma bolsinha pendurada em meu ombro. Não consigo encontrar uma caneta, mas há um batom. Com os dedos trêmulos, tiro a tampa e começo a rabiscar o cartaz rasgado colado ao muro. É a mensagem que preciso passar adiante, o único objetivo do qual tenho que me lembrar depois que tudo o mais que me faz ser quem sou desaparecer.

MATE PAUL MARKOV.

Depois disso, posso apenas esperar pela morte.

Morte não é bem a palavra. Meu corpo vai continuar respirando. O coração vai continuar batendo. Mas não vou ser mais a mesma Marguerite Caine morando nele.

Em vez disso, este corpo vai voltar para sua dona: a Marguerite que de fato pertence a esta dimensão. A dimensão para a qual me lancei, usando o Firebird. As memórias dela vão voltar a qualquer momento, a qualquer segundo, embora eu saiba que vou acordar novamente a tempo, ainda me parece assustadora a ideia de... perder a consciência. De me perder. De ficar presa dentro dela. Seja lá o que aconteça com quem viaja de uma dimensão para outra.

E então cai a ficha: o Firebird *realmente* funciona. É possível viajar entre dimensões paralelas. Acabei de provar isso. Do fundo do meu luto e medo, uma pequena brasa de orgulho brilha, e dá a impressão de ser a única chama de esperança no mundo. As teorias da minha mãe se provaram verdadeiras. O trabalho dos meus pais foi finalmente comprovado. Queria apenas que meu pai estivesse aqui para saber disso.

Theo. Ele não está aqui. Não era mesmo muito realista da minha parte esperar que ele estivesse. Mas eu torci mesmo assim.

Que Theo esteja bem, por favor, penso. Isso seria uma prece se eu ainda acreditasse em alguma coisa, mas minha fé em Deus também morreu ontem à noite.

Eu me encosto e espalmo as mãos no muro de tijolos, da mesma forma que um suspeito se apoia na viatura da polícia antes de ser algemado. Meu coração martela no peito. Ninguém nunca fez isso, o que significa que pessoa alguma sabe o que está prestes a acontecer comigo. E se o Firebird não conseguir me levar de volta à minha dimensão?

E se for assim que vou morrer?

A esta hora, ontem, meu pai provavelmente estava se perguntando a mesma coisa.

Fecho os olhos com força, e a chuva fria se mistura às lágrimas quentes em meu rosto. Por mais que eu tente não imaginar como meu pai morreu, as imagens ficam surgindo sem parar na minha cabeça: o carro se enchendo de água, o rio amarronzado tapando o para-brisa, papai provavelmente ainda confuso por causa da batida, se esforçando para abrir a porta do carro, sem sucesso. Dando seus últimos suspiros em busca de ar no carro, pensando em mim, na mamãe e em Josie...

Ele deve ter ficado muito assustado.

Começo a ficar tonta, meus braços e minhas pernas fraquejando. É agora. Vou apagar.

Então me forço a manter os olhos abertos para observar de novo a mensagem. Esta é a primeira coisa que quero que a outra Marguerite veja. Quero que essa mensagem continue com ela, não importa o que aconteça. Se ela vir o recado, se ficar pensando nessas palavras, isso vai me despertar dentro dela assim como o Firebird. Meu ódio é mais forte que as dimensões, mais forte que a memória, mais forte que o tempo. Meu ódio é agora a parte mais verdadeira do que eu sou.

A tontura piora e o mundo passa a ficar turvo e cinzento. As palavras *MATE PAUL MARKOV* começam a escurecer... até que, de repente, minha visão clareia. A palavra *MATE* volta a ficar em foco.

Confusa, dou um passo para trás, me afastando do muro de tijolos. Estou extremamente alerta... mais que antes, inclusive.

E, nesse instante, olhando para meus sapatos de salto alto na poça, me dou conta de que não vou a lugar algum.

Por fim, passando a confiar na minha sorte, começo a me distanciar do beco. A chuva cai com mais força no meu rosto quando ergo os olhos para o céu tempestuoso. Um aerobarco plana baixo sobre a cidade como se fosse mais uma nuvem carregada. Aparentemente, está ali para exibir outdoors holográficos na linha do horizonte. Espantada, observo o veículo piscando ao se movimentar pelo céu: Nokia. BMW. Coca-Cola.

Este mundo se parece tanto com o meu! Mas, ao mesmo tempo, não se parece nem um pouco.

Será que Theo está tão exausto da viagem assim como eu? Deve estar. O luto dele é quase tão profundo quanto o meu, ainda que papai fosse apenas seu orientador. Porém, mais que isso, foi neste projeto que meus pais e ele trabalharam nos últimos anos. Será que ele ainda tem as memórias do meu pai também? Se for esse o caso, estaremos no controle do nosso tempo aqui, nossas mentes pilotando as versões de nós mesmos nascidas nesta dimensão alternativa. Isso significa que minha mãe estava errada sobre uma coisa... o que é um pouco surpreendente, considerando que todas as outras teorias dela acabaram de ser comprovadas. Mas sou grata por isso, pelo menos por enquanto, até minha gratidão se desintegrar nas brasas ardentes do ódio.

Nada pode me impedir nesse momento. Se Theo também conseguiu, e se ele for capaz de me encontrar — e quero muito que ele me encontre —, então poderemos fazer isso juntos. Conseguiremos alcançar Paul. Seremos capazes de recuperar o protótipo do Firebird que ele roubou. E poderemos nos vingar do que ele fez com meu pai.

Ainda não sei se sou o tipo de pessoa que é capaz de matar um homem a sangue frio. Mas vou descobrir.

2

Não sou física como minha mãe. Nem estou cursando faculdade de física, como Paul e Theo. Fui educada em casa e sou filha de dois cientistas que me deram uma enorme liberdade para escolher os caminhos da minha educação. Como o único membro da família que usa mais o lado direito do cérebro, acabei seguindo minha paixão pelas artes plásticas com muito mais intensidade que já dediquei à ciência. No outono ingresso na Escola de Design de Rhode Island, onde vou estudar restauração de arte. Então, se você quiser misturar tintas a óleo, esticar uma lona de quadro ou discutir Kandinsky, sou a pessoa certa para isso. Mas se quiser falar sobre a ciência por trás das viagens transdimensionais, aí não é comigo. Mas o que eu sei é o seguinte:

O universo é, na verdade, um multiverso. Há incontáveis dimensões quânticas da realidade, que se encaixam umas dentro das outras. Vamos chamá-las apenas de *dimensões*, para abreviar.

Cada dimensão representa um conjunto de possibilidades. Basicamente, tudo o que pode acontecer, de fato acontece. Há uma dimensão em que os nazistas ganharam a Segunda Guerra Mundial. Outra em que os chineses colonizaram a América bem antes de Colombo sonhar em aparecer. E ainda uma em que Brad Pitt e Jennifer Aniston continuam casados. Há até mesmo uma dimensão como a minha, totalmente idêntica, exceto por um dia no quarto ano do colégio, quando aquela Marguerite decidiu colocar uma camisa azul enquanto escolhi usar uma verde. A cada possibilidade, a cada vez que o destino decide algo jogando uma moeda, o universo divide as dimensões de novo, e de novo, criando cada vez mais camadas de realidade. E assim sucessivamente, *ad infinitum*.

Essas dimensões não estão no espaço longínquo. Estão literalmente à nossa volta, ou até mesmo dentro de nós, mas por existirem em outra realidade, não somos capazes de percebê-las.

Desde cedo na carreira, minha mãe, Dra. Sophia Kovalenka, formulou a hipótese de que seria possível não só detectar essas dimensões, como também observá-las e até interagir com elas. Todo mundo riu dela. Ela escreveu diversos artigos sobre o assunto, expandiu sua teoria ano após ano, mas ninguém dava ouvidos a ela.

Até que um dia, quando tudo indicava que para sempre ela seria considerada maluca, minha mãe conseguiu publicar mais um estudo apontando paralelos entre a teoria das ondas e seu trabalho sobre ressonância dimensional. Possivelmente apenas um cientista no mundo inteiro levou aquele artigo a sério: Dr. Henry Caine, oceanógrafo inglês. Além de físico. E matemático. E, obviamente, superdotado. Quando ele deu uma olhada no artigo, notou um potencial naquela teoria que ninguém mais tinha sido capaz de reconhecer. O que foi uma sorte para a minha mãe, porque, depois que eles se tornaram parceiros de pesquisa, o trabalho dela começou a ir para a frente.

E a sorte maior foi minha e da Josie, porque Dr. Henry Caine acabou se tornando nosso pai.

Vinte e quatro anos depois, o trabalho deles atingiu um ponto em que estava começando a atrair atenção até mesmo fora do meio científico. Os experimentos que mostravam evidências de dimensões alternativas tinham sido replicados por outros cientistas em Stanford e em Harvard. Ninguém mais ria deles. Meus pais estavam prontos para tentar viajar entre as dimensões... ou, pelo menos, para criar um dispositivo que pudesse tornar isso possível.

Segundo a teoria da minha mãe seria muito, muito difícil mover objetos físicos entre dimensões, mas movimentar energia deveria ser uma coisa muito simples. Ela também defende que a consciência é uma forma de energia. Isso provocou o surgimento de várias especulações malucas, mas meus pais continuaram focados em construir um dispositivo que tornaria a viagem interdimensional em mais do que um sonho, em algo que permitiria que as pessoas viajassem de uma dimensão a outra quando quisessem, e — o mais complicado de tudo — voltar da mesma forma.

Isso era ousado. Até mesmo perigoso. Os dispositivos têm que ser construídos com materiais específicos capazes de se mover pelas dimensões com mais facilidade que outros tipos de matéria. Teriam que conseguir ancorar a consciência do viajante, o que aparentemente é algo muito difícil, e milhões de outros detalhes técnicos teriam que ser levados em consideração, e eu precisaria conquistar infinitos diplomas em física para começar a entender tudo isso. Resumindo: são dispositivos *muito* difíceis de serem feitos. E é por essa razão que meus pais passaram por vários protótipos antes mesmo de considerar fazer um teste.

Então, há poucas semanas, quando eles finalmente chegaram a um protótipo que parecia promissor, tivemos que comemorar. Meus pais, que não costumam beber nada mais forte que chá, abriram uma garrafa de champanhe. Theo também me deu uma taça, e ninguém sequer se importou.

— Ao Firebird! — brindou Theo. O protótipo final estava na mesa a nossa frente, as engrenagens brilhando e as intrincadas camadas de metal dobrando-se umas por cima das outras como as asas de um inseto. — Batizado em homenagem à lendária criatura russa que envia heróis para aventuras e buscas incríveis! — Ele assentiu para minha mãe e prosseguiu: — E, é claro, em homenagem ao meu carro esportivo superpossante, porque, sim, ele é mesmo o máximo! — Theo é o tipo de cara que diz coisas como "carro esportivo superpossante" de forma irônica. Ele usa ironia para dizer quase tudo. Mas a admiração nos olhos dele naquela noite era verdadeira. — Um brinde às aventuras que viveremos a partir de agora.

— Ao Firebird! — disse Paul.

Naquele momento ele já devia estar planejando o que ia fazer, enquanto erguia a taça de champanhe e brindava com meu pai.

Basicamente, o que aconteceu foi: depois de décadas de trabalho árduo e sendo apenas ridicularizados, meus pais tinham finalmente chegado a um ponto em que eram respeitados de verdade, e estavam perto de fazer uma descoberta que os levaria ainda mais longe. Mamãe estava prestes a ser anunciada como uma das cientistas mais importantes da história. Papai se tornaria, no mínimo, o próximo Pierre Curie. Talvez eles até me pagassem um intercâmbio cultural de férias de verão na Europa, onde poderia visitar o museu do Prado, o Hermitage e outras galerias incríveis sobre as quais sempre li a respeito, mas nunca pude conhecer. Tudo com o qual sempre sonhamos estava surgindo no horizonte.

Até que Paul Markov, o assistente mais confiável deles, roubou o protótipo, matou meu pai e fugiu.

Ele poderia ter se safado, fugido para outra dimensão, fora do alcance da lei. O crime perfeito. Ele sumiu do seu dormitório da faculdade sem deixar rastros, deixando, inclusive, a porta trancada por dentro.

(Parece que, quando as pessoas viajam de uma dimensão a outra, suas formas físicas "não são mais observáveis", o que tem alguma coisa a ver com mecânica quântica, e para explicar isso seria necessário contar uma longa história sobre um gato numa caixa que pode ao mesmo tempo estar vivo e morto até que alguém abra essa caixa... É bem complicado. *Nunca* pergunte a um físico sobre esse gato.)

Ninguém conseguiria encontrar Paul. Ninguém conseguiria alcançá-lo. Mas ele não contava com Theo.

Theo veio me procurar mais cedo naquela noite. Eu estava sentada no velho deque instável de madeira do quintal. Nossa única fonte de luz vinha da lua cheia (com exceção das pequenas lâmpadas azuis e alaranjadas em formato de peixinhos tropicais que Josie colocou no corrimão no verão passado). Eu estava vestindo um dos cardigãs antigos do papai por cima do meu vestido marfim de renda. Até mesmo na Califórnia, as noites de dezembro podem ser frias... e, além disso, o casaco ainda tinha o cheiro do meu pai.

Acho que Theo ficou me observando por um tempo ali fora antes de ir falar comigo, como se me esperasse recompor. Minhas bochechas estavam coradas e lágrimas escorriam. Assoei o nariz tantas vezes que eu sentia dor ao inspirar. Minha cabeça latejava. Mas, naquele momento, as lágrimas tinham se esgotado.

Theo se sentou nos degraus ao meu lado. Ele parecia agitado e balançava um dos pés sem parar.

— Olha — disse ele. — Estou prestes a fazer uma coisa idiota.

— O quê?

Seus olhos escuros encontraram os meus, e ele parecia tão determinado que, durante um momento de loucura, apesar de tudo o que estava acontecendo, pensei que ele ia me beijar.

Em vez disso, ele estendeu a mão. Em sua palma estavam duas outras versões do Firebird.

— Vou atrás do Paul.

— Você... — Minha voz falhou, ainda abalada depois do choro. Eu tinha tantas perguntas que sequer sabia por onde começar. — Você ainda tem os protótipos antigos? Achei que você tinha destruído isso depois de tudo!

— É o que Paul também achava. E, bem — ele hesitou —, tecnicamente, seus pais também.

Só de mencionar meu pai, um dia após sua morte, doía absurdamente. Acho que para ele doía tanto quanto para mim.

— Mas guardei as partes que não reutilizamos. Peguei algumas ferramentas emprestadas dos laboratórios Tríade e dei uma ajeitada nelas. Aproveitei as melhorias que fizemos no último Firebird para incrementar esses dois. Há uma grande chance de pelo menos um deles funcionar.

Uma grande chance. Theo estava prestes a correr um enorme risco por causa de "uma grande chance" de se vingar do que Paul fez.

Por mais engraçado que ele sempre tenha sido, por mais que flertássemos um com o outro de vez em quando, eu às vezes me perguntava se Theo Beck não passava de um garoto bobo por trás daquela camiseta de banda indie, do chapéu hipster e do Pontiac 1981 que ele mesmo reformou. Nesse instante, me senti mal por ter duvidado dele.

— Ao viajar pelas dimensões — prosseguiu ele, olhando fixo para os protótipos —, as pessoas deixam rastros. Rastros subatômicos, na verdade... Está bem, vou resumir: posso ir atrás do Paul. Não importa quanto ele pule, quantas dimensões tente atravessar, ele vai sempre deixar um rastro. E sei como configurar os protótipos para seguir esse rastro. Ele pode correr, mas não tem como se esconder.

Os Firebirds cintilaram em sua mão. Pareciam dois estranhos medalhões de bronze assimétricos, parecidos, talvez, com as joias da época da Art Noveau, quando formas orgânicas estavam em alta. Um dos metais dentro deles era tão raro que só podia ser encontrado em um único vale no mundo inteiro, mas qualquer pessoa que tivesse pouco conhecimento pensaria que aquele era apenas um metal bonito. Mas, na realidade, os Firebirds eram as chaves para destravar o universo. Ou melhor: os *universos*.

— Você consegue segui-lo para qualquer lugar?

— Quase qualquer lugar — respondeu Theo, e olhou para mim. — Você conhece os limites, certo? Não estava distraída durante *todas* as conversas que tivemos sobre esse assunto à mesa de jantar, estava?

— Conheço os limites — afirmei, ofendida. — Quis dizer dentro deles.

— Então, sim.

Pessoas vivas só podem viajar para dimensões onde elas já existem. Uma dimensão em que meus pais nunca se conheceram, por exemplo, é uma que eu nunca poderei ver. Uma dimensão em que já estou morta? Também não tenho como chegar lá a partir daqui. Porque quando alguém viaja para outra dimensão, na verdade se materializa *dentro* daquela versão de si mesmo. Onde quer que a sua outra versão estiver, o que quer que esteja fazendo, é lá que você estará.

— Mas e se Paul pular para algum lugar onde você não consiga segui-lo? — perguntei.

Theo deu de ombros.

— Vou acabar indo parar no universo seguinte, acho. Mas não há problema quanto a isso. Quando ele pular de novo, terei a chance de ver o rastro que vai deixar de lá. — O olhar dele estava distante enquanto remexia os Firebirds na palma da mão.

Para mim, parecia que a melhor chance de Paul seria justamente continuar pulando, o mais rápido que podia, até encontrar um universo em que o resto de nós não existisse. Então ele poderia permanecer lá por quanto tempo quisesse, sem nunca ser pego.

Mas o fato era que Paul queria mais do que só destruir meus pais. Por mais que tenha se tornado um cara detestável, ele não era burro. Então eu sabia que ele não teria feito isso apenas por pura crueldade. Se só quisesse dinheiro, teria vendido o dispositivo a alguém da mesma dimensão que ele, e não partido para outra.

Independentemente do que ele quisesse, não poderia se esconder para sempre. Mais cedo ou mais tarde, Paul teria que ir atrás do seu verdadeiro objetivo secreto. E, quando fizesse isso, iríamos pegá-lo.

Iríamos pegá-lo. Não só Theo; nós dois. Ele segurava dois protótipos na mão.

A brisa fria bagunçava meu cabelo e fazia as luzes se agitarem de um lado para o outro no corrimão do deque. Parecia que os peixinhos estavam tentando fugir.

— O que acontece se o Firebird não funcionar de verdade? — perguntei.

Theo esfregou seus sapatos na madeira velha do deque, erguendo algumas farpas.

— É, pode ser que não funcione, e eu fique aqui me sentindo idiota.

— Essa é a pior das possibilidades?

— Não. A pior das possibilidades é que eu seja liquidificado e vire uma sopa atômica.

— Theo...

— Mas isso não vai acontecer — interrompeu ele, metido como sempre. — Pelo menos, eu duvido muito.

— Mas você correria esse risco. Pelo meu pai. — Minha voz não passava de um sussurro. Nossos olhos se encontraram.

— Por todos vocês — respondeu Theo. Eu mal conseguia respirar, mas ele desviou o olhar um segundo depois, e acrescentou: — Como eu disse, isso não vai acontecer. É até provável que nenhum dos dois funcione de verdade. Quer dizer, você me conhece. Reconstruí os dois e, como nós dois sabemos, sou mesmo brilhante!

— Quando vocês falavam sobre testar um deles, você dizia que não consideraria fazer isso de jeito nenhum.

— É, bem, sou um pouco exagerado. Você já deve ter percebido. — Theo pode falar um monte de besteira, mas pelo menos tem *noção* disso. — E, além do mais, isso foi antes de ter a chance de trabalhar no Firebird. Está melhor do que nunca.

Não era como se eu tivesse decidido naquele momento. Quando Theo veio se sentar ao meu lado no deque, eu estava me sentindo de mãos atadas diante da tragédia que minha família enfrentava. Quando comecei a falar, já tinha algum tempo que eu sabia exatamente o que pretendia fazer.

— Se você tem tanta certeza assim, então tudo bem. Estou dentro.

— Opa, peraí. Eu nunca disse que seria uma viagem a dois.

— Estou vendo dois Firebirds — falei, apontando para a mão dele.

Ele cerrou o punho em volta dos protótipos, e ficou olhando a própria mão como se estivesse arrependido de ter aparecido com os dois e dividido comigo sua ideia. Mas, que pena, já era tarde demais.

— Não é culpa sua. Mas também não adianta tentar me convencer do contrário — falei, com um tom de voz ainda mais baixo.

Theo se inclinou para mais perto de mim. Seu sorriso desapareceu.

— Marguerite, você já considerou os riscos que estaria correndo?

— Não podem ser piores que os riscos que você correria. Meu pai está *morto*. Minha mãe merece alguma justiça. E é preciso impedir Paul. Posso ajudar você com isso.

— É perigoso. E nem estou me referindo ao negócio de pular de uma dimensão para outra. Quer dizer, não sabemos em que tipo de mundo podemos parar. Tudo o que sabemos é que, para onde quer que a gente vá, Paul Markov estará lá, e ele é um filho da puta inconstante.

Paul. Inconstante. Há dois dias, eu teria rido dessa afirmação. Sempre considerei Paul quieto e impassível, assim como as rochas que ele escalava nos fins de semana. Mas agora eu sabia que ele era um assassino. Se foi capaz de fazer isso com meu pai, podia facilmente fazer o mesmo comigo ou com Theo. Mas nada disso importava mais.

— Preciso fazer isso, Theo. É importante — falei.

— É mesmo importante. Por isso vou fazer. Mas não significa que você também tenha que se meter nisso.

— Pensa nisso. Não dá para pular para dimensões em que você não existe. É provável que haja algumas dimensões nas quais eu existo e você não.

— E vice-versa — retrucou ele.

— Ainda assim... — Apertei com força sua mão livre para que ele entendesse quão sério eu estava falando. — Posso segui-lo em lugares que você não pode. Eu amplio o seu alcance. Aumento bastante as chances de encontrá-lo. Não discuta comigo, porque você sabe que é verdade.

Theo respirou fundo, apertou de volta minha mão com força, depois soltou e passou os dedos por seu cabelo arrepiado. Ele parecia inquieto e apreensivo como sempre, mas percebi que estava considerando minha proposta. Quando seus olhos escuros encontraram os meus novamente, ele suspirou.

— Se sua mãe desconfiasse que estamos discutindo isso, ela me mataria. E não é uma metáfora. Acho mesmo que ela poderia me matar. Literalmente. Ela fica com uns olhares malucos, às vezes. Tem sangue de cossaco. Eu não duvidaria nada.

Hesitei por um instante, pensando no que aquilo significaria para minha mãe. Se algo desse errado nessa viagem, se *eu* virasse uma sopa atômica, ela perderia o marido e uma filha no espaço de dois dias. Nem há palavras pra descrever o que isso provocaria nela.

Mas Paul se safar dessa também a mataria... e a mim da mesma forma. Eu não ia deixar isso acontecer.

— Você já está pensando em vingar minha mãe. O que quer dizer que vamos fazer isso juntos, né? — perguntei.

— Só se você tiver certeza absoluta de que é o que quer. Primeiro pense um pouco mais.

— Já pensei — falei, o que não era totalmente verdade, mas não importava. Era uma declaração tão sincera quanto seria se fosse dita agora. — Estou dentro.

E foi assim que vim parar aqui.

Mas onde exatamente é *aqui*? Ao andar pela rua, que ainda está lotada apesar de ser tarde da noite, tento analisar o que há ao meu redor. Onde quer que eu esteja, não é na Califórnia.

Picasso poderia ter pintado esta cidade, retratando seus ângulos grosseiros, certa rigidez e suas linhas escuras de aço que parecem cortar os prédios feito golpes de faca. Eu me imagino como uma das mulheres que ele pintou, o rosto dividido ao meio, assimétrico e contraditório, um dos dois quase parecendo sorrir enquanto o outro grita em silêncio.

Paro no meio do caminho. Já consigo reconhecer o percurso até o rio, e do outro lado da água escura, iluminada pelos holofotes, reconheço o prédio: Catedral de St. Paul.

Londres. Estou em Londres.

Ok, tudo bem. Faz sentido. Papai é... Ele era inglês. Só se mudou para os Estados Unidos quando ele e mamãe começaram a trabalhar juntos. Nesta dimensão, acho que ela deve ter vindo para a faculdade dele, e todos nós acabamos morando aqui em Londres.

Só de imaginar meu pai vivo outra vez, em algum lugar ali perto, me preenche de tal forma que mal consigo pensar em qualquer outra coisa. Quero correr até ele imediatamente, neste segundo, abraçá-lo com força e me desculpar por todas as vezes em que respondi de forma grosseira ou que fiz piada com as gravatas-borboleta ridículas que ele usava.

Mas esta versão do meu pai não será meu pai. E sim uma versão dele. O pai desta outra Marguerite. Porém, não me importo: é o mais perto que vou poder chegar dele de novo, e não vou desperdiçar essa chance. Ok. Próximo passo: descobrir onde fica esta versão da nossa *casa*.

As três viagens que fiz a Londres para visitar tia Susannah foram relativamente rápidas: ela adora fazer compras e fofocar, e por mais que papai a amasse, seis dias eram o máximo de tempo que ele aguentava passar com ela antes de perder a paciência. Mas fiquei lá tempo suficiente para saber que Londres não deveria se parecer com nada disso aqui.

Mesmo andando pelas ruas do lado sul do rio Tâmisa, consigo notar que os computadores foram inventados aqui um pouco mais cedo, porque parecem mais avançados. Várias pessoas, apesar da garoa, paravam para abrir pequenos quadradinhos de luz, que pareciam telas de computador, mas que simplesmente surgiam no ar diante dos usuários. Uma mulher conversava com um rosto. Só pode ser uma ligação holográfica. E enquanto estou ali, parada, uma das minhas pulseiras começa a brilhar. Ergo o pulso e o aproximo do rosto, de forma que consigo ler o que está escrito ali dentro, em letras metálicas bem pequenas:

Segurança Pessoal ConTech
DEFENDER Modelo 2.8
Fornecido pela Verizon

Não tenho muita certeza do que aquilo significa, mas não acho que isto seja só uma pulseira.

Que outros tipos de tecnologia avançada será que eles têm por aqui? Para todas as demais pessoas desta dimensão, isso tudo não passa de rotina. Tanto os quadcópteros que pairam sobre Londres quanto os monotrilhos sem trilhos rastejando sobre nossas cabeças estão lotados de passageiros entediados, para os quais este é apenas o fim de mais um dia chato.

Não há lugar como nosso lar, penso, mas a piadinha não tem graça nem mesmo na minha cabeça. Olho para baixo novamente, observando meus sapatos de salto alto, tão diferentes das sapatilhas que costumo usar. Não são sapatinhos de rubi.

Então lembro a mim mesma que tenho a tecnologia mais poderosa de todas — o Firebird — pendurada no pescoço. Abro o medalhão e olho para o dispositivo dentro dele.

É complicado. *Muito* complicado. O objeto me faz lembrar daquele controle remoto universal, que tinha tantos botões, funções e chaves que ninguém na minha casa — contendo vários físicos, incluindo minha mãe, que pode ser considerada o novo Einstein —, *ninguém* consegue entender como alternar entre o Playstation e a TV a cabo. Mas, assim como com o controle universal, aprendi algumas funções, as mais importantes: como pular para uma nova dimensão; como sair imediatamente de uma dimensão caso eu tenha ido parar em algum lugar perigoso; como disparar um "lembrete", se for preciso.

(Tinham a ideia de que as pessoas que viajassem entre dimensões não ficariam totalmente conscientes durante o processo, que permaneceriam mais ou menos adormecidas dentro das outras versões delas mesmas. Por essa razão, era possível usar o Firebird para criar um lembrete, o que deixaria a pessoa no controle por mais um tempo. Bom, isso na teoria. Até onde sei, lembretes não são realmente necessários, no fim das contas.)

Enquanto observo o Firebird brilhando na minha palma da mão, lembro a mim mesma que se aprendi a usar esse negócio, então posso lidar com qualquer coisa que essa dimensão tenha para mim. Reenergizada, começo a observar as pessoas à minha volta com mais atenção. *Observe e aprenda.*

Uma mulher toca numa guia de metal na manga da sua camisa e uma tela holográfica de computador surge diante dela. Logo começo a vasculhar as minhas roupas; a jaqueta prateada não parece ter nada como aquilo nas mangas, mas há uma plaquinha parecida presa na minha lapela. Bato de leve nela... e me sobressalto quando uma tela holográfica aparece na minha frente. O holograma pula comigo, preso à guia de metal.

Ok, é isso, então... Maneiro. E agora? Comandos de voz, como a Siri no meu celular? É possível que algo seja *touch-screen* sem que haja uma tela pra tocar? Para testar, ergo uma das mãos e um teclado holográfico surge diante de mim. Em seguida, finjo digitar algo nele...

E as palavras que digito aparecem na tela, na janela de busca: *PAUL MARKOV*.

Assim que os 80 zilhões de resultados aparecem, me sinto idiota. Markov é um sobrenome bem comum na Rússia, de onde os pais dele emigraram quando Paul tinha quatro anos. E o seu nome, que também tem uma versão russa (Pavel), é igualmente popular. Então vários milhares de pessoas têm o mesmo nome.

Tento novamente, buscando por *Paul Markov* e *físico*. Também não há qualquer garantia de que ele fosse aluno de Física aqui, mas preciso começar de algum ponto, e pelo visto a física é o único esforço humano que ele parece compreender remotamente.

Os resultados são mais promissores. A maioria é referente à Universidade de Cambridge, então clico no link "Perfil do Docente", que leva a um professor com outro nome, mas a página lista os assistentes de pesquisa, e a foto do Paul aparece. É ele.

Cambridge. Também fica na Inglaterra. Eu poderia chegar lá em algumas horas...

O que significa que ele poderia chegar aqui em algumas horas.

Conseguimos rastrear Paul porque os Firebirds nos permitem saber quando há uma brecha dimensional. Mas isso quer dizer que Paul pode nos rastrear da mesma forma.

Se esta é a dimensão correta — se foi para cá que Paul veio depois de sabotar o freio do meu pai e roubar a versão final do Firebird —, então ele sabe que estou aqui.

Talvez ele fuja, escapando para a próxima dimensão.

Ou talvez já esteja vindo ao meu encontro.

3

Aperto os braços ao redor do corpo enquanto ando pela névoa. A sensação é de estar me repartindo em uma dúzia de direções diferentes ao mesmo tempo: luto, então raiva, depois pânico... A última coisa de que preciso neste momento é perder a cabeça. Em vez disso, me obrigo a pensar no que sempre me acalma e me coloca no eixo: pintar.

Se eu fosse pintar a dimensão que estou vendo diante de mim, carregaria minha aquarela com ocre queimado, preto opaco, um espectro de tons de cinza... nada mais claro do que isso. Eu teria que triturar algo na tela com o polegar, alguma coisa como um pouco de areia ou cinzas, porque a sujeira por aqui vai além da superfície. Até mesmo o ar parece sujo ao entrar em contato com minha pele. Há menos pedras nessa Londres do que me recordo, mais metais duros. Muito menos árvores e plantas também. O vento frio é cortante. Estamos no início de dezembro e, no entanto, estou usando só um vestido preto curto e uma jaqueta muito fina que brilha mais que papel alumínio.

(Sim, definitivamente estamos em dezembro. Os dispositivos permitem viagem entre dimensões, mas não pelo tempo. "Isso renderia outro Prêmio Nobel", disse a mamãe uma vez, rindo, como se pudesse decidir se dedicar a isso durante algum tempo livre.)

Imaginar pinturas ajuda um pouco, mas minha agitação só é contida quando meu anel começa a brilhar.

Perplexa, olho para o anel prateado no meu dedo mindinho, que está piscando em círculos. A primeira coisa em que penso é que deve ser algum tipo de LED, alguma coisa para exibir nas boates. Mas se as guias de metal na minha jaqueta projetam computadores holográficos, o que será que isso pode fazer?

Então toco o anel com um tapinha de leve. O brilho desaparece, se transformando em um pontinho de luz e, diante de mim, surge um holograma. Nesse instante levo um susto, mas, em seguida, reconheço o rosto no brilho azul-prateado.

— Theo!

— Marguerite! — Ele sorri, e sua expressão de alívio brilha tanto quanto o próprio holograma. — É você mesma, não é?

— Sou eu. Ah, meu Deus, você conseguiu. Está vivo. Eu estava com tanto medo.

— Ei. — A voz dele é tão reconfortante quando ele quer que seja... apesar da falsa arrogância de Theo (e da sua arrogância real também), ele consegue interpretar bem melhor as pessoas do que deixa transparecer. — Não perca mais tempo algum se preocupando comigo, está bem? Sou como um dado viciado, sempre caio do lado certo.

Mesmo em meio a tudo, Theo se esforça para me fazer rir. Mas, em vez disso, sinto um nó na garganta. Nas últimas vinte e quatro horas perdi meu pai, meu amigo nos traiu e saltei para longe da minha dimensão original na direção de lugares desconhecidos. Estou perdida, mas continuo seguindo em frente.

— Se eu perdesse você, acho que não ia aguentar — digo.

— Ei, ei. Estou bem. Estou muito bem. Não está vendo?

— Você está ótimo mesmo — falo como se estivesse flertando. Pode ser que funcione ou não. Sou péssima nessas coisas. De qualquer forma, só tentar já me deixou mais calma.

Ele começa a agir como um homem de negócios, ou o mais parecido que alguém como Theo conseguiria. Seus olhos escuros, que pareciam transparentes no holograma, me encaram.

— Ok, então você acabou de usar um lembrete, porque se lembra de mim. Ou isso, ou eu causo uma tremenda boa impressão.

— Não, não precisei de lembrete. Eu me lembrei de tudo, em todo o caso.

— Você disse que se recorda de você mesma sem lembretes? — Ele inclina o corpo para a frente, distorcendo temporariamente a imagem do holograma. — Não passou por um período de confusão?

— Não. E pelo visto foi assim para você também. Acho que minha mãe estava errada quando achou que os viajantes dimensionais poderiam se esquecer deles mesmos.

— Não. — Theo balança a cabeça. — Eu precisei de um... Usei um lembrete assim que cheguei aqui.

— Estranho.

Theo parecia um pouco assustado por eu ter me lembrado das coisas com facilidade. Isso contrariava todas as teorias da minha mãe — e, aparentemente, a própria experiência dele —, mas acho que viajar pelas dimensões deve ser diferente para cada um. As teorias só são aprimoradas depois de testadas. Meus pais me ensinaram isso.

— Bom, já estava na hora de termos um pouco de sorte, pois estávamos ficando para trás — disse ele.

— Onde você está?

— Em Boston. Parece que nesta dimensão fui parar no MIT. Estou fazendo meu melhor para não notar todas as camisas do Red Sox no armário. — Theo não gosta de esporte algum, pelo menos não na nossa dimensão. — Achei que eu estava longe, Meg. Mas, nossa, você acabou indo para Londres.

Faz uns dois meses que Theo começou a me chamar de Meg. Ainda não decidi se acho irritante ou fofo, mas gosto de como ele sempre sorri quando me chama assim.

— Como você conseguiu me achar tão rápido? Por acaso hackeou minhas informações pessoais, ou algo assim?

Ele ergue uma das sobrancelhas.

— Procurei por você on-line, encontrei seu perfil e mandei um pedido de chamada, que é a opção que o equivalente do Facebook que eles usam aqui oferece. Quando liguei, você atendeu. Não há nenhuma ciência complexa por trás disso. E você está ouvindo isso de alguém que levou a sério o estudo de ciências muito complexas.

— Ah. Ok.

Bom, isso é um alívio. Talvez nem tudo tenha que ser difícil. Talvez a gente possa mesmo ter uma folga de vez em quando e contar com um pouco de sorte como desta vez.

Ainda que nossos dois dispositivos estejam programados para seguir os passos de Paul, não há garantia alguma. Podemos acabar nos separando a qualquer salto. Mas ainda não foi desta vez. Desta vez, Theo está comigo. Olho para o rosto dele, um pouco turvo sob o brilho do anel, e desejo que ele estivesse aqui ao meu lado.

— Você conseguiu... — Minha voz falha porque, pela primeira vez, estou calma o suficiente a ponto de perceber que tenho sotaque britânico. Igualzinho ao do meu pai. O que faz sentido, claro, considerando que moro aqui. Acho que falar é um pouco como uma memória muscular, que perdura mesmo quando a consciência da outra Marguerite está no banco do carona, mal comparando. Mas me dou conta disso da forma mais esquisita, legal e engraçada que dá para imaginar. — Banho — começo a dizer palavras soltas para ouvir meu sotaque. — Baaaaanho. Privacidade. Alumínio. Laboratório. Tomate. Ageeeenda.

Começo a gargalhar, e paro bem ali, com a mão no peito numa tentativa de recuperar o fôlego. Sei que estou rindo porque me recuso a me entregar e começar a chorar. O luto pela perda do meu pai não tem para onde ir e está afetando meu humor. E... *tomaaaaaate*. Isso é hilário.

Enquanto enxugo as lágrimas de tanto rir, Theo diz:

— Você está um pouco instável, hein?

— Acho que sim — digo, com a voz ainda estridente, enquanto tento me conter.

— Bom, se quiser saber, você soa adorável.

O momento de bobeira passa tão depressa quanto chegou, e é substituído por medo e raiva. Deve ser assim que se sentem as pessoas a beira de um ataque histérico. Preciso segurar a onda.

— Theo, Paul está muito perto de Londres. Se ele souber que viemos para essa dimensão, pode ser que já esteja vindo para cá.

— O quê? Como você sabe disso?

— Você não foi o único que usou computador, sabe? Rastreei Paul e descobri que ele está em Cambridge.

Observo a noite e a paisagem severa ao longo do rio, onde os contornos pontudos dos prédios cercam a cúpula da catedral. Pode ser que o Paul já esteja aqui. Quanto tempo será que ele levaria para chegar em Londres?

De maneira impetuosa, lembro a mim mesma que se Paul estiver atrás de mim, vai me poupar o trabalho de ir atrás dele. Da próxima vez em que nos encontrarmos, um de nós ficará arrependido, e não serei eu.

Devo estar com a expressão de uma assassina, porque nesse instante Theo diz:

— Tem uma coisa de que temos que nos lembrar, está bem? Existe uma pequena chance de eu ter calibrado o Firebird de forma incorreta. Pode ser que a gente tenha saltado em uma dimensão errada. Talvez o Paul Markov desta dimensão não seja nosso Paul. Então a gente não pode se precipitar até ter certeza dos fatos.

O que ele está dizendo, na realidade, é que não posso matar um homem inocente. Nem tenho certeza de que conseguiria matar o culpado, ainda que eu tenha toda a intenção de tentar... Minhas habilidades limitadas com o Firebird significam que não sei diferenciar nosso Paul de nenhum outro. E esta é apenas mais uma razão pela qual preciso de Theo comigo.

— Em quanto tempo você acha que consegue chegar aqui?

— Já comprei minha passagem, Meg — responde ele, dando um daqueles sorrisos de canto que são sua marca registrada. — Não pude escolher o voo, pois foi de última hora. Terei que ir até a Alemanha e depois voltar. Obrigado, Lufthansa! Mas devo chegar aí amanhã à meia-noite. É rápido o suficiente para você?

Ele já cruzou uma dimensão para me ajudar, e agora vai atravessar metade do globo, o mais humanamente depressa possível, e a única pergunta que ele me faz é se eu acho rápido o suficiente.

— Obrigada — sussurro.

— Estamos juntos nessa — acrescenta ele, como se não fosse nada demais. — Olha, se entendi como esses anéis-telefone funcionam, e acho que entendi, então você pode permitir meu acesso de rastreamento.

— O que é isso?

— Erga seu anel em frente ao holograma, ok? — Faço isso e o anel brilha. Na tela holográfica, consigo ver que ele está erguendo o anel dele também. Theo sorri. — Muito bem, agora vou conseguir encontrá-la sempre que você estiver com o anel, e você pode fazer o mesmo. Quer dizer, assim que você aprender a usá-lo. Então, para onde você vai agora?

— Acho que para casa. Assim que descobrir onde fica. — Dou risada. De repente, Theo parece aflito. Por que será que ele ficou desse jeito?

— Marguerite... — Sua voz sai mais baixa, mais séria, diferente do Theo de sempre.

O medo me invade com mais força, e imediatamente busco HENRY CAINE E SOPHIA KOVALENKA. Os resultados aparecem no mesmo instante: artigos de física, algumas fotos da faculdade quando eram mais jovens, alguns vídeos...

Inclusive o vídeo de um acidente com um quadcóptero que aconteceu alguns anos atrás, o qual matou mais de três dúzias de pessoas, incluindo dois cientistas com carreiras promissoras e sua filha mais velha.

Não tenho meu pai de volta. Ele também está morto aqui. A única diferença é que minha mãe já se foi. E Josie.

Toda a minha família está morta.

Suspiro fundo e com força, como se tivesse sido atingida por alguma coisa. E mesmo a uma grande distância, consigo ouvir Theo perguntar:

— Marguerite? Você está bem?

Não respondo. Não consigo.

Prestativamente, a tela holográfica começa a exibir o vídeo do acidente, que parece ter tido grande destaque na mídia. Neste momento parece que a explosão está acontecendo dentro da minha cabeça, o calor queimando e a luz cegando tudo o que eu amo, todos que me amavam de verdade — papai, mamãe e Josie — sendo queimados até só restarem cinzas.

Aconteceu no céu de São Francisco. As matérias nos jornais informam que a fuligem e alguns pedaços da fuselagem chegaram até Las Vegas, caindo na terra enquanto outras vezes foram carregados pela chuva.

— Marguerite? — O brilho do holograma não consegue disfarçar a expressão preocupada de Theo. — Seus pais... Sinto muito. Muito mesmo. A primeira coisa que fiz ao chegar nesta dimensão foi procurá-los. Achei que talvez pudessem nos ajudar, sabe? Não me dei conta de que você podia ainda não saber o que tinha acontecido com eles.

Meu coração estava despedaçado com a morte do meu pai desde que a polícia ligou para nossa casa. Cheguei a vislumbrar a chance de vê-lo novamente aqui, ou pelo menos uma versão diferente dele.

Mas meu pai continua morto, e agora Josie e mamãe também se foram. Estão tão perdidas quanto ele.

Elas estão bem!, tento dizer a mim mesma. *Isso aconteceu nesta dimensão, não na nossa. Quando você voltar para casa, mamãe e Josie estarão lá esperando você. Não é como aqui, você não perdeu tudo, não perdeu de jeito nenhum. Vai ficar tudo bem.*

Mas não é verdade. Meu pai continua morto.

— Por que alguém iria querer viajar entre dimensões, afinal de contas? — pergunto, com a voz abafada e as unhas cravadas nos meus antebraços, cruzados à minha frente como um escudo. A dor física me impede de chorar. Não importa o que aconteça, me recuso a chorar. — As pessoas não pensam no que podem encontrar.

— Sinto muito — diz Theo mais uma vez. Parece que ele quer atravessar o holograma para ficar perto de mim. — Sinto muito mesmo.

E eu penso: *É isso o que você queria, Paul? Será que você odiava tanto eles que decidiu fugir para um mundo em que os dois já estão mortos? Para que tivesse menos trabalho?*

Lembro-me novamente do rosto sério de Paul, dos seus olhos cinzentos que pareciam enxergar através de mim. Eu me recordo do dia em que ele me observou pintando, seu olhar seguindo cada pincelada que eu dava na tela. Sinto nojo só de pensar que por um breve período de tempo eu quase...

— O acidente foi há muito tempo, há uma vida — recomeça Theo, com a voz mais firme dessa vez. — Você precisa pensar desta forma, está bem?

As palavras dele rompem minha melancolia, me trazendo de volta para o presente.

— Ok. É. Só fiquei em choque. Não vou deixar me afetar de novo.

Ele tem a delicadeza de fingir que acredita em mim.

— Até amanhã, mantenha-se firme e fique em segurança. E se encontrar Paul... não deixe que ele veja você.

O holograma se apaga. Continuo encarando meu anel, torcendo, mesmo sem esperança, que ele me ligue novamente. Mas o metal permanece frio, silencioso e escuro.

Então vou para casa.

Meu anel brilhante também tem GPS, e quando peço para me guiar até em casa, o objeto obedece. Sigo as instruções sem ter ideia de onde vou parar.

No fim das contas, minha casa fica em um prédio particularmente elegante, menos espalhafatoso que a maioria dos outros ao redor, mas tão frio quanto os demais. O elevador é daqueles de vidro que permitem ver o lado de fora, os quais, na minha opinião, foram especialmente criados para aterrorizar quem tem acrofobia. Espero sentir certo conforto ao entrar, porque o apartamento dela deve ser, em parte, meu apartamento também. Mas assim que o vejo, penso que nunca tinha me deparado com um lugar que se parecesse tão pouco com um lar.

O local lembra uma galeria de arte, mas aquelas que só exibem obras esquisitas, pop-bregas, como crânios de vaca adornados com pedras preciosas. Ou talvez seja como um hospital que realiza cirurgia plástica em celebridades. Um tom de branco seco misturado com metal escovado, assentos duros, nada confortável nem aconchegante, e tão claro a ponto de dar para ver todo grão de poeira, o que, acredito, é a intenção. Fico ali parada, ainda pingando por causa da chuva, consciente de que estou suja, esquisita e me sentindo deslocada.

Não é possível que eu já tenha me sentido em casa aqui.

— Marguerite? — Tia Susannah aparece no corredor vestindo uma camisola branca tão imaculada quanto a decoração do local. Acho que devo estar sob a custódia dela, então.

Ela está com o cabelo solto, pronto para ir dormir, mas ainda cai ordenadamente sobre seus ombros, como se não ousasse ficar desarrumado. Ela não parece muito diferente nesta dimensão.

— Chegou cedo hoje — observa ela, passando algum creme caro no rosto. Já passa de uma da manhã. Que horas será que costumo chegar?

— Eu estava cansada.

— Você está bem?

Dou de ombros e tia Susannah deixa para lá.

— Então é melhor ir para a cama. Você não quer ficar doente, né?

— Ok. Boa noite, tia Susannah.

Ela para. Será que não costumo lhe dizer isso? Não sinto um carinho maternal vindo dela; tia Susannah não é dessas. Não é que eu não a ame. Amo, sim. E ela me ama também. Mas acho que ser mãe não era algo que ela queria.

— Ok. Boa noite, querida — responde ela simplesmente.

Enquanto minha tia segue pelo corredor até o quarto, entro na outra porta, a do quarto que deduzo ser meu.

E é muito... *branco*. Não é tão chique quanto o resto do apartamento, mas nada dentro desse espaço faz parecer que é meu, que pertenço a esse local. Sinto o mesmo que estar no quarto de um hotel luxuoso. Mas me dou conta de que este deve ser o objetivo.

A Marguerite que perdeu a família tão jovem é a que passou o resto da vida tentando não amar nada nem ninguém com a mesma intensidade novamente.

Não decorei o quadro de cortiça com cartões-postais nem imprimi imagens que acho inspiradoras. Não tem nenhum cavalete no canto do quarto exibindo minha última tela. Aliás, será que eu pinto alguma coisa nesta dimensão? Não tenho estantes de livros. Não há nenhum livro. E ainda que eu esteja torcendo para que a Marguerite desta dimensão tenha algum e-reader tecnologicamente avançado nos brincos ou algo assim, isso me parece improvável. Pelo visto, ela não gosta muito de ler.

No meu armário há várias peças de roupa de designers famosos, e também de alguns que desconheço, mas que posso chutar serem igualmente sofisticadas. Nenhuma delas se parece com algo que eu usaria em casa, pois são todas metálicas, de couro ou de plástico, um pouco duras e muito brilhantes. Talvez eu devesse comemorar que o dinheiro da família Caine parece ter durado algumas gerações a mais nesta dimensão, mas só consigo pensar em quão fria esta vida é.

E agora tenho que viver nela.

Fecho a mão em torno do Firebird. Eu poderia tirá-lo nesse instante se quisesse, porque pelo visto eu não preciso de lembretes. Mas só de pensar em estar longe dele, já fico apavorada. Então fecho os olhos e imagino que ele poderia me ajudar a voar para outro lugar, nem nesta vida nem na antiga, mas para alguma outra realidade nova, mais brilhante, onde está tudo bem e nada pode me machucar de novo.

Minhas pernas estão cedendo, e por isso me deito na cama imaculada. Fico ali deitada por um bom tempo, encolhida, desejando estar em casa — na minha casa de verdade — com mais força do que já desejei qualquer outra coisa na vida.

4

Deitada aqui, nessa dimensão que não é a minha, em uma cama branca inóspita mais proibitiva do que confortável, tento formar imagens da minha casa na cabeça. Quero cada rosto, cada canto, cada sombra, cada feixe de luz. Quero minha realidade inteira imaginada por cima desta aqui, até que eu não consiga mais ver esse branco cegante diante de mim.

Minha casa — minha casa de verdade — fica na Califórnia.

Nossa casa não é na praia, e sim ao pé de uma montanha, sob a sombra de árvores altas. Está sempre limpa, mas nunca arrumada. Há várias pilhas de livros nas estantes espalhadas pela casa e presentes em quase todos os cômodos, e as plantas que mamãe tenta cuidar resistem em cada canto e recanto. Também há alguns anos meus pais taparam as paredes do corredor inteiro com uma tinta que imita um quadro-negro, criada para os quartos de crianças pequenas, mas que funciona muito bem para registrar equações físicas.

Quando eu era mais nova, meus amigos ficavam superanimados assim que eu contava que meus pais realizavam a maior parte de seus trabalhos científicos em casa, e na primeira vez que vinham me visitar esperavam encontrar tubos de ensaio borbulhantes, dínamos, ou qualquer um desses equipamentos que os programas de ciências lhes mostram. Mas, na verdade, isso significa uma pilha de papéis sobre toda e qualquer superfície plana. É claro que com o tempo tivemos algumas geringonças, mas poucas. Ninguém quer descobrir que a física teórica tem muito menos a ver com lasers brilhantes e muito mais com números.

No meio do maior cômodo fica nossa mesa de jantar, que é redonda, enorme e de madeira. Meus pais a compraram por um preço bem baixo em uma feira beneficente quando Josie e eu ainda éramos pequenas. Eles nos deixaram pintá-la de todas as cores, com as mãos, porque adoravam nos ouvir rir e nunca houve dois adultos que se incomodam tão pouco com a aparência dos móveis da própria casa. Josie achava engraçado fazer borrões circulares com os dedos. Eu, no entanto... aquela foi a primeira vez em que reparei na diferença das cores quando eram misturadas, e no contraste de uma ao lado da outra. Imagino que tenha sido naquele momento que me apaixonei pela pintura.

— Acho que você pensa que pintar não é tão importante quanto física — falei para Paul quando ele se sentou diante do meu cavalete no dia em que ficou me observando trabalhar.

— Depende do que você chama de importante — respondeu ele.

Eu podia tê-lo rejeitado naquele exato instante. Por que não fiz isso?

Pego no sono sem perceber, e minhas memórias viram sonhos. Durante a noite toda vejo o rosto de Paul diante de mim, me encarando, me questionando, planejando algo que não consigo adivinhar o que é. Na manhã seguinte, ao acordar nesta cama fria e desconhecida, não consigo me lembrar dos meus sonhos. Só sei que tentei ir atrás de Paul, mas não conseguia me mexer de jeito nenhum.

Por mais surpreendente que seja, não me sinto desorientada. Desde que abro os olhos, sei onde estou, quem sou e quem supostamente devo ser. Lembro o que Paul fez com meu pai, e que nunca mais voltarei a vê-lo. Ali, deitada em meio aos lençóis brancos amarrotados, percebo que não quero me mexer. Meu luto parece cordas, me amarrando com força.

— Venha, querida! — chama tia Susannah. — Está na hora de ficar bonita!

A não ser que a tecnologia desta dimensão esteja beirando o miraculoso, isso não vai acontecer. Eu me sento, pelo reflexo da janela dou uma olhada nos meus cachos bagunçados e resmungo.

Parece que vamos a um almoço beneficente, apesar de minha tia não se importar nem um pouco com essas coisas, afinal, nem se lembra do nome da instituição. É um evento social, um lugar para ver e ser vista, e é isso o que importa para tia Susannah.

Ainda assim, sei que tenho que ficar aqui e esperar Theo chegar. Se eu quiser mesmo conter Paul, vou precisar de toda a ajuda que conseguir arranjar, e ele é o único que pode fazer isso. Então, por um dia inteiro, tenho que levar a vida desta Marguerite.

E, pelo que parece, não é lá muito divertida.

— Venha, querida — diz tia Susannah, cambaleando com o salto alto pelas ruas de pedra, tão ágil quanto uma cabra-da-montanha. — Não podemos nos atrasar.

— Não podemos?

A ideia de participar de todo um evento social no corpo de outra versão de mim mesma... é muito intimidadora.

Ela me olha confusa por cima do ombro.

— Mas eu queria que você conhecesse a duquesa. A sobrinha dela está na Chanel, você sabe. Se quiser mesmo ser uma estilista famosa um dia, já precisa começar a fazer contatos agora.

Então quero ser uma designer de moda nesta realidade? Bom, pelo menos é um trabalho criativo.

— Claro, claro.

— Não finja que é sofisticada demais para se impressionar com um título — acrescenta tia Susannah. Ela fica agitada e desdenhosa desse jeito sempre que se sente desafiada. — Você é ainda mais esnobe do que eu e sabe disso. Igualzinha à sua mãe.

— O quê?

— Eu sei, eu sei que para você seus pais são santos, e devem ser mesmo. Não estou dizendo que não eram pessoas totalmente *adoráveis*. Mas sua mãe adorava se gabar de ser descendente da nobreza russa! Parece até que ela tinha roubado pessoalmente as joias dos Romanov e enfrentado exército vermelho.

— A família dela *era* da nobreza. Eles realmente fugiram da revolução. Passaram quatro gerações morando em Paris com expatriados até que os pais dela, enfim, se mudaram para a América. Ela nunca mentiria sobre uma coisa que não era. — E então me dou conta de que, nesta dimensão, eu não deveria saber tanto sobre minha mãe, pois aqui ela está morta assim como meu pai. — Quer dizer, acho que não mentiria.

E ela não faria isso mesmo. Minha mãe só se preocupa com duas coisas: a ciência e as pessoas que ela ama. É o tipo de mulher que prende seu cabelo cacheado em um coque com o primeiro lápis ou caneta que encontra pela frente. É a mulher que me deixou pintar a mesa com os dedos. Não tem ninguém nesse mundo menos esnobe que ela.

Estamos no meio da rua, a uma quadra de distância do hotel onde a duquesa está tomando chá com seus 140 amigos mais próximos. Tia Susannah põe a mão no peito feito a atriz de um filme dramático brega, mas sei que ela está sendo sincera. Pelo menos, tão sincera quanto sabe ser.

— Não foi minha intenção criticar sua mãe. Você sabe, não é?

Vindo da tia Susannah, ser chamada de "esnobe" é quase como ganhar uma medalha de mérito.

— É. Eu sei — respondo, com um suspiro.

— Eu odiaria se ficássemos uma contra a outra — diz ela, se aproximando e colocando o braço ao redor de mim. — Sempre foi assim, você e eu. Você e eu contra o mundo, não é?

Eu quase podia acreditar que tivemos uma vida boa juntas, se não fosse por aquele apartamento tão impessoal. Ou então, se eu não tivesse reparado no olhar entediado e impaciente da tia Susannah por trás dos seus óculos de sol com lentes translúcidas.

Levei menos de um dia para descobrir que tia Susannah se ressente por ter que cuidar da Marguerite desta dimensão. Como será que ela se sente sabendo disso? Sentindo-se tão rejeitada pela única família que ela ainda tem no mundo?

— Você e eu — repito, e tia Susannah sorri, como se isso fosse um motivo para ficar feliz.

Na minha casa de verdade, nunca fomos "só nós".

Pelo que me lembro, os assistentes de pesquisa dos meus pais passavam tanto tempo lá em casa quanto eu. Quando eu era bem nova, achava que eles eram meus irmãos, assim como Josie. Lembro que chorei muito no dia em que Swathi gentilmente me explicou que ela estava voltando para Nova Déli porque seu trabalho e sua família estavam lá. Mas quem eram aquelas pessoas? Como podiam ser a família dela, se *nós* é que éramos?

Meus pais começaram a ser mais claros sobre seus assistentes depois disso. Mas o fato é que a maioria deles acabou sendo mais ou menos adotado, de uma maneira informal. Minha mãe e meu pai sempre quiseram ter muitos filhos, mas engravidar acabou sendo algo difícil pra ela, então depois que eu nasci eles pararam de tentar. Acho que, no fim, esses estudantes preencheram o espaço vazio que eles tinham guardado para meus possíveis irmãos e irmãs. Eles dormem no nosso sofá, escrevem suas teses na mesa de arco-íris, reclamam de suas vidas amorosas, tomam nosso leite direto da caixa. Nós acompanhamos a vida deles, e vários são pessoas muito importantes na minha vida. Diego me ensinou a andar de bicicleta. Louis me ajudou a enterrar meu peixinho dourado no quintal, num dia de chuva forte, e ficou comigo durante todo o "velório". Xiaoting era a única que estava em casa quando fiquei menstruada pela primeira vez, e ela soube muito bem lidar com a situação, me explicando como usar o absorvente e depois me levando para tomar sorvete na Cold Stone.

Ainda assim, desde o início, Paul e Theo eram diferentes. Mais próximos de nós que qualquer outro. Especiais.

E Paul era o mais especial de todos.

Mamãe brincava que gostava dele porque assim como ela, ele era russo, e que somente os companheiros russos conseguiam entender o humor negro do outro. Papai fazia de tudo para poder almoçar com eles no campus da universidade, e uma vez chegou a emprestar o carro para Paul. Ele nem *me* deixava usar o carro. E embora Paul fosse muito quieto, bastante desligado e aparentemente invulnerável a risadas, para os meus pais ele era ótimo e nunca os decepcionaria.

(Assim que ele chegou, protestei dizendo que Paul era esquisito.)

— Ele parece um homem das cavernas, de antes da época em que sabíamos falar.

— Isso não é algo legal de se dizer — retrucou meu pai enquanto adicionava leite ao seu chá. — Marguerite, lembre-se de que Paul concluiu a escola aos 13 anos e começou o doutorado aos 17. Ele não viveu a infância, sequer teve chance de fazer amigos da mesma idade que ele, e sabe-se lá se teve apoio emocional em casa. Isso tudo o torna um pouco... esquisito, sim, mas não significa que ele não seja uma pessoa boa.

— E, além disso — acrescentou minha mãe —, quando você diz "homem das cavernas", apesar de não ter certeza de se está se referindo ao cro-magnon ou ao neandertal, não podemos simplesmente supor que eles não tinham habilidade de fala.

Paul foi assistente de pesquisa deles por apenas um ano e meio, mas meus pais o amaram mais do que qualquer outro assistente. Ele praticamente morava na nossa casa ou nas aulas dos meus pais, vinte e quatro horas por dia, sete dias por semana. Emprestavam livros para ele, uma jaqueta no inverno, e chegaram até a lhe preparar um bolo de aniversário (do seu sabor favorito: chocolate com recheio de caramelo).

Theo Beck trabalhava para os meus pais tanto quanto ele. E nunca foram indelicados com Theo. Sempre achei que pertencia ao grupo, e ele é, definitivamente, mais divertido que o esquisito e cauteloso do Paul. O cabelo preto de Theo está sempre um pouco bagunçado, tudo para ele é piada, e, ok, ele flerta comigo às vezes, mas não acho que mamãe e papai se importavam, ou que sequer reparavam. Então Theo deve ter sido igualmente amado.

Porém, Paul é mais esperto. Mais singular. Superou o "extraordinariamente inteligente" passando a ser considerado "gênio". Também posso afirmar que mamãe e papai achavam que Paul precisava mais deles. Theo é convencido, enquanto Paul é tímido. Theo faz piadas, já Paul parece melancólico. Por causa disso, ele aflorava o lado protetor dos meus pais, de forma que Theo jamais conseguiria. Eu sabia que algumas vezes Theo parecia sentir ciúme ao notar como meus pais se dedicavam a Paul.

Às vezes eu mesma sentia ciúme.

Vinte minutos após chegar ao almoço beneficente, fui apresentada à sobrinha da duquesa, Romola, a que trabalha na Chanel. Ela não é designer de lá, e sim assessora de imprensa, mas, como tia Susannah diz, qualquer contato já ajuda.

Surpreendentemente, Romola não me trata como se eu fosse uma parasita, ao contrário, ela parece me entender.

— Vamos nos divertir tanto — sussurra ela para mim. — Já estava na hora de alguém interessante aparecer por aqui.

Dez minutos depois, estou no banheiro observando Romola cheirar uma carreira de cocaína. Ela me oferece um pouco, mas eu recuso, apesar de desconfiar que a Marguerite desta dimensão tivesse aceitado sem hesitar.

Então, quinze minutos mais tarde, quando Romola me oferece champanhe, às duas da tarde, acho melhor dizer sim. Se preciso convencer que sou a Marguerite daqui, tenho que agir como ela.

Tia Susannah me observa começar a beber, e não diz nada. Acho que ela já está acostumada com isso.

A festa é superestranha, sofisticada e brega ao mesmo tempo. Todas as mulheres com mais de trinta anos tiveram o rosto alterado por alguma cirurgia plástica, mas, apesar disso, elas não parecem mais jovens, e sim um pouco menos humanas, de um modo que a sociedade parece ter decidido fingir não reparar. Metade das pessoas está mais concentrada nos hologramas dos próprios anéis e distintivos do que nas pessoas ao seu redor. As conversas que ouço são, na maioria, fofocas: quem está dormindo com quem, quem está ganhando dinheiro, quem está perdendo, quem não será convidado para a próxima festa.

Talvez a tecnologia seja diferente, mas a superficialidade da cena provavelmente é universal. Meu pai escapou desta vida quando escolheu a ciência e decidiu deixar a Grã-Bretanha para se juntar à minha mãe na Califórnia. Ele era ainda mais esperto do que eu já sabia.

Um brinde a você, papai, pensei ao pegar mais uma taça de champanhe.

Sete horas depois do almoço, estou dirigindo o carro de Romola: um Teardrop prata e brilhante que na verdade dirige sozinho, o que é ótimo, considerando que já estou muito bêbada. Romola está me contando sobre todas as boates que vamos visitar esta noite. Passamos o dia inteiro juntas e ela está agindo como se já fôssemos amigas, como se ela fosse arranjar um estágio na Chanel para mim. Mas eu sei, e ela também, que só estamos usando isso como uma desculpa para ficarmos loucas. Acho que nem se eu tentasse Romola deixaria eu me afastar dela. Estou odiando isso. Preferia ir para casa, vomitar e apagar, se possível nesta ordem.

Mas toda vez que olho para a Londres escura, irregular e futurística diante de mim, lembro que Paul está aqui. Lembro que temos que nos encontrar novamente, e do que preciso fazer quando isso acontecer. Não há escapatória, nem para ele, nem para mim.

Paul diria que era nosso destino.

— O que você está tentando fazer? — perguntou Theo uma vez, ao encarar Paul do outro lado da mesa. As partes que mais tarde se tornariam o primeiro protótipo do Firebird estavam espalhadas diante deles, pela mesa de arco-íris. — Quando Sophia finalmente começa a ser levada a sério, você quer transformá-la em piada de novo?

— Como assim? — perguntei. Eu estava vindo da aula de piano e logo me livrei das partituras para parecer menos infantil. Theo é só três anos e meio mais velho do que eu, e Paul tem dois anos a mais. Eles foram os primeiros estudantes de pós-graduação que considerei mais parecidos comigo do que meus próprios pais. Eu queria que eles pensassem o mesmo de mim. — Por que as pessoas iriam rir da minha mãe?

Os olhos cinzentos de Paul me encararam por apenas um segundo, e logo em seguida ele voltou ao trabalho.

— A teoria não é dela, é minha. Assumo a responsabilidade.

Theo se reclinou na cadeira e apontou o colega com o polegar.

— Esse cara está disposto a arriscar a própria credibilidade científica, e a dos seus orientadores, não importa que ele diga o contrário... e só porque acredita em destino.

— Destino?

Isso me parecia muito... romântico para alguém como Paul.

— Existem padrões dentro das dimensões — insistiu Paul, sem erguer os olhos do seu trabalho. — Paralelismos matemáticos. É plausível ter como hipótese que esses padrões se refletirão nos eventos e nas pessoas em cada dimensão. Que aqueles que se encontraram em uma realidade têm maior probabilidade de se encontrarem em outra. Algumas coisas que acontecem vão se repetir muitas vezes, de formas diferentes, só que com mais frequência, de forma que só a mera coincidência não basta para explicar.

— Ou seja — continuei —, você está tentando provar a existência do destino.

Eu falei de brincadeira, mas Paul assentiu devagar, como se eu tivesse dito uma coisa muito inteligente.

— Sim. É exatamente isso.

— Você tem que ir para Paris comigo semana que vem! — grita Romola acima da música alta da boate. Acho que eu estava do lado de fora dessa mesma boate quando acordei ontem à noite, ao chegar nesta dimensão.

— Claro! — Por que não aceitar? Ela nunca vai me levar mesmo, eu nunca irei realmente para lá, e nós duas sabemos disso. — Seria incrível!

Estou usando um vestido que ela me emprestou: couro com peltre, tão justo que parece apertado até mesmo no meu corpo magro. Não tinha como deixar mais óbvio que eu praticamente não tenho peito, mas, por outro lado, mostra bastante minhas pernas e, segundo a opinião dos caras da festa, isso compensa a ausência no decote. Eles ficam em cima de mim o tempo todo, comprando bebidas para mim, mais bebidas das quais não preciso.

E odeio como eles me olham, admirando, mas ao mesmo tempo me avaliando; a mesma avaliação severa e gananciosa que fariam com um carro esporte. Nenhum deles realmente olha para *mim*.

— Você provavelmente acha que, no mínimo, é pouco prática — falei para Paul na noite em que ele ficou me observando pintar. — A arte.

— Não acho que praticidade seja o mais importante.

Por um instante, isso me pareceu quase um elogio, até eu entender que ele estava praticamente admitindo que achava impraticável que eu fosse estudar Artes Plásticas na faculdade. Eu teria aulas de restauração de arte para não ter que continuar morando no porão dos meus pais até os trinta anos, mas não senti vontade de me defender, e sim de atacar.

Era final de novembro, logo depois do dia de Ação de Graças... só uma semana e meia atrás, mas, mesmo assim, parecia ter acontecido em outra vida. A noite estava surpreendentemente quente, um último brilho do veranico, ou, como minha mãe gostava de chamar, do modo russo, "o verão das senhorinhas". Eu estava vestindo uma camisola velha, suja com inúmeras manchas de tinta, resultado das noites anteriores que passei pintando, e um short jeans que eu mesma cortei. Paul estava de pé na porta do meu quarto, e esta foi a única vez em que ele chegou perto de invadir meu espaço pessoal.

Eu estava bastante *consciente* da presença dele. Paul é maior do que um cara normal da sua idade, e, de maneira geral, *bem* maior que um estudante de física: alto, de ombros largos e extremamente musculoso, o que deduzo ser por causa da sua paixão por escalada. O corpo dele parecia ocupar a porta inteira. Ainda que eu não tenha parado de pintar, sem desviar os olhos do pincel e da tela, era como se eu pudesse sentir a presença dele atrás de mim. Como sentir o calor do fogo mesmo sem olhar diretamente para a chama.

— Ok, talvez os retratos não dominem mais o mundo da arte hoje em dia — falei. Outros estudantes de arte faziam mosaicos e móbiles com "objetos encontrados", editavam anúncios dos anos 1960 no Photoshop para fazer comentários pós-modernos sobre a sociedade atual, coisas assim. Algumas vezes eu me sentia deslocada, porque tudo o que tinha para oferecer eram minhas pinturas a óleo de rostos de pessoas. — Mas vários artistas ganham um bom dinheiro pintando retratos. Dez mil paus por quadro, às vezes, se a pessoa é famosa. Eu poderia ser uma dessas pessoas.

— Não — respondeu Paul. — Não acho que poderia.

— O quê? — Eu me virei para ele. Meus pais podem idolatrar o cara, mas isso não quer dizer que ele podia entrar no meu quarto e me insultar. — O que foi que disse?

— Quer dizer... — Ele hesitou, pois sabia que tinha falado coisa errada, apesar de não saber o quê. — As pessoas que querem retratos... As pessoas ricas, elas querem ficar bonitas na tela.

— Se você está tentando sair dessa numa boa, está fazendo um péssimo trabalho. Só para você ficar sabendo.

Paul enfiou as mãos nos bolsos da calça jeans surrada, mas sem desviar os olhos cinzentos de mim.

— Elas querem parecer perfeitas. Só esperam que o melhor lado delas apareça. Acham que um retrato deveria ser como uma cirurgia plástica, mas feita na imagem e não no rosto delas. Bonito demais para ser real. E suas pinturas... Às vezes elas são bonitas, mas são sempre muito reais.

Eu não conseguia mais encará-lo. Virei a cabeça para a galeria de pinturas penduradas nas paredes do meu quarto, onde minha família e meus amigos retribuíam meu olhar.

— Como sua mãe — continuou ele, com uma voz mais suave. Observei o retrato dela. Tentei pintar o rosto da minha mãe da melhor forma possível, porque eu a amo, mas não só recriei seus olhos amendoados e escuros ou seu sorriso largo, como também retratei que seu cabelo fica sempre arrepiado e apontando para todas as direções, e que as maçãs se destacam no seu rosto fino. Se eu não tivesse incluído isso na pintura, não seria *ela*. — Quando olho para este retrato, eu a vejo do jeito que ela é tarde da noite, depois de termos trabalhado por dez, quatorze horas. Consigo ver a genialidade dela. E a falta de paciência. O cansaço. A bondade. E eu seria capaz de notar tudo isso mesmo se não a conhecesse.

— Sério? — Voltei a olhar para ele, que assentiu, visivelmente aliviado por eu ter entendido.

— Olhe para todos eles. Josie parece muito entusiasmada. Seu pai está distraído, pensando em uma de suas tangentes, e não dá para adivinhar se ele está perdendo tempo ou prestes a descobrir algo brilhante. E Theo... — Ele fez uma pausa enquanto eu observava o retrato de Theo que eu estava terminando, com seu cabelo preto arrepiado com gel, os olhos castanhos sob as sobrancelhas arqueadas e lábios carnudos como os de um cupido da Renascença —, Theo está prestes a aprontar alguma, com certeza.

Caí na gargalhada. Ele sorriu.

— E tem também o seu autorretrato.

Apesar de eu ter participado de várias mostras de arte, e tenha até exposto meus trabalhos em uma galeria bem pequena, nunca tirei meu autorretrato do quarto. É um trabalho muito pessoal, de forma que nenhuma outra pintura nunca será.

— Seu cabelo — disse ele, e sua voz falhou, porque acho que até mesmo Paul tinha certo tato para saber que criticar o cabelo de uma garota não era uma atitude muito inteligente. Mas, é verdade, meu cabelo é ainda mais cacheado e incontrolável que o da minha mãe, e foi assim que eu retratei na pintura. — Dá pra ver todas as semelhanças que você tem com sua mãe.

Claro, pensei. *Magrela, alta e pálida demais.*

— E todas as diferenças também.

Tentei fazer uma piada:

— Quer dizer que você não vê em nós duas o mesmo intelecto genial?

— Não.

Essa doeu. Não sei se ele reparou que eu cheguei a estremecer.

— Há talvez cinco pessoas por século que nascem com uma mente como a da sua mãe. Não, você não é tão inteligente quanto ela. Nem eu sou. Nem nenhuma das pessoas que provavelmente vamos conhecer durante toda nossa vida.

Isso era verdade. E ajudou, mas minhas bochechas continuavam vermelhas com o calor. Como é que eu conseguia *sentir* a presença dele perto de mim?

A voz dele é mais suave do que se pode esperar que seja, considerando seu tamanho e seu olhar severo.

— Eu vejo... que você está sempre procurando algo — prosseguiu ele. — Que você realmente odeia coisas falsas ou cópias. Que é madura para a sua idade, mas sem deixar de ser... brincalhona, feito uma garotinha. E como está sempre observando as pessoas, ou imaginando o que elas pensam ao olhar para você. Seus olhos. Seus olhos dizem tudo.

Como será que ele conseguia ver tudo isso? Como ele podia enxergar tudo isso apenas em um retrato?

Mas eu também sabia que não era só o retrato.

Ainda que eu achasse que tenha dito alguma coisa, com certeza eu não falei uma palavra sequer. Fiquei sem ar. Em momento algum desviei os olhos do autorretrato e olhei para ele.

— Você pinta a verdade, Marguerite. E acho que não saberia fazer diferente.

E então ele foi embora.

Depois disso, comecei a trabalhar em um retrato de Paul. O rosto dele é bem difícil de pintar, o que me surpreendeu. A testa ampla, forte, com as sobrancelhas retas, a mandíbula firme, o cabelo castanho--claro com um toque de louro-avermelhado que me fez passar horas misturando tintas para tentar alcançar o tom exato; a maneira que ele direciona a cabeça um pouco para a frente, como se estivesse se desculpando por ser tão alto e forte; aquele olhar levemente perdido que ele tem, como se soubesse que nunca vai se encaixar nos padrões, e também não vê propósito em tentar... Porém, o que mais me intrigava nele eram os olhos.

Profundos, intensos: eu sabia como eram os olhos de Paul. Mas acontece que... sempre que eu pintava alguém, ou até a mim mesma, eu nunca pintava a pessoa olhando diretamente para o espectador, e sim com o olhar ligeiramente desviado. Acho que assim as expressões ficam mais reveladoras, e também dão à pessoa do retrato um tom de mistério, a sensação de que o ser humano real dentro daquele indivíduo está além de qualquer coisa que meu trabalho possa capturar. Isso também faz parte de pintar a verdade.

Mas com Paul eu não conseguia fazer isso. Sempre que eu tentava pintar seus olhos, ele acabava olhando diretamente para o espectador. Para o artista.

Ele olhava para mim. Estava sempre, sempre, olhando para mim.

Um dia após a morte do meu pai, uma hora depois de descobrirmos que ele era o assassino, fui para o meu quarto, peguei uma das facas de reparar moldura e rasguei o retrato dele até só sobrarem pequenas tiras.

Paul me fez confiar nele.

Paul me fez acreditar que ele me via como eu era.

E tudo não passava de joguinho dele, um elemento minúsculo no seu enorme plano de destruir todos nós.

E também por isso ele deve pagar.

Por volta da meia-noite, minha cabeça está girando e sinto como se estivesse prestes a vomitar, mas não paro de dançar. A batida pesada da música reverbera tanto pelo meu corpo que chega a abafar até a batida do meu próprio pulso. Parece que eu nem estou viva. Uma mera marionete, sem nada dentro.

Sinto a mão de um homem no meu ombro, e me pergunto de qual deles é. Será que ele vai me pagar mais uma bebida? Se ele fizer isso, vou apagar. O que não seria tão ruim assim nesse momento.

Mas quando me viro e vejo quem é, suspiro e, de repente, estou viva outra vez.

— Belo vestido, Meg. — Theo dá um sorrisinho enquanto me olha de cima a baixo, e volta a erguer os olhos. — Cadê o resto dele?

— Theo! — Pulo no pescoço dele, que retribui meu abraço. Ficamos assim por um bom tempo, no meio da pista de dança.

— Você está bêbada? — sussurra ele na minha nuca. — Ou eles produzem perfumes com cheiro de tequila aqui?

— Me tire daqui — falo. Por que é tão difícil pronunciar as palavras? E só nesse instante me dou conta de que estou soluçando de tanto chorar.

Segurei por todo esse tempo. Mantive a calma porque eu não tinha escolha, carregando o luto e o medo até quando pensei que o mundo fosse me esmagar. Mas agora Theo está aqui, e posso finalmente me soltar.

Theo me abraça com ainda mais força, tanta força que chega a me levantar do chão, e ele me carrega para fora da pista de dança, de todas aquelas luzes. Ele me acomoda em um dos sofás compridos e baixos no canto. Não consigo parar de chorar, então ele apenas me abraça mais, com as mãos no meu cabelo e apoiando minhas costas. Ele me balança para a frente e para trás, com a mesma gentileza que ele teria com uma criança. À nossa volta, as luzes da boate pulsam, e a música e a dança continuam.

5

Só de ver o rosto de Theo e sentir o calor de seus braços me segurando me faz sentir como se tudo fosse começar a melhorar a partir deste momento. E talvez fosse mesmo, se eu não estivesse tão bêbada a ponto de ficar enjoada.

— Isso, isso — repete ele esfregando minhas costas. Estou debruçada na borda da Millennium Bridge, vomitando no Tâmisa. — Põe tudo para fora.

— Estou me sentindo tão humilhada. — Sinto minhas bochechas queimarem de vergonha.

— Por quê? Por eu ter visto você vomitar? Olha, se você me visse num sábado à noite qualquer, saberia que isso não é nada. Quando se trata deste tipo de coisa... não faço julgamento. Vamos deixar as coisas como estão.

Isso parece piada. A mente rápida de Theo nunca revelou completamente como ele pode ser selvagem. E ainda que ele nunca tenha levado seus problemas para dentro da nossa casa, sei que meus pais ouviram rumores sobre ele ficar muito bêbado, e até mesmo apagado por horas, ou até um dia inteiro uma vez. Eles chegaram a mencionar que ele tinha certo problema com "bebidas", porém, estavam mais preocupados com substâncias bem menos permitidas pela lei do que aquelas latinhas de cerveja que ele bebia de vez em quando. O próprio Paul chegou a sugerir gentilmente que ele devia segurar a onda e beber um pouco menos.

Mas quero que Paul vá para o inferno agora. É Theo quem está no comando, cuidando de mim. A mão dele é quente, apoiada nas minhas costas nuas. Estou encarando as águas escuras do rio, tentando recuperar minha compostura.

Então vejo meu reflexo fragmentado no rio, despedaçado por causa da água se mexendo.

— Você acha que esta foi a última coisa que meu pai viu? — sussurrei. Sinto um gosto horrível na boca, fraqueza no corpo: é essa a sensação do fracasso. — O rio, bem na frente dele, exatamente assim?

Theo fica um longo instante sem falar nada. Quando responde, ele parece ainda mais exausto do que eu.

— Não pense nisso.

— Não consigo não pensar.

— Com certeza não foi. Ok? Venha. Vamos levar você para casa.

— Espero que tenha sido, sim. Espero que meu pai tenha visto o rio se aproximando dele, e então... então, acabou. — Minha voz sai trêmula. — Porque isso significaria que ele bateu a cabeça na lataria, ou que apagou quando o carro atingiu a água. Apagou ou morreu imediatamente. E assim ele não teve tempo de sentir medo. — Quanto demora para uma pessoa se afogar? Três minutos? Cinco? Com certeza o suficiente para ser terrível. O suficiente para eu torcer que meu pai nunca tenha tido que passar por isso. — O melhor seria se ele não soubesse. Não acha?

— Pare com isso. — A voz de Theo sai rouca, suas mãos deslizam pelos meus braços e ele me aperta, como se estivesse com medo de que eu fosse me jogar da ponte. — Não faça isso consigo mesma. Não ajuda em nada.

Theo está errado. Preciso pensar na morte do meu pai. Ainda não tenho como parar de sofrer com sua morte, então preciso da dor para continuar com raiva. Afiada. Focada.

Quando encontrarmos Paul, é a dor que vai me dar forças para acabar com ele.

Tiro o braço debaixo de Theo para poder limpar minha boca.

— Ok — digo. — Vamos para casa.

Andamos o restante do caminho até o apartamento da tia Susannah. Quando o elevador começa a subir, sinto os joelhos fraquejarem. Ainda tem muito champanhe no meu organismo. Theo segura um dos meus cotovelos e apoio a cabeça no ombro dele até o elevador parar no nosso andar.

— Ainda dá tempo de irmos para um hotel — sussurra ele ao chegarmos à porta.

— Se não fizermos barulho, tia Susannah não vai acordar — digo ao colocar a mão na trava eletrônica, que me reconhece e abre a porta. — E, de qualquer forma, duvido que ela iria se importar.

E agora, mais do que nunca, preciso de Theo ao meu lado.

No escuro, o apartamento branquíssimo ganha um tom azul-prateado, como se fosse feito de luar. Tudo parece surreal enquanto guio Theo em silêncio pelo corredor até chegar ao meu quarto. Em seguida, fecho a porta, trancando nós dois juntos.

O quarto não é tão grande, e só a cama ocupa a maior parte. Não tem nenhum outro lugar para Theo dormir exceto o chão, nem espaço para ele se sentar, também. Digo para mim mesma que é ridículo considerar isso desconfortável, ou imaginar que ele possa estar pensando em qualquer outra coisa que não seja essa nossa situação louca, ou que aquela centelha de atração que existe entre nós dois pudesse ter alguma importância em meio a tudo isso.

Até que nossos olhares se encontram, e percebo que não sou a única pensando nisso.

— Ok — digo, apontando para o banheiro. — Vou ali... hum, me refrescar.

— Claro. — Theo concorda com a cabeça enquanto anda até a janela. — Vai lá tomar seu banho.

Eu só estava pensando em escovar os dentes, mas um banho parece uma boa ideia. Meu cabelo e minhas roupas estão fedendo a cigarro e champanhe velho... cheiro da vida da outra Marguerite. E neste momento preciso voltar a ser eu mesma.

Entro no banheiro de azulejos brancos e fecho a porta. É preciso esforço para descolar o couro da minha pele, que arde enquanto arranco o vestido. Então lembro que este vestido é de um designer famoso e vale milhares de dólares, por isso, provavelmente Romola vai querer que eu o devolva. Bom, amanhã posso mandar para ela pelo correio. Agora vou deixá-lo amarrotado no chão, como se fosse uma camada de pele da qual me livrei. Fecho a mão em torno do Firebird e tiro o medalhão do meu pescoço.

Só quando já estou debaixo do chuveiro, com a água quente caindo no corpo, me dou conta, tomando total consciência, de que estou completamente nua e Theo se encontra a poucos passos de mim. Digo a mim mesma que não há qualquer motivo pra isso ser esquisito, afinal, Theo praticamente morou na minha casa nos últimos anos. Já tomei banho, dormi e cortei as unhas do pé com ele no quarto ao lado.

Mas agora parece tão diferente.

O vapor me envolve enquanto enfio a cabeça debaixo do chuveiro, e sinto a água quente tomando meus cachos e escorrendo pelo rosto. Tento só pensar em me livrar do cheiro de cigarro no cabelo, mas, em vez disso, meus pensamentos continuam focados em como Theo me pegou nos braços na boate, ou como quando me apoiei nele no elevador, isso pareceu a coisa mais natural do mundo.

Sempre houve... *alguma coisa* entre mim e Theo. E não é porque flertava comigo, pois ele faz isso com todas as garotas que conhece, e às vezes com alguns rapazes. Ele, inclusive, flertou com Romola, puxando-a para um canto uma hora, antes de me ver ali. Flertar é uma coisa que ele faz automaticamente, sem pensar, da mesma forma que o resto de nós respira. De algum modo, eu sabia que o que Theo sentia por mim tinha mudado, porque ele começou a flertar *menos*. Quando fazia isso, as palavras tinham um peso diferente, a atenção que ele dedicava a mim não era mais sem sentido, e nós dois sabíamos disso.

Eu sempre disse a mim mesma que nunca ia acontecer nada. Theo é mais velho que eu, se irrita com facilidade, é egoísta, e sua arrogância seria totalmente insuportável caso ele não tivesse um lado brilhante para compensar. Às vezes, quando ele passa dois dias seguidos sem dormir e fica andando pela casa falando mais matemática que inglês, surge certa aura de imprudência em torno dele, como se estivesse determinado a forçar seus limites até a beira da autodestruição, ou, algumas vezes, indo além dela. Então me convenci de que amava Theo como amigo. Ok, um amigo muito gato, mas, ainda assim, apenas um amigo.

Mas, nos últimos dois dias, vi um lado completamente novo de Theo. Talvez eu tenha finalmente visto o verdadeiro Theo. Por que cheguei a duvidar dele? Provavelmente pela mesma razão pela qual sempre confiei em Paul: pelo visto, não entendo nem um pouco as pessoas.

Paul está por aí. Mas, neste momento, a única coisa que posso fazer para me preparar para enfrentá-lo é dormir. Theo está comigo e isso basta.

Desligo o chuveiro, me seco e escovo os dentes pela segunda vez. Coloco o Firebird de volta no pescoço antes mesmo de secar o cabelo. Tem uma camiseta comprida pendurada em um dos ganchos atrás da porta, então a visto. Tem um tom claro de cor-de-rosa, quase transparente, e não pensei em pegar uma calcinha limpa. Mas isso não vai ter importância, pois está mais escuro no quarto.

Quando saio do banheiro, Theo está em pé na janela, com os braços apoiados no parapeito. A luz do luar faz seu cabelo preto brilhar. Ele demora um instante para se virar e olhar para mim. Ao fazer isso, a mesma eletricidade de sempre se instaura entre nós, e tenho a impressão de que talvez minha camiseta seja mesmo transparente demais. Mas não me mexo. Fico ali parada olhando para ele.

Theo rompe o silêncio primeiro.

— Só para constar, acho que não tem ninguém na rua vigiando esse prédio. Nenhuma pessoa nos seguiu da boate até aqui também. Pelo menos, não que eu tenha visto.

— Ah, ok. Que bom. — Por que eu não pensei nisso? Nesse momento me dou conta de que ainda tenho mais álcool do que deveria no meu organismo. Afundo na cama, ainda tonta e sentindo tudo girar. — Você acha que Paul sabe que estamos aqui?

— Se ele pensou em verificar, sim.

Claro que está checando se tem alguém atrás dele, quero responder, mas me contenho. Então dou um sorriso.

— Paul não sabe dos outros Firebirds — afirmo. — Você escondeu isso de todo mundo, até mesmo dele.

— Às vezes vale a pena ser um babaca cheio de segredos. — Theo retribui meu sorriso. No entanto, dá pra ver que ele não está totalmente confiante. — Mesmo assim, não podemos presumir que Paul não tenha mais nenhuma carta na manga. Já o subestimamos uma vez. Não vamos fazer isso de novo.

— Você tem razão. — A raiva que sinto de Paul ameaça explodir mais uma vez, porém, me esforço para contê-la. Meu corpo inteiro dói e minha mente ainda está confusa e turva, diferente de como costuma ser. Preciso dormir.

— Ei, me joga um travesseiro? — A voz dele sai suave. — Vou fazer uma caminha de cachorro para mim aqui no chão.

Jogo um dos travesseiros para ele, que puxa um cobertor sobressalente do pé da cama. Estamos tão quietos que dá para ouvir o barulho de um tecido se arrastando no outro. Quando cubro meus pés com a colcha, ele apaga a luz, deixando-nos mais uma vez no escuro.

Eu me deito lentamente, mas me sinto *tão consciente* da presença dele. Minha respiração fica acelerada, meu coração parece que vai sair do peito por bater tão forte.

É idiota ficar tão nervosa assim. Confio em Theo. Não há motivo para me preocupar com a possibilidade de que ele possa fazer alguma coisa.

Então me dou conta de que não estou insegura a respeito de Theo. Estou insegura com relação ao que eu mesma posso fazer.

Seria tão mais fácil, tão bom esquecer tudo o que há fora da minha cama e longe de mim mesma...

Mas é Theo. A única pessoa neste mundo em quem posso confiar e que quero manter perto de mim mais do que qualquer outra...

Meu sussurro é o único som que há no quarto.

— Você não precisa dormir no chão.

Por um instante, a única resposta que recebo é o silêncio. Até que Theo se levanta de onde está, ao pé da cama. Consigo ver sua silhueta em contraste com a luz do luar, e percebo que ele tirou a camisa para dormir.

Sem dizer nada, ele percorre a lateral da cama e se senta, encostando o quadril na minha perna. O colchão afunda com o peso dele, e meu corpo escorrega para mais perto. Ele coloca uma das mãos próximo ao meu travesseiro. Com a outra, ele afasta os cachos úmidos do meu rosto. Quero lhe dizer alguma coisa, mas não consigo pensar no quê. Sou capaz apenas de ficar ali, deitada, com a respiração acelerada, encarando ele, querendo ao mesmo tempo tocar nele novamente e assustada com a possibilidade de que ele me toque também.

Theo se inclina devagar acima de mim. Um dos meus ombros está à mostra, e ele encosta os lábios ali, ao longo da linha da minha clavícula. O beijo dura apenas um segundo e me atinge como um raio.

— Peça de novo quando nós dois estivermos sóbrios — sussurra ele. Depois levanta a cabeça e dá um sorriso suave. — Da próxima vez não vou parar no seu ombro.

Depois disso, ele se levanta da cama e volta para o chão. E já sei que ele não dirá mais nada até amanhecer.

Será que eu deveria me sentir humilhada ou lisonjeada? Mas as batidas do meu coração começam a se acalmar. Eu me sinto segura com Theo, mais do que já me senti desde que ficamos sabendo sobre o que aconteceu com meu pai. E, com essa sensação, fecho os olhos, relaxo e me rendo ao sono.

Acordo com o som de gargalhadas.

Por meio segundo, acho que estou de volta em casa. Muitas vezes acordei com o som dos meus pais e da minha irmã rindo na cozinha, e às vezes os assistentes de pesquisa também, as vozes flutuando com o cheiro de waffles de blueberry. Mas, não, continuo no quarto, no corpo e no mundo da outra Marguerite.

Não existe a menor possibilidade de usar esta camiseta cor-de-rosa na luz do dia, então começo a vasculhar a cômoda, torcendo para encontrar algo melhor para vestir. Meus dedos encontram algo de seda, e puxo um vestido estilo quimono amarelo-manteiga, bordado à mão. Fico estranhamente chocada porque parece algo que eu mesma usaria. A Marguerite desta dimensão viu este vestido e reagiu da mesma forma que eu faria... Bom, somos a mesma pessoa, afinal de contas. E ainda estou tentando entender isso.

Eu me enrolo no quimono de seda e corro para a cozinha. A ilusão de estar em minha antiga vida ainda parece muito forte, porque tenho a impressão de sentir o cheiro dos waffles de blueberry...

— Você é mesmo uma danadinha, hein? — É a voz de tia Susannah, que ainda está rindo do próprio comentário quando entro na cozinha. Ela está sentada enquanto Theo parece se ocupar no fogão. Ele usando sua samba-canção e camiseta e está com a barba por fazer. Ele dá um sorriso.

— Acabamos de nos conhecer e você já tem meu número — diz ele colocando uma mistura na frigideira. Quando acaba de fritar, ergue os olhos e me encara. — Bom dia, Meg!

— Hum, oi — cumprimento baixinho. — Você... está preparando o café da manhã?

— Panquecas de blueberry. Aprendi a receita com um mestre da cozinha. — Meu pai, Theo quis dizer. — Era para serem waffles, mas Susannah não tem o aparelho.

— Culpada! — responde tia Susannah com as mãos apoiadas no queixo, uma pose que parece bastante infantil para alguém da minha idade, então imagina para a idade dela! Lembro-me das minhas viagens para Londres, quando ela fazia essa pose para esconder as rugas do pescoço.

Ai, meu Deus, ela está flertando com ele. Eu poderia sentir ciúme se não fosse tão ridículo.

Theo, obviamente, está flertando de volta.

— Garota, alguém precisa levar você para fazer compras.

— Não pense que não tentei arrumar um namorado mais velho para ela — diz minha tia. — É claro que temos uma vida confortável. Talvez eu devesse tentar um namorado mais novo para mim para variar.

— Que ideia interessante — comenta ele, arqueando uma das sobrancelhas enquanto vira uma panqueca.

Essa cena é demais para mim. Não consigo mais olhar.

— Vou lá me arrumar — anuncio, correndo de volta para o meu quarto.

Meu armário em casa é cheio de vestidos, saias esvoaçantes, estampas florais, cores fortes, crochê e renda. *Este* armário parece mais um daqueles cômodos de revista, criados para exibir ao mundo uma coleção de roupas de marcas inalcançáveis. Mas, pelo menos, encontro uma camiseta preta simples e uma calça cinza que parece combinar, além de um par de sapatos que dá a impressão de que vai destruir meus pés.

Ao retornar para a cozinha, cruzo com tia Susannah no caminho. Ela voltando para o seu quarto com um prato em uma das mãos e um garfo na outra, a última panqueca ainda no prato. Ela sorri para mim e diz, suspirando:

— Gostei desse. É mais esperto que os que você costuma trazer.

Quem mais será que a outra Marguerite trouxe para casa depois das noitadas? Nem quero pensar nisso.

Tem um prato de panquecas me esperando na cozinha, e meu estômago ronca em agradecimento. Theo está de pé perto da pia, com as mãos apoiadas no balcão. Ele não se vira para mim quando eu entro.

— Obrigada — digo ao me sentar para tomar café da manhã. — Que bom que começamos cedo. Mas você podia ter me acordado.

— É, acho que sim. — Ele parece distraído, talvez mais cansado do que antes. É provável que não tenha dormido bem no chão.

— A massa de panqueca está parecida com a de waffle?

Como um pedaço e realmente parece certa.

— Você já provou? — pergunto.

— O quê?

Ergo os olhos e me deparo com Theo me encarando. Ele parece confuso, até mesmo nervoso...

E só então minha ficha cai. O Firebird não está pendurado no seu pescoço. Ele deve ter tirado ontem à noite para dormir, mas agora sua memória está começando a falhar. Em algum instante durante esses últimos minutos, o meu Theo começou a perder o controle do próprio corpo e da consciência.

No fim das contas, minha mãe não estava totalmente enganada sobre perda de consciência ao alternarmos entre as dimensões.

— Você precisa de um lembrete. — Largo meu garfo, ando até ele e pego sua mão. O pouco que resta do meu Theo não reage nem faz perguntas enquanto o levo de volta até o quarto.

Dou um empurrãozinho gentil nele, fazendo-o se sentar pesadamente na cama. Por um instante, ele parece o Theo que eu conheço, e sorri.

— A gente já não passou por isso ontem à noite?

— Ai, meu deus, pare de flertar pelo menos uma vez na sua vida.

Remexo nas roupas dele e encontro o Firebird, que devolvo ao seu pescoço.

— Fique usando isso, ok?

— Isso o quê?

Ele já se esqueceu do Firebird. E não parece perceber que tenho um igual pendurado no pescoço. Uma vez minha mãe explicou que, como os Firebirds pertencem a nossa dimensão, seria difícil serem notados por um nativo de outra dimensão. Assim que chamo atenção para o medalhão, em tese, Theo deveria ser capaz de reconhecê-lo, mas, em vez disso, o objeto parece estar além do seu atual nível de compreensão.

Na verdade, é bom que esteja assim. Pois, se não fosse desse jeito, as pessoas poderiam ficar cismadas com os Firebirds no pescoço e acabariam tirando-os, o que desestabilizaria os viajantes interdimensionais que saltaram recentemente aqui. Da forma que é, as pessoas podem passar meses sem notar que estão com o Firebird no pescoço. Física é um negócio esquisito.

— Aguente aí um pouquinho — digo ao pegar o Firebird dele e procurar a sequência para criar o lembrete, soltando-o segundos antes da luz azul e branca começar a piscar.

Chegaram a me avisar que lembretes poderiam machucar, mas não me disseram o quanto. Theo começa a se contorcer, quase tendo convulsões, e depois solta um palavrão baixinho enquanto seu corpo tomba para a frente. Por um instante penso que ele vai desmaiar.

— Um choque? — perguntei para a minha mãe quando ela me contou isso. — Um lembrete é só um choque elétrico?

Ela abriu um sorriso radiante, como se estivéssemos conversando sobre borboletas e arcos-íris.

— De jeito nenhum. Um lembrete é uma mudança de ressonância relativamente sofisticada. A *sensação* é que parece com a de um choque elétrico.

— Theo? — Eu me inclino para a frente e coloco as mãos em seus ombros. — Você já está bem de novo?

— Estou, sim.

Ele olha para mim, ofegante e de olhos arregalados. Em seguida, repete que está bem, como se eu o tivesse contrariado.

— Essa foi por pouco.

Coloco a mão no peito para lembrar que o Firebird continua ali. A curva do metal duro sob a palma da minha mão me conforta e me faz considerar se, em algum momento, também vou precisar de um lembrete.

O rosto de Theo está pálido e ele apoia as mãos com força na cama, como se esperasse um terremoto.

— Preciso de alguns minutos. Tudo bem? — pergunta ele, em resposta ao meu olhar inquisitivo.

— Claro.

Aquilo deve ter sido tão assustador quanto doloroso. Então bagunço gentilmente o cabelo dele e volto para a cozinha, termino de comer minhas panquecas enquanto começo a traçar estratégias.

Se Paul já não estiver vindo atrás de nós, estaremos a caminho dele na próxima hora. Deve haver monotrilhos para Cambridge, deve ser bem rápido, né? Ou até mesmo um trem normal... Encontraremos Paul antes que ele nos encontre. E então...

... matamos ele. Não esqueci que o Paul que preciso destruir é, atualmente, como um viajante no corpo de outro Paul Markov. Apesar de nesse momento me parecer claro que uma pessoa cruel como Paul seria cruel em toda e qualquer dimensão, não tenho certeza disso. Então não é algo tão simples quanto apenas encontrá-lo e, sei lá, atirar nele ou alguma coisa assim.

Mas há certas coisas perigosas para o viajante que podemos fazer com o Firebird. Theo chegou a me contar isso.

Na verdade, decido, *deveríamos checar isso o mais rápido possível, antes mesmo de sairmos do apartamento.*

Determinada, coloco meu prato na pia e volto para o quarto com a intenção de conversar sobre isso com Theo. Mas, ao entrar no quarto, não o encontro lá. Suas roupas continuam no chão, com exceção da jaqueta preta, que não consigo achar.

— Theo?

Entro no banheiro e só depois de já ter dado dois passos percebo como é indelicado fazer isso sem bater na porta antes.

No instante em que o vejo, entendo que ele queria ficar sozinho. E compreendo o motivo.

Porque Theo, meu guia, está esparramado no chão de azulejos, injetando algo no próprio braço.

6

— Theo?

Dou mais um passo para a frente e depois paro. Por alguma razão idiota, sinto vergonha de vê-lo assim. Mas, logo depois da vergonha, vem a raiva: por que eu deveria ficar constrangida? Não sou eu quem está ficando chapada durante uma situação tão perigosa, tão importante...

Ele solta um grunhido ao se revirar no chão do banheiro e parece estar completamente sem noção da realidade.

— Ah, *merda*.

Eu me ajoelho e viro o corpo dele para cima. Ele sequer parece ter entendido ainda que estou ali.

— O que você está fazendo?

Ele me encara por apenas um segundo e diz uma única palavra, engasgada:

— Desculpe.

— Desculpe? Você está arrependido?

— Sim — confirma ele.

Nesse momento, minha raiva vai muito além dele. O mundo inteiro, aliás, está muito além dele agora.

Pego a garrafinha que vejo no chão do banheiro, na qual ainda há metade de um líquido verde-esmeralda dentro. Que droga tem essa aparência? Só pode ser algo dessa dimensão, porque nunca vi nada parecido com isso.

Tento ajeitá-lo no chão do banheiro para que não fique tão esparramado na penteadeira, mas Theo reage rolando até apoiar a cabeça no meu colo. Suspirando, me acomodo no chão frio de azulejos, com as costas encostadas na parede, e desamarro o tubo elástico de borracha no seu antebraço. Não deve poder ficar muito tempo com isso comprimindo o braço.

Consigo sentir sua respiração, profunda e regular, conforme seu peito sobe e desce nas minhas coxas.

Com a cabeça apoiada na penteadeira, tento me estabilizar. Mas é difícil. Theo... não é estável. Eu sabia. Todos já tínhamos percebido isso nele. Sua coragem e lealdade não mudam este fato importante.

A pessoa com a qual venho contando para superar tudo isso é alguém em quem não posso confiar.

Ainda que eu odeie admitir, Paul foi o primeiro a me alertar sobre Theo, o primeiro a notar como isso estava ficando grave, o primeiro a tentar dizer alguma coisa sobre o assunto. E ele já devia desconfiar havia algum tempo, mas manteve segredo. Foi o Acidente que o levou a falar.

O Acidente ocorreu dois meses atrás, e foi a única vez em que vi meus pais bravos com Theo. Eles fizeram as pazes, e nada realmente aconteceu, mas a data ficou marcada.

Naquela tarde, eu estava com minha irmã, Josie, que tinha vindo do Scripps para passar o fim de semana em casa. Ela estava me ajudando a estudar para o SAT, cujas provas podem ser um pouco complicadas para alguém que foi educada pelos pais sem qualquer preparação para testes padronizados.

Sei o que as pessoas pensam assim que ficam sabendo que fui *educada em casa* e não frequentei uma escola formal. Todo mundo supõe que venho de uma família muito religiosa e que tive uma educação fraca, como se ficássemos em casa o dia inteiro sem fazer nada e aprendendo que Deus criou os dinossauros para que os homens das cavernas pudessem montar neles.

No meu caso, no entanto, meus pais tiraram Josie do jardim de infância quando a professora lhes disse que era impossível uma criança da idade dela já saber ler com a desenvoltura de um aluno do quinto ano, e que claramente ela estava apenas repetindo sons sem conhecer o significado das palavras. Por isso, eu sequer pisei em uma escola de verdade (mas, pelo que escuto por aí, não perdi muita coisa). Em vez disso, meus pais escolheram vários tutores, em geral os assistentes deles ou estudantes de pós-graduação de outras áreas da universidade, e fizeram Josie e eu estudar mais do que qualquer outra criança. De vez em quando, eles traziam os filhos de outros professores, para que a gente pudesse "socializar e se encaixar". As outras crianças se tornaram minhas amigas, mas na maior parte do tempo éramos só minha irmã e eu. Dessa forma, Josie e eu aprendemos sobre literatura pós-moderna com uma doutoranda que basicamente nos fez estudar a tese dela sobre Toni Morrison. Tivemos aulas de francês com diversos nativos, então aprendemos uma mistura de dialetos e sotaques diferentes: de Paris, do Haiti, de Quebec... E, de alguma forma, acabamos sendo aprovadas nas aulas de ciências, que eram dadas por minha mãe. Definitivamente eram as aulas mais difíceis de todas.

Era uma tarde de sábado, nublada e tempestuosa. Meus pais estavam na faculdade, trabalhando no laboratório. Paul e Theo deveriam estar revendo equações em nossa casa, mas Theo convenceu o colega a ir lá fora ver as novas modificações que ele tinha feito em seu amado possante. Então Josie e eu ficamos sozinhas em casa.

E, em vez de me ajudar a estudar, minha irmã estava reclamando.

— Fala sério — disse ela, brincando com um galho longo do imbé de mamãe. — Você ia amar o Instituto de Artes.

— Faz muito frio em Chicago no inverno.

— Ai, você reclama demais... É só comprar um casaco. Além disso, até parece que nunca faz frio em Rislee... Rismee...

— Rizdee. — Era assim que a maioria das pessoas chamava a Rhode Island School of Design. — É, eu sei, mas ainda é, sem comparação, o melhor lugar no país para estudar restauração.

Josie olhou para mim. Nós somos muito diferentes para duas irmãs: ela tem estatura média e eu sou alta; ela adora esportes e tem um corpo atlético, mas eu sou o oposto. Ela herdou o amor que nossos pais sentem pela ciência e está seguindo os passos do papai ao se tornar oceanógrafa, e eu sou o patinho feio da família, a artista. Josie é mais relaxada, enquanto eu surto com qualquer coisinha. Mas, apesar de todas as nossas diferenças, algumas vezes ela consegue saber exatamente o que estou pensando.

— Por que você está aprendendo a ser restauradora se vai se tornar pintora?

— Vou *tentar* me tornar pintora...

— Faça. Ou não faça. Não há tentativa — retrucou ela, imitando a voz do Yoda, o que ela faz assustadoramente bem. — Você quer ser pintora. Uma grande pintora. Então seja. O Instituto de Artes de Chicago seria o melhor lugar para isso, não é?

— Ruskin. — A palavra saiu da minha boca antes que eu pudesse me conter. Josie me olhou e eu soube que não teria como deixar esse assunto de lado sem uma explicação. — A Escola Ruskin de Artes Plásticas, em Oxford. Na Inglaterra. Esse, sim, seria... o melhor lugar.

— Ok. Ainda que eu fosse morrer de saudade de você caso fosse para a Inglaterra, não acha que deveria pelo menos considerar ir para o melhor lugar? Porque, confie em mim, ninguém vai aceitar você se não demonstrar que quer ir. — Então ela se distraiu com outra coisa. — O que é isso?

Como eu já disse, nossos pais não costumam trabalhar com aparelhos de ficção científica superlegais. Mas essa era uma exceção.

— É alguma coisa que o Grupo Tríade fez.

— Nunca vi isso. O que é? — perguntou ela, franzindo o cenho.

— Não é um produto para consumo. Você sabe que a Tríade financiou a pesquisa do papai e da mamãe, não é? Então, esse aparelho serve para medir... a ressonância dimensional. Eu acho. — Às vezes pareço entender de tecnologia, porém, isso não passa de um mecanismo de sobrevivência.

— E deveria estar piscando uma luz vermelha?

Mas não deixo de prestar atenção em *tudo*.

— Não.

Vou logo para o lado dela. O dispositivo da Tríade era uma caixa de metal relativamente plana, feito um rádio antigo, mas o painel frontal mostrava várias ondas senoidais em tons de azul ou verde. No momento, estava pulsando em vermelho, sem parar.

Posso não ser cientista, mas não é necessário ter diplomas avançados para entender que vermelho significa algo ruim.

Meu primeiro impulso foi abrir o portão da garagem e gritar para Paul e Theo. Mas às vezes Theo acabava estacionando o carro longe na rua. Então peguei meu celular e liguei para Paul. Ele atendeu, curto e grosso como sempre.

— Sim?

— Esta… esta coisa da Tríade. A que fica no canto. Devia estar piscando uma luz vermelha?

Ele ficou em silêncio por menos de um segundo. Quando voltou a falar, a seriedade da sua voz me deu arrepios.

— Saia daí. Agora!

Eu me virei para Josie e gritei:

— Corra!

Ela saiu correndo imediatamente. Minha irmã é esperta. Eu, nem tanto. Eu tinha tirado os sapatos, então ainda levei uns três preciosos segundos calçando-os de novo antes de sair correndo para a porta. Quando cheguei ao batente…

A luz foi tão rápida quanto o brilho do flash de uma máquina fotográfica, mas cem vezes mais forte. Gritei, porque machucou meus olhos, e fiquei muito tonta, talvez por ter feito movimentos bruscos demais. Perdendo o equilíbrio, caí nos degraus de entrada e tentei recuperar o fôlego, mas foi difícil, como se alguém tivesse me dado um soco na barriga.

Nesse instante senti mãos grandes e fortes segurando meus ombros. Quando minha visão clareou, ergui o olhar e encontrei os olhos de Paul.

— Marguerite? Você está bem?

— Estou.

Eu me inclinei para a frente, tentando encontrar o ângulo que me deixasse mais estável. Uma chuva fria começou a cair, mas bem fraca, quase uma neblina. Apoiei a testa no peito largo dele, e através da sua camiseta suada consegui sentir seu coração batendo acelerado. Como se ele é que estivesse apavorado.

— O que aconteceu? — Theo veio correndo pelo jardim, seus sapatos Dr. Martens espalhando lama. — Marguerite? O que aconteceu?

Josie também voltou correndo.

— O que aconteceu foi aquela maldita máquina da Tríade! — Paul continuou me abraçando, mas naquele momento sua fúria me assustou, mostrando, talvez, um lado que já existia dentro dele. — Você programou um teste de sobrecarga?

— Não! Você está louco? Sabe que eu não faria isso e sairia da casa depois!

— Então por que ela sobrecarregou?

— O quê? Ela *sobrecarregou?* — Theo parecia estupefato. — Meu Deus. Como foi que isso aconteceu?

— O que foi que quase aconteceu aqui? — exigiu saber Josie. — Será que quero saber?

— Não, você não quer. — Os dedos de Paul se apertaram em volta dos meus ombros, tão forte que chegou a me machucar. Eu me sentia intimidada e protegida ao mesmo tempo, não sei explicar direito. Ele não olhava mais para mim. — Theo, quem lhe deu isso? Foi o próprio Conley? Alguém da Tríade pode ter programado um teste sem nos avisar.

Theo bufou.

— Pare de ser tão paranoico. Consegue fazer isso pelo menos uma vez? — A voz dele ficou mais calma. — Respire mais devagar, Meg. Você está bem?

— Estou ótima — falei, e naquele instante eu já estava mesmo. Eu me soltei dos braços de Paul para ficar de pé sozinha. Josie veio para o meu lado, mas foi esperta o suficiente para não me abraçar. Ela só ficou ali, perto de mim.

Paul andou até Theo em meio a neblina. Ele é uns dez centímetros mais alto e bem mais forte, mas Theo sequer se esquivou, nem quando Paul enfiou o dedo no peito dele.

— *Alguém* programou um teste de sobrecarga. Não foi você. Não fui eu. Então só pode ter sido a Tríade. Isso não é paranoia. É fato.

Ainda que Theo claramente quisesse argumentar, ele disse apenas:

— Ok, está bem. Talvez eles tenham cometido um erro.

— Um erro que podia ter machucado Marguerite! Um erro que você deveria ter notado se estivesse prestando atenção, mas você não estava, não é?

— Já admiti que fiz besteira...

— Admitir não é suficiente! Você precisa fazer melhor que isso. Tem que se manter alerta. Se não fizer isso... e acabar colocando Marguerite em perigo de novo... haverá consequências. — Ele estava debruçado sobre Theo, usando todo seu tamanho e sua raiva para intimidá-lo. — Está me entendendo?

O corpo inteiro de Theo pareceu ficar tenso, e por um momento achei que ele poderia empurrar Paul para trás. Mas a fagulha apagou tão rapidamente quanto acendeu.

— Você tem razão, irmãozinho. Eu sei que tem — disse ele, baixinho. — Você sabe que estou me sentindo péssimo com relação a isso, não é?

Eles não eram irmãos. Há dois anos nem se conheciam. Mas aquele apelido era importante para os dois. Theo também tinha "adotado" Paul, que parecia idolatrar Theo, sentindo mais admiração do que inveja do bom humor e da vida social louca que o outro tem. É difícil imaginar que Paul não tivesse intenção de ser gentil, porque nesse instante ele disse:

— Sei que você nunca ia querer provocar nada disso, Theo. Mas você não pode se distrair. Com nada.

— Olhe, deixe que eu mesmo conto para a Sophia e para o Henry o que aconteceu. Prometo contar tudo. É só que... mereço ouvir o que eles têm a dizer, sabe? — disse ele olhando para nós três.

— Ok — respondeu Paul, olhando para mim a fim de receber uma confirmação.

Minha irmã hesitou por um longo tempo, mas acabou assentindo. Theo inclinou a cabeça, quase como se fosse curvar o corpo e fazer um agradecimento teatral. Em seguida foi até o seu carro.

Aparentemente, já era seguro voltar para casa, e Paul me guiou de volta. Josie nos seguiu, apontando para o dispositivo.

— Podemos tirar aquilo dali? — perguntou ela.

— Boa ideia — disse ele. — Vamos tirar isso da casa. Para início de conversa, nem devíamos ter trazido isso para cá.

Josie pegou o objeto em seus braços (era bem pesado!) e saiu de casa, deixando Paul e eu sozinhos.

Ele afastou meu cabelo do rosto e, de repente, fiquei tímida. Por isso tentei fazer uma piada para aliviar a tensão.

— E agora? Sou radioativa? Ganhei superpoderes?

— Não. Duvido.

— Aquela coisa quase me mandou para outra dimensão?

— Os limites entre as dimensões foram atenuados, só isso. Qualquer outro efeito seria apenas... teórico.

Ele piscou e tirou as mãos de mim. Eu envolvi meu corpo com os braços e dei um passo para trás.

E, quando achei que nenhum de nós tinha mais nada a dizer, ele acrescentou:

— Acho que as atividades, hum, extracurriculares de Theo estão deixando-o distraído.

— Não quero pensar sobre isso. Nada de ruim aconteceu, não é?

— É.

Nossos olhares se encontraram e me lembrei da forma que ele me abraçou e tocou meu cabelo. Foi a primeira vez que ficamos assim tão próximos... E, apesar disso, eu estava pensando que, na verdade, aquela tinha sido a primeira vez. E não a única.

Comecei a imaginar o que mais poderíamos ser um para o outro.

Nada, disse a mim mesma de forma grosseira. *Não, isso não é certo. Ele é o seu traidor. E você será o fim dele.*

Naquele dia, falei a mim mesma que o Acidente não significava nenhum sinal especial na vida de Theo, e sim uma casualidade. Mas eu estava errada.

Sei disso agora que estou aqui sentada no chão do banheiro, com as costas doendo, meia hora depois de vê-lo fazendo besteira. Paul pode ter mentido sobre todo o resto, mas talvez ele realmente considerasse Theo seu "irmão", pelo menos um pouco. Talvez se importasse o suficiente a ponto de desejar que o colega buscasse alguma ajuda.

Ou talvez ele só quisesse que eu desconfiasse de Theo para confiar plenamente nele.

Minha mão está apoiada na cabeça de Theo. Sinto seu cabelo ondulado, grosso e sedoso na minha palma. Seu braço está esticado sobre as minhas pernas. Olho para o punho dele, procurando a pequena tatuagem que sempre promete me explicar o significado... Mas é uma busca idiota: aparentemente o Theo dessa dimensão não curte tatuagens.

Ele começa a se mexer devagar, se acomodando na minha barriga como se eu fosse um travesseiro, mas, de repente, se sobressalta e se senta ao meu lado. Seu olhar sensual e desfocado ainda indica que ele está sonolento, mas já sei que ele está quase voltando à normalidade.

— Humm. Por quanto tempo fiquei apagado?

— Cerca de trinta minutos. — E essa foi a última resposta gentil que vai receber hoje de mim. — Que porra foi essa?

Então me arrependo de ter falado desse jeito, por ter sido tão severa. Ele parece desesperadamente envergonhado.

— É feito em casa — responde ele, com a voz baixa. — É alguma coisa que esse Theo usa... Ele deve ter preparado junto de alguns especialistas em química. É uma puta viagem.

Theo está fazendo piada sobre ser uma puta "viagem" em meio a uma situação perigosa como essa? Importante como essa? Eu devia ter chamado uma ambulância, no fim das contas. Theo vai precisar de uma quando eu acabar com ele. Então ele acrescenta:

— E também parece muito viciante. Ele... nós... eu precisei usar. Tentei lutar contra, mas este corpo pertence a esta dimensão e, você sabe, precisa do que precisa. Enquanto estou aqui, meio que preciso seguir as regras deste mundo.

— Mas não é só aqui, né? — perguntei. Se fosse só, acho que ele teria me contado sobre o vício do Theo desta dimensão. O fato de ter mantido segredo me parece indicar algo ainda maior. — Você também usa em casa, não é? Todos nós suspeitávamos.

Theo cobre o rosto com a mão. Seu olhar vai ficando cada vez mais sóbrio.

— Não sou um viciado — diz ele, por fim. — Não em casa. É uma coisa... mais mental, na verdade. Às vezes preciso me afastar um pouco da minha cabeça, silenciar todas as vozes que me dizem que sou um idiota. — A vergonha fica mais evidente em sua expressão. — Odeio precisar disso. Mas preciso.

— Há quanto tempo você usa?

Ele contorce um pouco o rosto, mas responde com a voz firme:

— Só faz alguns meses, e isso nunca atrapalhou meu trabalho. Nunca. Juro para você.

Será que ele se esqueceu do Acidente? Meus pais quase surtaram quando ele lhes contou. Esfrego meu braço dormente, que quase não sinto mais porque Theo está deitado em cima.

— Ok.

— Desculpe por ter feito você ver isso — continua ele, esticando o braço em direção à minha mão, como se fosse pegá-la, mas depois se contém. — Agora acabou, está bem? Acabou de vez.

Concordo com a cabeça e fico de pé.

— Só uma coisa...

— O quê?

— Estou contando com você. — Minha voz falha um pouco ao dizer isso, mas nem me importo em normalizá-la. Quero que ele perceba como me magoou. — A gente precisa parar Paul, não importa o que aconteça. Não consigo fazer isso sem você, e você não vai conseguir se estiver chapado o tempo todo. Então segure a onda.

Ele parece ficar triste, mas me recuso a sentir culpa. Theo sempre faz uma expressão de cachorro tristonho e acaba se safando de tudo, mas, desta vez, não vai ser assim.

— Preciso de você. Preciso de todas as versões de você. Então não se atreva a apagar perto de mim de novo. — Lanço meu olhar mais cruel. — Está entendendo?

Ele assente e me lança um olhar que até parece... respeitoso.

— Vá tomar banho — digo, apontando para o chuveiro. — Você tem quinze minutos. Precisamos ir. Temos trabalho a fazer.

7

Theo aparece limpo e perfumado no meu quarto, com uma camiseta limpa que pegou em sua mochila, cinza e com a foto de uma banda que não conheço, talvez dos anos 1960, como The Gears. Ele acabou de fazer a barba e está cheirando a sabonete. O cabelo molhado está escovado para trás, algo que em qualquer outro cara pareceria respeitável. Quando nossos olhares se encontram, espero ver seu constrangimento, mas em vez disso, Theo parece determinado. Focado. Ótimo. Preciso mais disso do que do seu arrependimento.

A princípio, nenhum de nós dois sabe o que dizer, e ele não consegue sustentar meu olhar por muito tempo. Observo sua camiseta porque é menos desconfortável do que olhar para o seu rosto. E então me dou conta de que conheço alguns dos integrantes do The Gears.

— Espere aí. Esse é Paul McCartney, e aquele é George Harrison. Mas... quem são os outros caras?

— Não faço a menor ideia. — Theo segura a camiseta e olha para baixo. — Parece que eles nunca encontraram John Lennon ou Ringo Starr, então nunca formaram os Beatles. Mas parece que são bem famosos com essa formação.

Não há Beatles neste universo. Fico triste por uma banda que acabou décadas antes de eu nascer nunca ter existido. Sei todas as músicas deles de cor, graças ao meu pai, que foi o maior fã de todos dos

Beatles. A música preferida dele era "In My Life", e ficava cantarolando os versos enquanto lavava a louça do jantar.

Essa lembrança me machuca. E *odeio* isso, odeio que todas as memórias boas tenham virado algo que machuca. Mas preciso da dor.

Tia Susannah está secando o cabelo, e por essa razão conseguimos escapar do apartamento sem mais flertes nojentos entre ela e Theo. Enquanto descemos de elevador, tento organizar nossos planos.

— Muito bem. Primeiro, precisamos descobrir se Paul saiu ou não de Cambridge...

— Deixe isso para lá — responde Theo, vestindo o casaco. — Se ele ainda estiver em Cambridge, não é o Paul Markov que estamos procurando. Se ele estiver nesta dimensão, nesta versão do Paul, então está vindo para cá. Pode ter certeza.

Isso me parece uma tremenda suposição.

— Você sabe de alguma coisa que eu não sei?

— Sei que já faz alguns meses que Paul vinha sendo um pouco paranoico em relação à Tríade — responde ele —, como se os caras que financiaram nossa pesquisa a tivessem sabotado. Não faz sentido, não é? Mas acho que agora a gente sabe que Paul não estava... pensando direito. Podemos dizer assim.

Talvez este seja o segredo: Paul foi enlouquecendo aos poucos nos últimos meses. Achávamos que ele estava agindo normalmente, mas ele era sempre tão quieto, tão introvertido, que era quase impossível adivinhar o que estava se passando na sua cabeça.

— Faz sentido. Mas como isso nos ajuda?

— A Tríade pode ser uma das maiores empresas de tecnologia no mundo, mas todos sabemos que só tem um nome importante lá dentro: Wyatt Conley.

Triunfante, Theo ergue o punho e projeta a imagem holográfica da matéria de um jornal diante de nós. Leio a manchete: CONLEY DISCURSA EM CONFERÊNCIA DE TECNOLOGIA EM LONDRES.

— Ele está *aqui* — digo, lendo a data do jornal. — Wyatt Conley está em Londres hoje.

— O que significa que não temos que encontrar Paul. E sim Conley, porque se nosso Paul estiver aqui, ele vai primeiro atrás desse cara.

Conley também é um gênio da tecnologia aqui. Tem apenas 30 anos, mas é considerado um dos gigantes, principalmente por ter desenvolvido os elementos principais do smartphone quando tinha 16 anos. É provável que a Tríade seja a empresa de maior prestígio no mundo e tem um escritório deslumbrante, ultramoderno, sendo construído bem perto da minha casa, em Berkeley Hills. Além disso, produz equipamentos e dispositivos que fazem as pessoas esperarem numa fila por dois ou três dias antes do lançamento. Pessoalmente, acho um pouco idiota tanta empolgação por um celular que é, sei lá, dois milímetros mais fino que o último, mas não critico, porque é o dinheiro que a Tríade ganha com pesquisa e desenvolvimento que torna possível o trabalho da minha mãe.

Acho que Paul se voltou contra todos que já o ajudaram, do nada.

As portas do elevador se abrem e caminhamos até o vestíbulo chique e espelhado. O vento frio de dezembro bagunça meu cabelo e abre o casaco de Theo. Sorrio para o porteiro ao sair, que parece surpreso. Acho que a Marguerite daqui não costuma ser muito legal com as pessoas. Quando ficamos sozinhos de novo, pergunto:

— Como você sabe que Paul não virá atrás de nós primeiro?

Theo dá de ombros.

— Não sei. Mas, de qualquer forma, não precisamos perder tempo procurando por ele. A briga virá até a gente.

A conferência de tecnologia está sendo realizada em um hotel superluxuoso no centro da cidade. Theo e eu seguimos até um dos trens que deslizam sobre a multidão lá embaixo.

— Como fazemos para entrar? — pergunto, ao nos sentarmos nos bancos de plástico. Acima de nossas cabeças, anúncios holográficos brilham e balançam feito ornamentos de Natal alucinógenos. — Não vendem ingresso na porta de conferências como essa, não é?

— De jeito nenhum! Se Wyatt Conley é o palestrante principal, um ingresso para esse negócio provavelmente deve custar mais de mil paus por pessoa.

Arregalo os olhos. Tenho mais dinheiro nesta dimensão, mas essa é uma quantia muito alta. E algo assim tão caro deve ter sido posto à venda com muita antecedência, de forma que não deve dar para comprar pessoalmente.

— O que vamos fazer?

— Vamos entrar de penetra. — Ele me olha pelo canto do olho e sorri. — Como sou a cabeça criminosa dessa equipe, pode deixar essa parte comigo, ok? Depois que passarmos da área principal, ninguém vai nos olhar feio, é só ficar tranquila.

As pessoas nesta conferência serão basicamente magnatas corporativos, milionários e gente deste naipe... E Theo está vestindo uma calça jeans desbotada e uma camiseta de banda.

— E as suas roupas?

— É *você* quem está vestida de forma inadequada para uma conferência de tecnologia. Não que você não esteja sensacional, como sempre... — Ele continua metido como sempre. Até parece que eu não o vi chapado no chão do banheiro uma hora atrás. Não sei se é para sentir raiva ou alívio. Ele aponta para sua calça jeans desbotada. — Talvez com isso eu esteja um pouco arrumado demais para o evento, mas acho que dá para entrar. Fique perto de mim, está bem?

— Ok.

A energia do nervosismo começa a surgir dentro de mim conforme nos aproximamos do momento de confrontar Paul. Ou não... talvez tenhamos planejado tudo errado. Pode ser que o Paul Markov que procuramos nem esteja nesta dimensão. E se ele pulou para outro lugar completamente diferente?

Se for esse o caso, teríamos que pular para outra dimensão de novo, com novas regras e talvez uma distância ainda maior para nos encontrarmos. Só de pensar nisso tudo, sinto uma dor de cabeça.

Mas, ainda assim, uma dimensão nova pode ser uma em que eu teria meus pais comigo. Os dois. Porque, neste momento, parece que perdi minha mãe, assim como perdi meu pai.

O que será que ela está fazendo neste momento lá em casa? Theo e eu deixamos uma mensagem explicando o que estávamos pretendendo, e minha mãe deve ter *surtado* quando leu, mas sem ter um Firebird, ela não pode vir atrás de nós. É horrível imaginá-la preocupada comigo e com Theo quando ainda está tão sensível pela perda do meu pai. Mas, quando decidimos fazer isso, não parei para pensar em quanto tempo ficaríamos fora da nossa própria dimensão. Até agora, já se passou um dia e meio.

Eu me pergunto se prestaram alguma homenagem ao meu pai, pois nem puderam fazer um enterro real, dar a ele um verdadeiro lugar para descansar...

Não. Não posso ficar pensando nisso agora. Estamos muito perto do nosso objetivo, então tenho que me manter forte.

— Pode me ensinar a usar o Firebird? — pergunto, puxando o meu da camisa.

— Você sabe o básico, não é?

— Não estou falando do básico. — É difícil até falar. — O que quero dizer é: me ensina a usar o Firebird para matar Paul? Nosso Paul.

— Quer falar mais baixo?

Ele olha à nossa volta. Estamos rodeados de trabalhadores normais. Mas as pessoas estão completamente concentradas em suas próprias telas holográficas e em seus fones de ouvido para terem escutado qualquer coisa que eu tenha dito.

— Me ensine — insisto.

— Escute. Para sua segurança e minha consciência tranquila, vamos deixar esta parte comigo, ok?

— Minha segurança não é uma das nossas prioridades aqui.

— Fale por você mesma — responde ele, de forma tão intensa que mais uma vez percebo que, ao mesmo tempo, estou animada e assustada, sem saber exatamente o que ele quer dizer com isso.

Falo com a voz mais suave, mas sem deixar a determinação de lado:

— Você precisa me mostrar como se faz, só por via das dúvidas. — No fundo do coração, sei que matar o Paul é meu trabalho, minha tarefa, meu direito, mas também sei que este argumento não vai funcionar com Theo. Se ele está preocupado com minha segurança, ok, vamos falar sobre isso. — Se acontecer alguma coisa com você, preciso conseguir me defender.

Ele ainda parece desconfiado.

— Você entende que não é tão simples assim, não é? Para fazer isso, Paul precisa ter sido nocauteado, ou então você tem que ter tirado o Firebird do pescoço dele, supondo que ele esteja usando o Firebird. O que pode não ser o caso.

Paul pode mesmo ter guardado seu Firebird em algum cofre. Mas eu poderia apostar que ele não fez isso. Theo e eu ainda estamos usando os nossos, afinal, é algo muito valioso, muito precioso, para deixar em outro lugar que não seja próximo do nosso coração.

— Entendo — respondo. — Me mostre como fazer.

Ele então se inclina para mais perto de mim, e demonstra uma sequência elaborada de movimentos e giros das diversas camadas e engrenagens do Firebird. Tudo isso sem mexer nele de verdade, é claro. Há tantas etapas no processo que nem consigo começar a memorizar tudo.

— Por que demora tanto? Como é que alguém supostamente consegue fazer isso tudo em meio a uma crise?

— Ninguém deveria ter que fazer isso e ponto — responde ele. Sua cabeça está tão perto da minha que um dos meus cachos está roçando a bochecha dele. Mas Theo não se afasta. — Estávamos pensando em formas de viajar entre dimensões, e não de criar uma máquina assassina. O que eu estou lhe mostrando, tecnicamente, é uma maneira de reiniciar o Firebird, algo que deveria ser feito apenas na sua dimensão original, para permitir que ele... se conecte a outra pessoa, outra ressonância dimensional. Entende o que estou dizendo?

— Um pouco — respondo, deixando minha frustração evidente. — Eu só queria que fosse mais fácil. Só isso.

— Tem que ser difícil, porque é fatal para qualquer pessoa fora da sua dimensão original. Não queríamos que alguém fizesse isso por acidente enquanto estivesse viajando.

Enquanto observo as mãos de Theo repetindo a sequência várias vezes seguidas, volto a pensar que estou prestes a matar alguém. Uma pessoa de verdade, ainda que ele não esteja em seu corpo neste momento.

Ele está no corpo de outra pessoa, lembro a mim mesma. *Você vai libertar o Paul desta dimensão.* Mas é difícil incentivar a indignação quando eu mesma estou usando um corpo que não é meu.

Além disso, não estamos falando de um estranho qualquer. É *Paul*. O cara que parecia nunca ter ganhado um presente de aniversário melhor do que o bolo assimétrico que minha mãe fez para ele. O cara que eu sacaneava dizendo que ele tinha comprado todas as suas roupas no mesmo brechó... e depois me sentia muito mal quando ele ficava sem graça, porque não comprava aquelas roupas para parecer hipster, e sim por não ter muito dinheiro. O Paul dos olhos acinzentados, da risada suave e do olhar perdido. O cara que me abraçava apertado quando eu ficava medo...

Paul foi capaz de enxergar o lado bom do meu pai, de receber todo o amor dele, e ainda assim matá-lo sem pestanejar. Por que não posso fazer o mesmo? Por que não posso ser tão durona quanto ele? Eu tenho um motivo, tenho direito de matar. Não deveria ser eu a pessoa a se sentir mal, culpada e repugnante.

Isso é pelo papai, digo a mim mesma. Mas, pela primeira vez, esse não parece um bom argumento.

Meu estômago se revira e o vagão do trem parece quente demais. Respiro fundo, tentando me acalmar, e Theo repara.

— Você está bem?

— Estou — respondo brevemente. — Acho que sim.

— Cuidado quando for praticar a sequência — diz ele, clicando no Firebird para que volte à configuração adequada, enquanto as camadas finas de metal retomam seus lugares, umas sobre as outras, feito asas de um inseto. — Construímos isso para que fosse fácil de consertar e personalizar, então ao abrir assim, pode despedaçar. O que é simples de resolver, se você souber como... mas isso não é algo que eu possa lhe ensinar em uma hora. Nem em um mês.

— Entendi. É complicado. Não precisa ficar me lembrando disso.

Os olhos castanhos dele encontram os meus.

— Alguém está de mau humor...

— Vamos matar um homem. Eu devia estar animada?

— Sei que é difícil — diz ele, erguendo as mãos, como se falasse "eu me rendo". — Não é fácil para mim também.

Irmãozinho. Theo levava Paul para o que ele chamava de "adolescência corretiva", tentando mostrar para ele as músicas, as boates e até mesmo as garotas: tudo o que ele deixou de viver quando começou a estudar física avançada aos 13 anos. É claro que, em parte, ele fazia isso para que Paul o considerasse um herói: Paul achava que Theo era mil vezes mais descolado do que qualquer pessoa no planeta.

Ou assim acreditávamos, pelo menos. No fim, Paul enganou Theo tanto quanto a todos nós. Traiu a todos da mesma maneira.

— Sinto muito. — Apoio a cabeça no encosto da cadeira de plástico e encaro o teto, onde anúncios holográficos brilhantes pairam sobre nós, me implorando para comprar produtos dos quais nunca ouvi falar. — Sei que tenho agido como uma chata. É só cansaço.

— Não é fácil — concorda ele. — Podemos deixar a parte de ser legal para mais tarde. Para depois.

— Está bem.

O trem para na nossa estação. Theo e eu descemos lado a lado do vagão, sem dizer nada. Talvez ele ainda esteja pensando sobre deixar para ser legal depois. Talvez eu devesse estar pensando o mesmo também. Mas, em vez disso, minha mente está repleta de incertezas sobre o que vamos encontrar quando nos depararmos com Paul, se vamos mesmo achá-lo ou, pior, se terei coragem.

Nem consigo olhar para Theo, com medo de que ele leia meus pensamentos. Então fico observando a multidão que passa por nós na estação de grades de metal e placas holográficas, esperando conseguir um momento de distração do trabalho sujo que nos espera.

Uma figura se destaca nos trilhos. Um homem grande vestindo um longo sobretudo preto para no meio do caminho para conferir um mapa holográfico da região flutuando acima dele. Conforme o indivíduo entra com mais clareza no meu campo de visão, me viro e penso: *ele está enfartando.*

Então vejo quem é o homem.

Persegui Paul Markov por várias dimensões. E agora ele está apenas a poucos passos de mim.

8

Ergo a mão tentando fazer sinal para Theo, mas não é preciso.

— Filho da puta — sussurra ele, andando na direção de Paul, mas eu o seguro pela camiseta.

— Theo, não. Não.

— O que você... — A princípio, Theo fica irritado por eu ter segurado ele, tão irritado que me deixa surpresa. Mas, logo depois, dá para ver que ele relaxa. — Você tem razão. Aqui não é o melhor lugar para confrontá-lo. É provável que tenha câmeras de segurança e policiais em tudo quanto é canto.

Não foi por isso que o contive. Foi porque ver Paul me fez relembrar aqueles momentos iniciais, logo depois de ter ouvido a polícia citar o nome dele, chamá-lo de suspeito pelo assassinato do meu pai. De alguma forma bizarra, não fiquei irritada imediatamente, acho que estava confusa demais para sentir algo tão coerente quanto raiva. Fiquei pensando que aquilo não tinha como estar certo. Que as coisas horríveis que eu estava ouvindo não podiam ser verdade.

Enquanto a polícia estava na nossa sala, minha mãe chorando com as mãos no rosto ao ouvir sobre as "atividades suspeitas" de Paul, eu só conseguia pensar que precisava ligar para ele, para que pudesse explicar o que realmente estava acontecendo.

E agora, olhando para ele diante de mim, não consigo enxergar o cara que matou meu pai. E sim o Paul que eu conhecia.

O cara que me fez sentir como se eu estivesse finalmente me apaixonando.

O dia de ação de graças lá em casa é sempre um pouco esquisito. Não temos uma família grande: é basicamente tia Susannah, que parece achar que esse feriado faz parte de alguma tradição bárbara norte-americana capaz de lhe passar piolhos. Então, meus pais costumam convidar uma legião de estudantes de física, outros professores e vizinhos. Os alunos sempre contribuem levando algum prato de comida, e como eles vêm de vários lugares do mundo, isso significa que podemos ter kimchi ou empanadas junto do peru na mesa. Uma vez, Louis, que era do Mississippi, trouxe uma coisa chamada "turducken". Não levei muita fé nesse nome, mas o prato consistia basicamente em uma galinha recheada enfiada dentro de um pato, enfiado dentro de um peru. Tenho que admitir que estava delicioso. O turducken acabou sendo um dos melhores pratos que já levaram, de verdade. Às vezes tem umas comidas um pouco tristes, como este ano, quando Theo levou uns cupcakes que claramente foram comprados em uma loja, e a gente teve que fingir que não notou.

Paul pediu para usar nossa cozinha porque ele não tinha acesso a um fogão em outro lugar. Então fiquei lá observando-o cozinhar.

— Lasanha? — perguntei, sentando-me no balcão. — Igualzinho ao jantar dos antigos peregrinos!

— É a única coisa que sei cozinhar. — Ele franziu a testa para o molho de tomate na panela, como se o molho tivesse feito alguma coisa para ofendê-lo. — É a única coisa que valia a pena trazer, aliás.

Tive que lutar contra minha vontade de apontar que, se ele estava cozinhando na nossa casa, não era como se estivesse *trazendo* alguma coisa. Estávamos finalmente chegando a um momento em que eu começava a me sentir confortável com ele, em que eu passava a acreditar que podia estar chegando perto de desvendar quem era Paul Markov, afinal de contas.

Mamãe e papai estavam na universidade, Theo tinha ido a alguma festa, Josie só chegaria de San Diego na manhã seguinte porque tinha passado o dia surfando com os amigos. Então, para variar, Paul e eu estávamos sozinhos. Ele vestia a mesma calça jeans desbotada de sempre e uma camiseta. (Juro: parece que ele não sabia que existem outras cores além de preto, branco, cinza e o tom azul do jeans.) Mas, ainda assim, de alguma maneira, ele me fazia sentir arrumada demais de *legging* e bata.

— Por que você não vai para casa no dia de ação de graças? — Não acrescentei à pergunta o complemento que passou pela minha cabeça: *como todas as pessoas normais*. — Você não quer ver seus pais?

Paul contraiu os lábios, formando uma linha fina.

— Não especialmente — disse ele.

— Ah. — Se arrependimento matasse, eu não teria falado isso... Em seguida, acrescentei baixinho: — Desculpe.

— Está tudo bem. — E, depois de mais um tempo de silêncio desconfortável, ele disse: — Meu pai... Ele não é uma boa pessoa. Minha mãe não o contradiz em nada. Os dois não entendem a vida que escolhi para mim. Ficam felizes por eu conseguir bolsas, assim não dou mais despesas para eles. É só isso.

O que era obviamente uma grande mentira. Como assim *essa* história "é só isso"? Mas eu não ia continuar sendo indelicada e fazer mais perguntas. Só fiquei imaginando que tipo de pais babacas teriam problemas com seu filho se tornar um físico brilhante... Ou o que será que ele quis dizer exatamente com "não é uma boa pessoa"...

Tentei pensar em como mudar de assunto.

— Então, hum, que música é essa?

— Rachmaninoff. É a 18ª variação de uma rapsódia sobre um tema de Paganini. — Os olhos cinzentos dele me encararam discretamente. — Não é muito atual, eu sei.

— É Theo quem implica com você por causa da música clássica, não eu. — E como ele não estava por perto, admiti: — Eu gosto, na verdade. De música clássica.

— Gosta?

— Quer dizer, não conheço muita coisa, compositores nem rapsódias, nada disso. Mas aprendi um pouco nas aulas de piano que tive — acrescentei. — Mas... quando ouço, sempre acho bonita.

O Rachmaninoff era muito impressionante, na verdade, as notas do piano pareciam tropeçar sem fim, em progressões infinitas.

— Você sempre se desculpa por não conhecer alguma coisa. — Paul sequer ergueu os olhos da tigela ao dizer isso, e continuou misturando a mussarela e o queijo cottage. — Devia parar com isso.

— Desculpe se não nasci já sabendo tudo — respondi, ofendida.

Ele parou, respirou fundo e olhou para mim.

— Quis dizer que você não deveria ficar envergonhada por não saber alguma coisa. Só é possível começar a aprender quando admitimos que não sabemos algo. Não tem problema você não ser familiarizada com música clássica. Eu não sei nada sobre a música que você escuta, como Adele and the Machine.

— É Florence and the Machine. Adele é só uma cantora. — Lancei um olhar astuto para ele. — Mas você sabia disso, não é? Só queria que eu me sentisse melhor.

— Hum, é... — confessou Paul, e me dei conta de que ele não tinha errado de propósito.

Antes que eu pudesse implicar por causa disso, ele franziu o cenho para a travessa de lasanha, como se fosse um experimento científico que tivesse dado errado. A massa no fundo estava deformada, como se tentasse escapar.

— Você comprou massa pré-cozida, não foi? — perguntei, saltando do balcão para o chão. — Acontece isso de vez em quando.

— Achei que seria mais rápido!

— Você pode colocar mais massa por cima, sem cozinhar antes... Ah, espere aí. — Peguei um dos aventais pendurados e o vesti. — Vou ajudar.

Nos minutos que se seguiram, trabalhamos lado a lado: Paul ia colocando as camadas de massa, queijo e molho, enquanto eu usava a colher de pau para tentar manter a massa retorcida no lugar até que o recheio estivesse todo por cima. O vapor deixou meu cabelo arrepiado, Paul xingou em russo algumas vezes, e nós dois rimos muito de nós mesmos. Antes daquela noite, eu nunca tinha visto Paul rir tanto.

Quase acabando, precisávamos cobrir o recipiente para assar e nós dois esticamos a mão ao mesmo tempo para pegar o papel de alumínio. Nossas mãos se tocaram apenas por alguns segundos. Nada demais.

Eu tinha praticamente passado todos os dias com ele, por mais de um ano, porém, naquele instante, vi um Paul completamente novo.

Era como se eu nunca tivesse notado a clareza dos olhos dele, ou as fortes linhas de expressão em seu rosto. Como se o corpo dele tivesse deixado de imediato de ser tão grande e desajeitado, e houvesse se tornado forte. Masculino.

Atraente.

Não. Sexy.

E o que será que ele enxergava ao me encarar? O que quer que fosse, o levou a abrir parcialmente os lábios, como se estivesse surpreso.

Desviamos o olhar no mesmo instante. Ele pegou o papel de alumínio, e quando a lasanha estava no forno, disse que tinha que trabalhar em algumas equações. Fui para o meu quarto pintar, o que, na verdade, significou que fui para o meu quarto encarar os tubos de tinta por vários minutos, enquanto tentava recuperar o fôlego.

O que acabou de acontecer? O que isso significa? Será que quer dizer alguma coisa?

Desde a morte do meu pai, quero esquecer esse dia com Paul. Mas não consigo.

Paul Markov é perigoso. Ele matou seu pai. Você sabe *disso. Se não conseguir odiá-lo por esse motivo, que tipo de pessoa fraca você é? Não desperdice outra chance. Da próxima vez que o vir, não hesite. Não pense em cozinhar lasanha com ele, nem sobre ouvir Rachmaninoff.*

Aja.

Seguimos Paul até fora da estação sem que ele nos visse.

— Sabe aquela reação que você viu? — murmura Theo. — Provavelmente é um lembrete. Ele vai notar nossa presença agora. Fique atrás de mim.

O instinto de Theo estava certo: Paul está indo para a conferência de tecnologia, na qual Wyatt Conley estará. Para um evento dedicado a inovação tecnológica, eu diria que será realizado em um local esquisito: um prédio que só pode ter mais de 100 anos, de arquitetura eduardiana. As pessoas presentes também formam uma mistura estranha: alguns são profissionais elegantes, de terno cor de chumbo ou azul-marinho, falando com inúmeras imagens holográficas diante deles durante todo o tempo que levam para subir a escada; outros parecem calouros da faculdade que acabaram de acordar, mas que parecem entender mais de tecnologia do que os CEOs de terno.

— Falei que eu estava arrumado demais para isso — sussurra ele enquanto Paul desaparece pela porta.

— Como ele conseguiu entrar? — pergunto. — Será que já arranjou um crachá ou deu um jeito de passar pela segurança?

— Para nós não é relevante saber isso. Temos que conseguir entrar. Deixe comigo, ok, Meg?

Parece que Theo passou a viagem toda até aqui tentando entender exatamente como esses sistemas de computador funcionam. Conforme vamos subindo os degraus, mantendo sempre um ar *blasé*, fingindo pertencer ao lugar, ele consegue entrar na base de dados do organizador do evento. Assim, quando chegamos na mesa de registro, agindo como se estivéssemos chocados (chocados!) por não estarem com nossos crachás prontos, eles encontram nossos registros no computador e imprimem, às pressas, crachás temporários para nós dois. E então entramos.

Theo me dá o braço, onde entrelaço minha mão, e entramos no salão de conferência. O local é enorme, pouco iluminado, próprio para exibir o enorme telão de cinema que está no palco.

— Tenho que admitir — falo, em voz baixa, para Theo — que isso foi bem impressionante.

— Impressionante é meu nome do meio. Na verdade, é Willem, mas se você contar isso para alguém vou logo avisando que *irei* me vingar.

Nós nos sentamos perto do fundo do salão, de onde podemos ter uma visão mais ampla do local e observar a movimentação de Paul. Isso supondo que ele vá fazer alguma coisa. Mas, pelo visto, ele não está ali na plateia.

Theo não dá qualquer indicação de ter notado meu mau humor.

— Que bom que tive a chance de conhecer esta dimensão da melhor e mais rápida forma que pude. Isso faz diferença. — Parece óbvio que conversar por aqui é tão seguro quanto era no metrô. A maioria das pessoas está cercada por pequenas telas holográficas, concentradas em uma ou duas conversas. — Vamos ter que colocar isso no guia de viagens interdimensionais que vamos escrever juntos um dia: *O guia dos mochileiros do multiverso*.

Não parece uma boa ideia deixar cientistas citarem Douglas Adams. Por isso, faço a pergunta que surgiu na minha cabeça logo que cheguei aqui:

— Como é que esta é a próxima dimensão?

— Como assim? — Theo franze o cenho.

— Acho que pensei… você sabe, que a dimensão mais próxima seria muito parecida com a nossa, tendo apenas algumas diferenças. Mas, na verdade, não tem nada a ver.

— Em primeiro lugar: isso aqui? Isso aqui não é "nada a ver". As fronteiras nacionais continuam as mesmas. A maior parte das marcas parece ser igual, com exceção desta empresa. — Ele aponta para o logotipo "ConTech" projetado na tela que tem no palco. No nosso universo, o nome Wyatt Conley significa Tríade. — Acredite em mim, as dimensões podem ser muito mais diferentes do que isso aqui.

— Ok, faz sentido.

Entendi o que ele quer dizer. Não é como se os dinossauros ainda estivessem aqui ou algo assim.

Mas Theo, sempre fascinado em poder se exibir quando sabe alguma coisa, continua:

— Em segundo lugar: nenhuma das dimensões é, tecnicamente, "mais" ou "menos" próxima ou distante uma da outra. Pelo menos, não em termos de distância real. Algumas são *matematicamente* mais correlatas entre si do que outras, mas isso não necessariamente tem a ver com serem mais próximas, de forma alguma.

Quando a palavra "correlata" surge em uma conversa, sei que o assunto vai virar tecnochato. Então fui logo ao ponto que me interessava:

— Você está dizendo que se Paul quisesse apenas fugir, ir para a "próxima porta", *esta* poderia ser a próxima porta, mesmo esta dimensão sendo diferente de várias formas?

— Exatamente. — As luzes se apagam. Theo se ajeita na cadeira enquanto o burburinho vai diminuindo e os inúmeros hologramas acabam se apagando. — Hora do show.

O logotipo da ConTech sai da tela e dá lugar a um vídeo promocional, que exibe a mesma coisa de sempre: pessoas radiantes das mais diversas etnias e idades usando produtos de alta tecnologia que tornam a vida maravilhosa delas ainda melhor. A única diferença são os próprios produtos: os carros que dirigem sozinhos, como o de Romola, as telas holográficas e outras coisas que eu ainda não tinha visto, como os scanners médicos que fazem o diagnóstico através do toque e um jogo tipo *laser tag*, mas que usa laser de verdade. Uma mulher é abordada pelo assaltante mais elegante de todos os tempos, e se vira confiante para tocar o próprio bracelete, fazendo o homem cair no chão, como se tivesse sido eletrocutado, e então ela vai embora.

Olho para o bracelete no meu punho, que tem uma inscrição interna que diz “Defender”. Agora entendi.

A música de fundo aumenta para uma altura inspiradora conforme as imagens vão desaparecendo, e o apresentador diz:

— Senhoras e senhores, com vocês agora o homem mais inovador da nossa era, o fundador e CEO da ConTech... Wyatt Conley!

Aplausos, um holofote é direcionado para o centro do palco e Wyatt Conley aparece.

Embora já fizesse um ano que ele financia a pesquisa dos meus pais, eu nunca tinha conhecido Conley. Mas eu conhecia a aparência dele, assim como qualquer pessoa que acessou a internet ou viu televisão na última década.

Apesar de ter trinta e poucos anos, Conley não parece muito mais velho que Theo ou Paul. Ele tem uma aura infantil, como se nunca tivesse sido forçado a crescer e não pretendesse começar nesse momento. Seu rosto é longo e fino, mas de alguma forma excêntrica, é bonito. Josie já me disse que acha ele sexy. Conley está usando uma calça jeans casual e uma camiseta de manga comprida que só de ver dá para *saber* que custou uns mil dólares. O cabelo dele é tão cacheado e incontrolável quanto o meu, só que mais claro, um tom quase vermelho, que combina com as sardas no nariz e nas bochechas. E em meio a tudo isso e as famosas pegadinhas que pregou com outras celebridades, ficou conhecido como “o irmão gêmeo Weasley que se perdeu no Vale do Silício”.

— Estamos em uma jornada — diz Conley com um leve sorriso. — Eu, você e todo mundo no planeta Terra. E esta jornada está ficando cada vez mais rápida, acelerando a cada segundo. Estou me referindo à jornada para o futuro, mais especificamente, para o futuro que estamos criando através da tecnologia.

Conley atravessa o palco com uma confiança presunçosa e a tela atrás dele exibe um infográfico intitulado "Taxas de mudanças tecnológicas". Na maior parte da história do homem, o gráfico consiste em uma linha subindo lentamente. Então, no meio do século XIX, ela começa a subir depressa, formando um pico. E nas três últimas décadas, a linha é praticamente vertical.

— Apesar de todas as diferenças em suas próprias épocas, Júlio César teria compreendido, de maneira fundamental, o mundo de Napoleão Bonaparte, um guerreiro que viveu quase dois mil anos depois dele. Já Napoleão *talvez* tivesse entendido Dwight D. Eisenhower, que lutou nem duzentos e cinquenta anos após Waterloo. Mas não acho que Eisenhower seria capaz de começar a compreender uma guerra de drones, satélites espiões ou qualquer outra tecnologia que atualmente define a segurança do nosso mundo — acrescenta Conley.

Para uma aula de história, isso foi quase interessante. Talvez seja a maneira que ele fala com as mãos, feito uma criança animada. Mas quando começo a me interessar de verdade, vejo Paul andando lentamente no corredor lateral em direção à saída.

Sinto a mão de Theo se fechar com força ao redor do meu braço, para me avisar.

— Você também está vendo ele? — sussurra.

Assinto. Theo se levanta da cadeira, mantendo-se agachado para não ficar na frente de ninguém, e faço o mesmo. Então nós dois seguimos para a lateral do auditório.

Algumas pessoas nos olham feio, mas o único som no salão continua sendo a voz de Conley.

— Há várias gerações as pessoas temem uma Terceira Guerra Mundial. Mas cometem um erro grave ao esperar uma guerra parecida com a última.

Não há muita gente nos corredores externos, com a exceção de alguns assistentes preocupados tentando preparar uma recepção pós-

-palestra. Dessa forma, Theo e eu passamos despercebidos enquanto nos esforçamos para entender aonde, exatamente, Paul deve ter ido. Em um prédio antigo como este, nada é tão óbvio quanto pensamos.

— Por aqui, talvez?

Theo abre uma porta que dá em uma sala mais escura, sem mesas nem cadeiras.

Entro atrás dele. Enquanto a porta se fecha atrás de nós, somos rodeados pela escuridão, salvo pelo brilho leve dos nossos aparelhos eletrônicos: os hologramas e minha pulseira de segurança. Dá para ouvir o discurso de Conley, apesar de estar mais abafado daqui.

— Os próximos desafios da humanidade serão fundamentalmente diferentes de qualquer outro que já enfrentamos. Terão novas ameaças, sim, mas também novas oportunidades.

E então ouvimos outro barulho. Passos.

O braço de Theo me puxa para trás pela cintura até encostarmos na parede, nos escondendo na escuridão absoluta. Sinto a adrenalina percorrer meu corpo. Meu cabelo parece estar formigando minha cabeça, e mal consigo respirar.

Os passos se aproximam. Theo e eu nos entreolhamos, lado a lado na escuridão, a mão dele ainda firme na minha barriga. Está escuro demais para que eu possa interpretar a expressão em seus olhos. Então ele sussurra:

— Para o canto de lá. Vá.

Nós nos separamos. Corro para o canto, como Theo mandou, e ele segue na direção dos passos... que descobrimos serem de um homem alto de uniforme que não tem muito senso de humor.

Eu *sabia* que alguém como Wyatt Conley teria seguranças.

— Eu só queria pegar um autógrafo depois — diz Theo para o homem, levando-o para longe de mim. — Você acha que ele assinaria meu braço? Eu poderia deixar o autógrafo tatuado ali para sempre!

Provavelmente ele teve a intenção de fazer isso para que eu pudesse sair enquanto ele distrai o segurança. Mas, em vez disso, chego mais perto do palco... e de Paul.

— Os perigos que temos que temer não são aqueles com os quais estamos acostumados. Eles estão vindo de direções que jamais imaginamos — continua Conley.

Theo ainda discute enquanto o segurança o retira do local.

— Ah, fala sério, não precisa exagerar...

A porta bate novamente, e não consigo mais ouvir a voz dele. Olho por cima do ombro, como se o fato de estar procurando por Theo fosse trazê-lo de volta...

... mas neste momento sinto a mão de Paul Markov tapar a minha boca.

— Não grite — diz a voz do assassino do meu pai.

9

Paul me puxa para trás. Uma das mãos envolve a minha cintura, e a outra tapa minha boca. Minhas pernas ficam fracas e preciso me esforçar para não desmaiar.

O que eu faço? Sempre imaginei que eu fosse atacá-lo, e não o contrário. Como deixei que ele me pegasse? Como pude ser tão burra?

— O que você está fazendo aqui? — sussurra ele. Estamos logo atrás da cortina. — Aliás, como é que você pode estar aqui?

Seguro o braço dele, ainda que saiba não ser forte o bastante para afastá-lo de mim... mas neste momento noto minha pulseira.

O Defender. Clico depressa no meu bracelete, assim como a mulher fez no vídeo. No mesmo instante, Paul é atingido por ondas de choque brancas e azuis.

Paul grita de dor, e me livro dele... mas tropeço na cortina e caio no palco. Permaneço ali por um instante, sob os holofotes, em estado de choque, a apenas alguns passos de Wyatt Conley. Ele e eu nos entreolhamos enquanto a plateia, perplexa, sussurra e tento pensar em algo que possa dizer.

Então sinto a mão de Paul agarrar meu cotovelo, e grito.

— Segurança! — berra Conley enquanto Paul me puxa para fora do palco e a plateia começa a gritar.

Mas parece que não há nenhum segurança por perto, porque estão ocupados expulsando Theo do evento. O que significa que estou sozinha nessa.

Eu me solto de Paul da forma mais violenta que consigo. Ele ainda deve estar fraco por causa do choque elétrico que recebeu, porque sou capaz de me livrar dele sozinha. Em seguida, começo a correr feito uma louca.

Como posso ter sido tão idiota? Como posso ter duvidado, por um instante sequer, de como ele é perigoso? Paul matou meu pai e ainda assim eu queria dar a ele o benefício da dúvida. Burra, burra, burra. Nunca mais vou me deixar enganar desse jeito por um cara.

Saio do prédio para a chuva e vou andando em direção ao metrô.

Pelas pegadas na calçada e pelos gritos das pessoas sendo empurradas, sei que Paul está logo atrás de mim.

— Marguerite! — grita ele. — Pare!

Como se isso fosse acontecer.

Gotas de chuva atingem meu rosto, as calçadas diante de mim escurecem mais e mais a cada gota que cai. A placa brilhante em 3D sinalizando a entrada do metrô me incentiva a correr mais rápido.

Desço apressada, o cabelo pingando, e nem hesito por um segundo antes de pular a catraca. Se isso chamar a atenção dos guardas, ótimo.

Mas, mesmo correndo, ouço Paul pular a catraca atrás de mim.

Meu anel começa a piscar. Só uma pessoa poderia estar me ligando. Consigo tocar o anel e o rosto de Theo aparece diante de mim.

— Eu ouvi… Espere... O que está acontecendo?

— Paul! Ele está bem atrás de mim! Estamos no metrô!

A tela some imediatamente. Sei que Theo está vindo o mais rápido que pode, mas não tenho certeza se ele vai conseguir me alcançar a tempo.

O corredor do metrô se divide em vários túneis, que seguem para diferentes sentidos. Corro até o mais próximo, sem pensar nem me importar com qual seria a melhor opção, e xingo baixinho ao ver um trem parando logo à frente. Ao mesmo tempo em que a multidão pode me proteger de Paul, também protege ele de mim.

Continuo correndo. Não dá mais para voltar.

Os passageiros formam um enxame à minha frente, com todos os jogos e todas as ligações holográficas flutuando ao redor deles como um tipo de névoa eletrônica. Como é que pode ter tanta gente aqui bem depois da hora do rush? Vou me desviando de um e de outro para evitar esbarrar em alguém... mas então sinto a mão de Paul no meu ombro.

Instantaneamente, me viro e dou um soco no rosto dele.

Ai! Ah, *que merda*. Ninguém nunca nos avisa que bater em alguém dói tanto quanto levar o soco. Paul cambaleia para trás e alguns passageiros se assustam, começando a prestar atenção no que estão vendo.

Paul olha para mim, com a mão no queixo vermelho, e é como se... como se ele não estivesse entendendo nada. Como ele pode não estar entendendo?

Atrás de mim, o trem sai da estação provocando uma lufada forte de vento e um barulho que quase me impede de ouvir o que ele diz.

— Quem trouxe você até aqui?

Não tenho chance de responder, porque Theo surge no meio da multidão, se joga em cima de Paul e grita:

— Seu filho da *puta*!

Paul se vira de mim para Theo meio segundo antes de os dois colidirem. O restante da multidão começa a se dispersar. As pessoas gritam e correm para todas as direções. Um cara enorme esbarra em mim com tanta força que eu caio de costas em uma das grades de metal.

Sem ar, olho pela grade e encontro Paul e Theo no chão. A princípio, Theo parece ter vantagem, de joelhos, enquanto Paul está deitado de costas. Ele dá um soco tão forte na mandíbula de Paul que, de onde estou, consigo ouvir o barulho.

No entanto, quando Theo tenta acertá-lo de novo, a expressão de Paul muda de confuso para ódio, e ele bloqueia a mão do outro com força.

Os alertas vermelhos de segurança começam a piscar. As grades passaram a formar uma sombra estranha, e parecem traçar linhas em todos nós. Os seguranças do metrô chegarão aqui em breve. *Merda*.

Mas nada disso importa quando vejo Paul empurrar Theo, que cai tão longe a ponto de passar através de um anúncio holográfico sobre turismo na Itália. Enquanto Theo desaparece atrás de uma imagem projetada do Coliseu, Paul pula atrás dele e ajoelha-se sobre o corpo enroscado do outro.

— Você — rosna ele, segurando Theo pela camisa. Eu nunca soube que Paul era capaz de fazer uma expressão como aquela: desumanamente furiosa. — Como foi que me seguiu?

Theo chuta o peito de Paul, mas isso só o faz recuar por um instante. Paul se recupera em um piscar de olhos e dá um soco na mandíbula de Theo. Mais um soco. E outro. Não é como se eu não soubesse que Paul é maior que Theo, mas, de algum jeito, ainda não tinha me dado conta de como é gigantesco. De como seria impossível Theo dar um jeito nele sozinho.

Mas ele não precisa mais agir por conta própria, agora que já recuperei o fôlego.

Corro na direção dos dois, atravesso a placa holográfica e pulo nas grandes costas de Paul. Ele grunhe, surpreso, e tenta me alcançar, mas aperto uma das mãos ao redor do seu pescoço e, com a outra, puxo o cabelo. Dane-se se puxar cabelo é considerado coisa de menina. Dói e *funciona*.

— O que… — Ele tenta se livrar de mim, por isso, aperta meu antebraço, mas para de repente. — Marguerite, chega disso.

Mal consigo ouvir as palavras dele por causa do barulho de mais um trem se aproximando.

— Vá para o inferno — respondo.

Minha mão livre é a que tem a pulseira com o Defender. Bato com ela na lateral do corpo dele, e o aparelho funciona novamente. Paul leva outro choque e grita de dor.

Theo volta a ficar de pé e vai atrás do Firebird no pescoço de Paul. É isso, *é isso*, só preciso conter Paul enquanto Theo acaba com ele.

Mas então Paul joga a cabeça para trás e olha para mim. Seus olhos cinzentos me encaram de baixo, tentando se focar no meu rosto e revelando um misto de traição e dor que reconheço, porque refletem os meus sentimentos.

Por um instante, a dúvida fica mais forte do que tudo, e a força do meu braço diminui.

Esse instante é tudo de que ele precisa.

Paul se solta de mim e dá uma cotovelada no rosto de Theo, jogando-o no chão mais uma vez. Tento segurá-lo de novo, mas é em vão. Ele está de pé, usando toda a sua força para me conter.

— O que você está fazendo? — grita ele.

As luzes de segurança pulsam acima de nós, tornando o sangue que escorre de sua boca vermelho, depois preto, e então voltando para o tom original.

— Estou fazendo você parar!

Avanço para ele mais uma vez, porém, uma das suas mãos enormes me contém com facilidade.

Theo se esforça para ficar de pé de novo. No mesmo instante, Paul me segura — literalmente, me segura — e se joga dentro de um vagão antes que as portas se fechem. Consigo me soltar um segundo antes de ver as mãos de Theo tocando a porta de vidro. Só que é tarde demais: o trem já está em movimento.

Por um momento espalmo minha mão na de Theo, separadas apenas pelo vidro. Ele parece assustado, mas não fala nada. O que é que ele pode dizer? Nada é capaz de parar aquele trem de se afastar rapidamente e, assim, ele deixa apenas suas impressões digitais na porta.

O trem do metrô entra em um túnel, imergindo na escuridão. Não há mais ninguém neste vagão. Paul e eu estamos ali em pé, ofegantes, iluminados apenas pelas propagandas holográficas acima de nós. Estamos sozinhos.

— Como Theo trouxe você para cá? — pergunta ele, com a voz baixa. — E por quê?

Ergo o rosto para ele.

— Theo reconstruiu sozinho os protótipos do Firebird. Você achou que ele não conseguiria, não é?

— Os protótipos. É claro — murmura ele, quase como se tivesse ficado feliz em saber. — Mas... mas por que ele trouxe você junto? Você não se deu conta de como isso é perigoso?

— Não importa. Se você achou que podia matar meu pai e se safar, está...

— O quê? — Seu rosto fica tão pálido de repente que, por um instante, achei que ele fosse desmaiar. — O quê? O que... você disse? Henry está morto? Ele está *morto*?

O espanto e a dor que vejo em seu rosto são muito reais. Algumas pessoas sabem atuar muito bem e conseguem simular o choque, mas o tímido e inseguro Paul Markov nunca teve esse tipo de habilidade. De jeito nenhum ele conseguiria fingir aquele pavor, ou as lágrimas que percebo escorrendo dos seus olhos.

Então a ficha cai, como se eu tivesse levado um soco no estômago: *Paul não matou meu pai.*

— Meu Deus. — Ele limpa as lágrimas dos olhos, se esforçando ao máximo para continuar focado na conversa. — Como Henry pode estar morto?

Todos aqueles momentos que me atormentaram nos últimos dias: Paul sorrindo para seu bolo de aniversário, ele ouvindo Rachmaninoff, parado na porta do meu quarto... eram todos reais. Paul é real.

Mas então o que diabo está acontecendo? E, se Paul não matou meu pai, quem foi?

— Espere. Você achava que *eu* tinha matado o Henry? — Ele faz essa pergunta sem metade da raiva que eu sentiria se estivesse no seu lugar. Paul parece apenas completamente confuso, como se não fizesse ideia de como fui capaz de acreditar em algo tão esquisito. — Marguerite, o que foi que aconteceu?

— O carro dele caiu no rio. Alguém sabotou os freios. — Minha voz parece frágil, muito diferente do normal.

— Você precisa acreditar em mim. Eu não fiz nada com Henry. Jamais faria uma coisa dessas.

— Mas tudo realmente indicava que só podia ter sido você. — E, assim que me dou conta do que acabei de dizer, penso em algo ainda pior. — Então a única explicação é que alguém armou para você.

Ele xinga baixinho.

— Por que diabos Theo trouxe você com ele?

— Por que você continua agindo como se tudo fosse decisão do Theo? Eu decidi vir. Eu tinha que entender quem fez isso com meu pai.

Então comecei a me dar conta... Essa onda de raiva. Achei que sabia quem culpar pela morte do meu pai, quem eu deveria odiar. Mas agora não sei mais. Nos últimos dias, meu ódio foi a única coisa que me manteve seguindo em frente. Estou me sentindo nua, desarmada.

O trem faz uma curva no túnel, e o chão do vagão começa a balançar para a frente e para trás. Todos os anúncios holográficos piscam de leve. Metade do rosto de Paul está escondida na penumbra, como a capa do *Rubber Soul*.

— Vou descobrir quem fez isso com Henry. — Ele dá um passo na minha direção. — Juro para você.

— Se não cabe a Theo decidir, também não cabe a você! Olha, tudo bem, você não matou meu pai nem apagou as informações. Então quem foi? E por que você fugiu?

Ele me surpreende novamente:

— Não matei Henry, mas fui eu que apaguei os dados do laboratório — confessa ele.

— O quê? Por quê?

Paul põe as mãos nos meus ombros. Estremeço, pois não consigo evitar. Ele recua. Deve ter achado que me machucou.

— Diga para Theo que sinto muito. Quando o encontrei mais cedo, achei... Eu o culpei por uma coisa que ele não tinha feito. E agora entendi que ele estava apenas fazendo algo pelo Henry... — A voz dele começa a falhar de novo. Nosso luto nos machuca ao mesmo tempo, como um choque elétrico que saiu dele e veio para mim, ou que saiu de mim e foi para ele. — Mas diga ao Theo que ele precisa levar você para casa agora. Quanto antes, melhor. É a coisa mais importante que ele pode fazer.

— Não. Você tem que me explicar.

— Vá para casa. Vou dar um jeito nisso.

O metrô dá um sacolejo mais forte, e perco o equilíbrio. Um segundo antes de eu conseguir recuperar a estabilidade, ele agarra o Firebird e...

É difícil descrever o que exatamente acontece em seguida. Embora nada tenha se movido, a impressão é que uma brisa remexeu o ar à nossa volta, mudando alguma coisa em Paul que é impossível definir. Ele levanta a cabeça, como estivesse surpreso, e leva a mão ao lábio cortado, contorcendo o rosto de dor. Ao ver sangue em seus dedos, ele não parece se lembrar de como foi parar ali.

Nesse momento percebo que o Firebird não está mais no seu pescoço. Nenhuma luz estalou, não houve nenhum som esquisito, nada.

Em um instante o Firebird estava no lugar, mas no seguinte já tinha desaparecido.

Paul foi embora. Pulou para outra dimensão.

O que significa que o cara diante de mim agora é… Paul Markov, mas o Paul que pertence a este mundo.

O metrô para na estação seguinte. Seguro uma das barras para me estabilizar, e Paul faz o mesmo, mas de um jeito um pouco desengonçado, como se mal entendesse o que está acontecendo. Então me dou conta de que ele não faz mesmo ideia. Está parado neste vagão sem ter noção de como chegamos aqui, ou até de quem eu sou.

— O que está acontecendo? — pergunta Paul/não-Paul.

— Eu… — Como eu posso explicar isso? — Vamos sair do metrô, pode ser?

Apesar de parecer assustado, Paul me segue pela estação até a rua.

Estamos em uma área completamente diferente de Londres, ou pelo menos é o que parece. Essa parte é mais semelhante à cidade de que me lembro, com prédios mais antigos, e nada de veículos estranhos voando no céu. Começou a chover de novo. Nós nos abrigamos sob a marquise de uma loja, e ele parece menos confuso e mais desanimado.

— Onde estou?

— Em Londres.

— Sim, é claro — responde ele, e o modo que aperta os olhos quando fica irritado ou inseguro é tão familiar para mim que é difícil acreditar que esse não é o Paul que eu conheço. — Vim para cá hoje de manhã para a conferência de tecnologia. Para ouvir o discurso de Wyatt Conley. Faz algumas semanas que eu vinha planejando isso… mas podia jurar que tinha saído do metrô. E depois disso... me deu branco.

Ele ia para a conferência de qualquer forma. Claro que sim. Por que um físico teórico não se interessaria por um dos maiores inovadores da época?

— Você não se lembra de nada dos últimos, sei lá, dois dias?

— Eu me lembro... de algumas coisas — diz ele. Suas expressões, o modo que ele se mexe... é tudo ligeiramente diferente do nosso Paul, aquele que eu conheço, que acabou de fugir daqui. É muito estranho perceber a diferença na maneira em que ele inclina a cabeça. — Mas quem é você? Quem me deu um soco?

Eu. Theo e eu fizemos isso com você, e você não passa de um estranho que nunca fez nada contra nenhum de nós dois.

— Houve uma briga. Mas já passou. Nada grave aconteceu.

— Mas... — Ele observa as próprias mãos enormes e percebe que os nós dos dedos estão machucados. Sua expressão confusa é tão parecida com a de Paul que me faz prender a respiração.

Eu queria poder explicar. Então digo da forma mais gentil que consigo:

— Você não iria acreditar em mim se eu contasse. Apenas... vá para casa. Está tudo bem. Você não vai mais me ver.

Ainda que ele claramente queira mais respostas, Paul deve querer ainda mais se livrar daquela estranha maluca. Ele se afasta, saindo da marquise, e a chuva começa a molhar seu casaco e seu cabelo despenteado. Em seguida, ele se vira e logo desaparece mais uma vez em meio a multidão londrina.

Só neste momento me dou conta de que faz algum tempo que meu anel está vibrando. Toco nele, querendo falar com Theo. Quando o rosto dele aparece diante de mim na luz tridimensional, me sinto esperançosa, mas então percebo que é uma mensagem gravada.

— Marguerite, espero que você esteja bem. — O rosto dele parece rígido, receoso por mim. — Paul pulou para outra dimensão há alguns minutos. Deduzo que você já saiba disso. Temos que ir atrás dele. Não se preocupe: programei seu Firebird exatamente como programei o meu, para segui-lo aonde quer que ele vá. Eu me sinto... muito esquisito por ir antes de você, mas sei que você me diria para não deixar Paul escapar, independentemente de qualquer coisa. O mais importante é fazer justiça em nome de Henry.

Assinto, esquecendo que ele não tem como me ver através de uma mensagem gravada.

Theo sorri, tenso e nervoso.

— A gente se vê na próxima dimensão, ok, Meg?

— Ok — sussurro. — Na próxima.

Mesmo com o Firebird na mão, ainda não o programo para pular de dimensão. Antes disso, olho para aquela Londres poluída diante de mim, que tem maravilhas tecnológicas presas em todas as pessoas ou projetadas diante delas, embora todo mundo pareça distraído ou cansado demais para notar. Tento imaginar como esta Marguerite vai se sentir quando voltar a si daqui a alguns segundos, se perguntando por que seu coração está batendo acelerado.

Parece que ela não vai se lembrar de muita coisa. Mas eu não preciso de lembretes como Paul ou Theo. Para mim a experiência de viajar é diferente da deles. Então talvez a experiência desta Marguerite também seja outra. É possível que ela tenha um fragmento de memória disso, alguma imagem ou sensação que pertenciam a mim e que passará a ser compartilhada por nós duas.

Então encho minha mente de memórias dos meus pais, aqueles que ela perdeu tanto tempo atrás. Penso neles rindo enquanto eu pintava a mesa de arco-íris. Penso em mamãe me carregando nos ombros no Museu de História Natural, para que eu pudesse ver de perto o crânio do tricerátopo. Lembro-me de papai me levando para passear na bicicleta dele quando eu ainda cabia na cadeirinha (uma das minhas memórias mais antigas), e de como riu comigo enquanto descíamos juntos a ladeira.

Espero que esta Marguerite possa se lembrar um pouquinho deles. Pode ser que ajude no luto que ela teve que enfrentar durante toda a vida... e talvez lhe dê um pouco de esperanças para se libertar.

Só então começo a mexer no meu Firebird, virando a última camada e pensando: *Meu Deus, o que será que está por vir? O que está por vir?*

Colido de novo comigo mesma — com a outra Marguerite —, e desta vez perco totalmente o equilíbrio. Cambaleante, percebo que estou descendo os degraus de uma escada. Esse parece ser um momento bem ruim para um viajante interdimensional entrar em um corpo, porque é possível errar o degrau e...

Ainda consigo colocar as mãos diante do corpo enquanto caio, o que não me impede de levar um tombo feio na escada, mas pelo menos me permite descer rolando os vários degraus até conseguir parar. O cordão em volta do meu pescoço se rompe, e ouço as miçangas rolando em mil direções. Ao meu redor, as pessoas gritam e correm até mim. Atordoada, ergo a cabeça.

A primeira coisa que percebo é que a escada foi forrada com veludo vermelho. O que é uma coisa boa, pois parece ser de mármore, e teria doído mais sem isso. A segunda coisa em que reparo é que as miçangas rolando escada abaixo não são exatamente miçangas, e sim pérolas.

Coloco a mão na testa, porque sinto dor de cabeça, e ergo os olhos. Meus dedos encostam em alguma coisa no meu cabelo, algo pesado no topo da minha cabeça...

Isso é uma *tiara*?

Finalmente, vejo as pessoas amontoadas ao meu redor, todas muitíssimo elegantes em trajes de festa: os homens estão usando uniformes militares que não reconheço, com medalhas resplandecentes e faixas, as mulheres de branco, com vestidos longos, todos parecidos com o meu, enroscado nas minhas pernas.

— Marguerite? — A voz é de um homem gentil, poucos anos mais velho do que eu, com cabelo escuro e cacheado que nem o meu, só que curto. Pelo seu tom de voz preocupado, percebo que ele me conhece bem, mas nunca o vi. Ainda que... haja alguma coisa muito familiar nele...

— Estou bem — respondo. Não tenho ideia do que mais posso fazer além de tranquilizá-lo. Coloco a mão no peito para me acalmar, e fico sem ar quando olho para baixo.

As diferentes camadas do Firebird estão espalhadas no meu colo e nos degraus a minha volta. Só o mecanismo central continua pendurado no meu pescoço.

Está quebrado.

O Firebird está quebrado e não faço ideia de como consertá-lo.

Ah, merda.

10

— Marguerite? — O garoto de cabelo castanho se ajoelha ao meu lado e segura minha mão. Nós dois estamos usando luvas de couro branco, tão finas e suaves que mais parecem uma segunda pele. — Margarita? Está tudo bem?

— Estou bem. De verdade. Só sou desastrada. — Ai, meu Deus, onde estou? O que está acontecendo? Achei que o último universo fosse diferente, mas este... é surreal.

— Vladimir, você está parecendo uma avó com este excesso de preocupação. Outra vez. — O maior homem do grupo franze a testa; sua voz é profunda e ressonante e, pelo jeito que ele fala, consigo notar que está acostumado a que lhe obedeçam sem mais perguntas.

Seu uniforme de paletó marfim tem mais medalhas do que qualquer outro. E ele mede mais de 1,8m.

— Sou uma babushka, então — responde o jovem, que se chama Vladimir, me dando um sorriso tranquilizador. Rapidamente reúno todos os pedaços do Firebird, e os guardo em uma bolsinha de seda que pende de um dos meus punhos.

— Por que está tão preocupada com essa bijuteria? — pergunta o homem enorme que parece estar no comando desta… festa a fantasia. Ou o que quer que seja isto. — As pérolas de Tarasova estão todas espalhadas pelo chão e você simplesmente não se importou por elas terem saído rolando.

— Vamos recuperá-las, sua Majestade — sussurra uma mulher enquanto ela e alguns outros, vestidos com menos pompa (incluindo eu mesma), começam a catar as últimas pérolas. Levo a mão ao pescoço e descubro que, além do Firebird e do colar de pérolas que arrebentou, estou usando uma gargantilha enorme e pesada.

Sua Majestade?

— Papa, se *eu* tivesse um colar bonito como este, nunca cairia no chão e o deixaria se desfazer assim — diz uma menina alguns anos mais nova do que eu. Ainda que eu nunca a tenha visto, também é familiar.

Ela lembra um pouco Vladimir, e um pouco...

— Katya, se você tivesse pérolas lindas assim, as perderia bem antes do dia do baile. — O homem alto sequer olha para ela ao falar, e a menina baixa a cabeça. — Marguerite, você ainda consegue dançar essa noite? Ou precisamos dar uma desculpa para você?

— Estou bem, de verdade. Só, por favor, me esperem recuperar o fôlego.

Espere aí, o que estou dizendo? Dançar? Que tipo de dança? Talvez a gente faça parte de um grupo de atores e esteja em algum tipo de performance. Isso explicaria as fantasias, não é?

Mas já sei que não é isso. Os degraus de mármore, o tapete vermelho de veludo... isso é só uma parte do enorme espaço à nossa volta, com teto altíssimo e detalhes que parecem ser de ouro de verdade. Aqui é um palácio. E não somos turistas sendo guiados em filas e avisados para não fotografar com flash.

Enquanto Vladimir me ajuda a ficar de pé, o homem alto diz para ele:

— Margarita tem criadas para ajudá-la, Vladimir. O filho do czar deveria se portar como alguém acima da... babá.

Mas os olhos de Vladimir parecem furiosos, e ele ergue o queixo.

— Como ajudar a própria irmã pode estar abaixo da dignidade de qualquer homem? A filha do czar não deveria esperar ajuda de todas as pessoas, a qualquer momento?

Irmã. Meus olhos se arregalam em choque quando entendo por que Vladimir me parece tão familiar. Ele e Katya, agora que acabo de reparar melhor no rosto dela, parecem muito com minha mãe.

Nossa mãe?

Não. Claro que não. Eles são os filhos do czar... Ah, putz, ainda existem czares por aqui? Que tipo de dimensão é esta? Ok, esse cara é o czar, e aqueles são seus filhos, mas *não pode* ser... Não é possível que meu pai seja outro homem que não dr. Henry Caine. Como qualquer indivíduo vivo, meu código genético é único, incapaz de ser recriado. A única forma de eu ter nascido em qualquer dimensão é ter os mesmos pais que sempre conheci.

Mamãe? Olho em volta do grupo de pessoas elegantes, esperando encontrá-la. Independentemente de qual seja a versão da minha mãe que exista nesta dimensão, preciso dela agora.

Mas não a vejo em lugar algum.

Ok. De uma coisa eu tenho certeza: não vou conseguir enganar estas pessoas. Nesse instante, preciso de algum tempo sozinha para entender o que está acontecendo.

Finjo cair sobre o ombro de Vladimir.

— Estou muito tonta — sussurro.

— Você bateu a cabeça? — Ele me segura com os dois braços, a testa franzida de preocupação. Vladimir claramente acredita que é meu irmão mais velho, visto que seu carinho seria reconfortante demais para alguém que eu conheço há apenas três minutos. — Pai, precisamos chamar o médico para ela.

— Não bati minha cabeça — protesto. — Mas eu já não estava me sentindo bem hoje mais cedo. Acho... que comi alguma coisa que me fez mal.

O czar bufa, exasperado, parecendo irritado com o fato de ter alguma coisa no mundo fora do seu controle.

— Então você deveria ter sido sensata e ficado na cama. Volte para os seus aposentos. Vladimir e Katya terão que representar a família.

Segura atrás do braço do czar, Katya me mostra a língua. Ela parece ser uma menina totalmente mimada.

— Deixe que vou com ela — afirma Vladimir. Não consigo acreditar no quanto ele parece com a mamãe... e *comigo*. — Posso voltar em alguns minutos.

— Agora você está exagerando demais — reclama o czar. — Por que ela tem criadas esperando? Por que tem um guarda pessoal? Estas são as pessoas adequadas para recebê-la. Até mesmo você deveria entender isso.

— Estou bem, Vladimir — sussurro. Não quero começar uma briga familiar, e também preciso ficar sozinha. — Vá.

Vladimir parece relutante, mas assente e me solta. As mãos das criadas logo substituem as dele a minha volta, tentando me apoiar, mas sem se atrever a tocar em mim.

O czar faz sinal para mais uma pessoa no grupo, alguém logo atrás de mim.

— Você aí. Tenente Markov. Leve-a para o quarto.

Sua mão firme agarra meu cotovelo.

Eu me viro e encontro Paul parado próximo a mim, fora do círculo que se formou ao meu redor.

Em um primeiro instante, sinto medo dele. Mas o medo é rapidamente substituído por esperança, porque em seus olhos vejo que me reconheceu. É meu Paul — ele está aqui —, e não estou tão sozinha quanto achava.

Ele parece decidido no uniforme de infantaria, com a barba cerrada marcando o queixo, botas compridas e uma espada presa na lateral do corpo. Mas em seu pescoço vejo o brilho de uma corrente: seu Firebird está ali.

Ele assente e começa a me escoltar escada acima. O restante do grupo real me observa subir: Vladimir está preocupado, mas Katya fica feliz por poder ir ao baile enquanto eu permanecerei em casa e o czar, que supostamente é meu pai, parece entediado.

— Estamos fazendo isto certo? — sussurro.

— Como é que eu vou saber? — responde Paul no mesmo tom de voz baixo. — Ninguém disse nada. Continue andando.

Ao chegarmos ao topo da escada, consigo ver meu reflexo nos espelhos compridos e dourados pendurados nas paredes. A gargantilha de diamantes em meu pescoço tem várias fileiras, e todas as pedras brilham muito, assim como os rubis da tiara. Meu vestido de babado branco também cintila de leve, porque os fios parecem ser de pura prata. Paul pode ser apenas um soldado, mas seu uniforme com paletó vermelho parece tão chique quanto todas as coisas que eu estou usando. Parece que nos vestimos para o Halloween, ou então para a festa de formatura mais elegante do mundo.

Assim que ficamos a sós, ele se vira para mim, furioso.

— Eu disse para você ir para casa.

— Você não manda em mim. Acha que está no comando por quê? Só por ser um gênio e eu não?

— Acho que estou no comando porque sou mais velho que você e entendo o que está acontecendo aqui, diferentemente de você — retruca ele.

— Só não entendo por que você se recusa a explicar.

— Olhe, Conley é um sujeito perigoso. Você precisa ir para casa — repete ele, e algo no jeito que ele fala isso me faz perceber que ele não está brincando. Não está me dizendo para ficar longe dele, e sim que existe um motivo pelo qual preciso estar em casa, porque minha presença lá é importante.

Não que isso alivie a barra dele. Nem de longe. Mas me acalma o suficiente e consigo me concentrar no problema mais crítico que temos. Apalpo a bolsinha de seda e mostro a Paul os fragmentos do Firebird.

— Não tenho como voltar para casa assim.

A maioria dos caras ia xingar. Mas Paul contrai os lábios, formando uma linha pálida, e diz:

— Isso é ruim.

— Este foi o eufemismo do ano.

Ele pega a bolsa da minha mão e começa a examinar cada pedacinho. Eu me contenho para não continuar discutindo com ele. Se Paul está consertando o Firebird — ou seja, minha única chance de não ficar nesta dimensão para sempre —, vou deixá-lo se concentrar.

— Dá para consertar — diz ele, por fim.

— Tem certeza?

— Quase — responde ele, como se essa fosse uma resposta razoável. Mas não é. Ele deve ter notado meu olhar, porque logo em seguida acrescenta: — Firebirds são feitos para serem montados com facilidade. Queríamos que eles se encaixassem para que fosse fácil fazer reparos, ajustes, este tipo de coisa. Parece que foi isso o que aconteceu aqui.

— Então você consegue montá-lo de novo? — Sou tomada pelo alívio, chegando a sorrir de nervoso. Isso é que é escapar de uma fria.

— Preciso de uma iluminação melhor, e vou querer checar a montagem com meu próprio Firebird. — Ele me entrega a bolsinha de seda e pendura a corrente em seu pescoço. O medalhão brilha em contraste com a cor vermelha do uniforme dele. — Vamos lá. Vamos resolver logo isso e mandar você para casa.

Inclino o corpo para trás.

— Não vou para casa até você me explicar por que está aqui!

Paul não é dessas pessoas que erguem o tom de voz quando ficam irritadas. Ele fala mais baixo. Fica mais quieto.

— Eu não estava procurando esta dimensão. Acho que isso é óbvio. Preciso continuar pulando de dimensões, mas não posso ir até que você...

— O que significa isso?

Nós dois nos empertigamos, assustados ao ver outro oficial russo andando em nossa direção. Ele tem cabelo grisalho, barba parecida com a do czar e usa um monóculo. Paul se levanta imediatamente, demonstrando estar atento, ou pelo menos é essa a impressão que ele me passa. Acho que nenhum de nós faz alguma ideia de qual seria o protocolo militar russo adequado para o caso.

O oficial diz:

— Markov, estou surpreso com você. Importunando sua Majestade imperial desse jeito em vez de cumprir com suas obrigações...

Ah, esta sou eu. *Eu* sou a Majestade imperial. Tento conter o riso.

— Eu, hum, pedi que ele desse uma olhada em uma coisa que arrebentei.

Mostro o Firebird em pedaços para ele.

O oficial parece um pouco mais calmo, menos imponente, e, talvez, menos indignado. Mas seus olhos se iluminam quando ele encontra algo mais para dizer:

— E o que é isso? Sem o uniforme correto durante o turno?

Então ele tira o Firebird do pescoço de Paul.

Fico sem ar. Os olhos de Paul se arregalam. Nós dois estamos totalmente em choque para conseguir pensar em alguma coisa, ainda mais para fazer qualquer movimento.

— Agora que finalmente está usando o uniforme adequado, tenente Markov, pode prosseguir — continua ele, colocando o Firebird de Paul no bolso e seguindo pelo corredor.

Totalmente horrorizados, nós o observamos ir embora. Sou a primeira a dizer alguma coisa:

— Merda.

— Temos que recuperar o Firebird. — Paul respira fundo. — Preciso ir atrás dele.

— Ele vai devolver com certeza. Em algum momento. Né?

— Como é que eu vou saber? Além disso, não temos muito tempo. Minha memória... já está ficando confusa. O Paul Markov desta dimensão vai assumir a qualquer minuto.

E então me dou conta de uma coisa: se ele não conseguir se lembrar de quem realmente é, não vai ser capaz de consertar meu Firebird. O que significa que, a não ser que Theo nos encontre, ou até que isso aconteça, se é que ele existe nesta dimensão, ficaremos presos aqui, possivelmente para sempre.

— Ok, você vai atrás dele e... — Coloco as mãos na cabeça, tentando pensar, e, só quando meus dedos tocam a tiara, lembro-me de quem sou aqui e do que posso fazer. — Espere! Não, eu vou atrás dele e *mando* devolver o medalhão. Ele tem que fazer isso. Sou a *princesa*! Ou a duquesa, seja lá como eles chamem na Rússia...

— Isso! Boa. Certo. Vá! — Ele assente, tão rápido que quase chega a ser cômico.

Saio em disparada pelo corredor na direção da escada, o mais depressa que consigo, o que não é muito, pois estou usando um vestido longo com uma saia justa e o sapato de salto alto que não tem nenhuma tira no peito do pé para segurá-lo. As joias chocalham no meu pescoço, a tiara escorrega para um lado e levanto a mão para contê-la na cabeça.

— Senhor! — grito, desejando ter pensando em perguntar o nome dele. Se eu soubesse o nome seria bem melhor. Será que eu podia simplesmente gritar: *Ordeno que você pare*?

Mas, ao chegar na curva do corredor, vejo várias pessoas reunidas andando em uma grande antessala. Ali não parece ser a festa propriamente dita, e sim a entrada para a maioria dos convidados. Dezenas de mulheres em vestidos das mais diversas cores e joias quase tão bonitas quanto as minhas, desde garotas da minha idade com enfeites emplumados no cabelo até senhoras viúvas ricas que parecem andar mais devagar com o peso dos diamantes, e também rapazes com trajes de gala e cachecóis brilhantes no pescoço...

... e oficiais militares. Pelo menos cinquenta, todos usando uniformes idênticos ao do oficial que pegou o Firebird de Paul. Tento reconhecê-lo, afinal, ele usava monóculo, e não é todo mundo que usa um, não é mesmo? Mas é impossível distingui-lo entre tanta gente. Pode ser até que ele já esteja no baile.

Será que eu deveria correr até lá e fazer uma cena? Mas tenho a impressão de que eu não ganharia muito com isso.

Corro de volta, o mais rápido que consigo, para o andar de cima. Paul está apoiado na parede, parecendo exausto.

— Não sei onde ele está! — grito. — Está na festa, mas não consigo reconhecê-lo. Você consegue? Pode me ajudar a encontrá-lo?

— A... acho que sim. — Ele estremece e toca a têmpora com os dedos, como se estivesse com dor de cabeça. Sua confusão me faz lembrar de Theo, em Londres, segundos antes de esquecer completamente quem ele é.

— Paul, não! Você tem que ficar comigo. — Seguro os ombros dele e o encaro de frente. — Olhe para mim. *Olhe para mim.*

— Você precisa pegar o Firebird — diz ele, pronunciando cada palavra com cuidado e lentidão, como se não confiasse mais no que está dizendo. — E usá-lo para me trazer de volta.

— Como faço para achar aquele cara de novo? — Como faço qualquer coisa nesta dimensão? Minhas mãos estão tremendo e a gargantilha de diamantes no meu pescoço parece que vai me sufocar. — Meu Deus, meu Deus, ele tinha uma barba comprida, e o monóculo...

— Coronel Azarenko — interrompe Paul, distraído.

Eu o encaro.

— O quê?

Ele me observa como se nunca tivesse me visto. Depois ajeita a postura e solta minhas mãos.

— Sua Majestade imperial.

Este não é mais meu Paul. É o tenente Markov.

Ele continua:

— Perdoe-me, Majestade. Não sei explicar por que… não me lembro de como cheguei até aqui. Eu passei mal?

— Você… perdeu um pouco a consciência. — Tento acobertar da melhor forma possível. — Eu também não estava me sentindo muito bem. Então você teve que me trazer até aqui, para que eu pudesse descansar.

— Muito bem, milady.

Ele abaixa a cabeça e sai do cômodo, andando rapidamente em direção ao corredor, suas botas pretas brilhantes em contraste com o tapete vermelho. Um pouco confusa, vou atrás dele.

Pelo menos um de nós sabe onde fica meu quarto.

Paul e eu estamos presos aqui. Não faço ideia de como entrar em contato com Theo, nem mesmo sei se tenho como fazer isso. Tudo o que tenho no momento é um nome: coronel Azarenko.

Amanhã, digo a mim mesma. *Amanhã poderei perguntar sobre ele, pedir que o tragam até mim e recuperar o Firebird de Paul.*

Se eu não conseguir...

… não. Não posso pensar nessa hipótese agora. Em vez disso, ajeito a tiara na cabeça e finjo que sei o que diabo estou fazendo.

11

Mais tarde naquela noite, depois que minhas criadas (tenho três) me vestiram com uma camisola larguinha e me colocaram na cama, espalho os pedaços do meu Firebird pela colcha bordada. Tenho uma cama enorme, alta, de madeira entalhada, com lençóis brancos impecáveis que me fazem parecer estar descansando em uma nuvem.

Suspiro e caio pesadamente em um dos travesseiros fofos na cabeceira. O quarto em si não é tão grande, e a decoração não chega a ser espalhafatosa, mas não há dúvidas de quanta riqueza e elegância foram necessárias para decorar o cômodo. As paredes e o teto altíssimo têm tons de verde suave e de ouro velho. A escrivaninha no canto foi feita com videiras de madeira incrustada, como se tivesse sido trazida direto da floresta, folha por folha. Do outro lado da cama, uma lareira grande com azulejos esmaltados brilha com o fogo que aquece meu quarto.

Minhas joias foram devolvidas às caixas de veludo, onde ficam junto de todas as outras.

Pelo menos esta versão de mim mesma tem livros, muitos dos quais estão espalhados ao meu redor neste momento. Vários deles em russo... mas aqui sei ler essa língua, e falar também. Aparentemente, este tipo de memória fica guardado de outra maneira, diferentes das emoções e experiências de vida.

Pelo que reparei nos livros que dei uma olhada, da mesma forma que a tecnologia se desenvolveu um pouco mais rápido em Londres, aqui ela avançou de forma bem mais lenta. O lugar ainda parece estar em 1900, e não no século XXI. Embora alguns elementos neste mundo estejam mais ou menos avançados do que na minha dimensão, no geral a sensação é a de que voltamos alguns séculos no tempo. O século XXI aqui simplesmente parece muito diferente. As pessoas ainda viajam de trem e barcos a vapor, ou às vezes com cavalos ou trenós. O telefone existe, mas é algo tão novo que só temos alguns no palácio, e são só para uso oficial. Ninguém nem cogita telefonar para um amigo meramente para bater papo. Ainda nem sonharam com a existência da internet. Em vez disso, as pessoas escrevem cartas. Há vários papéis de carta na minha escrivaninha.

Os Estados Unidos da América existem, mas é considerado um país remoto e provinciano (não tenho ideia se isso é mesmo verdade, mas todos aqui em São Petersburgo pensam assim). A monarquia ainda domina a Europa, incluindo, é claro, a Dinastia Romanov. O homem que todos acham que é meu pai é o czar Alexander V, imperador e autocrata de todas as Rússias. Até onde consigo entender, esta dimensão ainda não conheceu um equivalente de Lenin ou Trotsky. Ainda bem, porque estou sem nenhuma vontade de fazer a Anastasia e levar um tiro no porão para depois ter milhões de mulheres europeias loucas se passando por mim pelos próximos cinquenta anos.

A coleção de enciclopédias encadernadas com couro que ficam na prateleira de baixo tem uma seção sobre a Dinastia Romanov. Lá, em um texto claro, aprendo que o czar Alexander se casou com uma jovem nobre chamada Sophia Kovalenka. Ele teve quatro filhos com ela: tsarevich Vladimir, grã-duquesa Margarita (no caso, eu), grã-duquesa Yekaterina (nome chique para a pirralha que me mostrou a língua) e grão-duque Piotr.

Minha mãe morreu ao dar a luz ao quarto filho.

Mamãe e papai sempre disseram que engravidar era algo difícil para ela. Eu nunca tinha me dado conta de que isso significava "perigoso". Eles pararam de tentar depois de mim e Josie por causa da saúde dela. Aqui, percebo que o czar sempre queria mais filhos, e fez pressão para que minha mãe engravidasse outras vezes, até que ela acabou morrendo durante o parto do seu filho mais novo.

Cortaram o cordão umbilical depois que ela já estava morta. Eu preferia não ter lido essa parte.

Minha mãe é cientista. Uma gênia. Ela é forte, durona e, ok, pode ser um pouco incompreensível quando se trata da vida cotidiana, além de não entender nada de arte. Mas, ainda assim, é *minha mãe*. Ela tem mais para oferecer ao mundo que a maioria das pessoas em quem consigo pensar. Czar Alexander achava que tudo o que ela tinha a oferecer era herdeiros para o trono, então... a forçou a parir até a morte.

Pego um porta-retratos prateado na minha mesinha de cabeceira. O retrato oval que está ali, em tom preto e branco um pouco turvo, exibe minha mãe com versões mais jovens de mim, do Vladimir e da Katya. Minha mãe está usando um vestido longo elaborado de mangas compridas. Mas a forma que ela abraça Vladimir e eu na foto, como se nos protegesse, a maneira que sorri para a pequena Katya em seu colo... alguma coisa nela também é exatamente igual neste universo.

Mas não foi suficiente. Aqui, minha mãe nunca teve a chance de estudar ciência. O que será que despertava seu interesse nesse local? Como será que ela ocupava sua mente brilhante e inquieta? Será que chegou a sentir pelo czar Alexander algo próximo do amor e da confiança que sempre teve pelo meu pai?

Além disso, aqui Josie nem chegou a nascer. Meu pai deve ter sido uma presença transitória na vida dela, o que me parece quase impossível de imaginar.

Com as mãos trêmulas, devolvo a foto para a mesinha. Só de pensar no que pode ter acontecido com minha mãe é demais para mim neste momento. Volto a me deitar nos travesseiros fofos e respiro fundo e lentamente.

Meus olhos se direcionam para a luz prateada na fresta sob a porta do quarto. Até poucos minutos atrás, esta luz era interrompida por duas linhas sombreadas, formadas pelos pés de Paul enquanto ele ficava de guarda ali fora. Mas, aparentemente, até mesmo o guarda pessoal da grã-duquesa tem permissão para ir dormir. A enciclopédia me informou que moro em São Petersburgo, atualmente no Palácio de Inverno.

E Theo? Se ele existe nesta dimensão, deve estar nos Estados Unidos, ou talvez na Holanda, de onde são os avós dele. Fico triste quando me dou conta de que, em um universo como este, em que só se pode percorrer longas distâncias de trem, Theo jamais conseguiria chegar aqui hoje, amanhã, ou talvez nem mesmo daqui a algumas semanas.

Considerando a fama de como os invernos russos são rigorosos, é totalmente possível, inclusive, que ele não consiga chegar aqui antes da primavera. Mesmo que ele conseguisse viajar para São Petersburgo, como iria arranjar um encontro com uma das grã-duquesas?

Está tudo bem, repito para mim mesma. *Você vai achar coronel Azarenko amanhã. E, de qualquer maneira, Paul está aqui. Você não precisa de mais ninguém.*

Minha mente é tomada de pensamentos sobre Paul. Como é que eu pude desconfiar tanto dele?

— Em outras palavras — digo —, você está tentando provar a existência do destino.

A cena para mim é tão vívida quanto naquele dia: Theo estava usando uma camiseta desbotada da RC Cola, e Paul vestia uma de suas camisetas cinza, que eu sabia que ele só usava porque não fazia ideia de como elas destacavam seus músculos. Eu colocava o cabelo atrás da orelha, tentando parecer e me sentir tão adulta quanto eles. Estávamos todos juntos na sala, cercados pelas plantas da mamãe e pelo calor do verão que entrava pelas portas abertas da varanda.

Eu estava brincando quando falei de destino, mas Paul assentiu devagar, como se eu tivesse dito algo inteligente.

— Sim, é exatamente isso.

Embora eu soubesse que Theo achava a ideia idiota, fiquei intrigada. Sempre que as discussões sobre física mudavam de rumo de alguma equação complicada para um conceito que eu podia identificar, eu aproveitava. Então me sentei ao lado de Paul na mesa de arco-íris e perguntei:

— Então como funciona isso? O destino.

Ele baixou a cabeça, ficando tímido ao meu lado, mesmo depois de passar um ano praticamente morando na minha casa. Mas, como qualquer cientista, ele era tão fascinado por ideias que não conseguia ficar quieto por muito tempo. Ele uniu as mãos na minha frente, encostando as pontas dos dedos, como se estivesse ilustrando o efeito da imagem de um espelho.

— Padrões se repetem em uma dimensão após a outra. E estes padrões refletem certas ressonâncias...

— E cada pessoa tem uma ressonância própria, não é? — Achei que tinha entendido esta parte.

Ele deu um sorriso encorajador. Os sorrisos de Paul eram raros... quase inadequados para alguém tão grande, musculoso e sério.

— Isso mesmo. Então parece que os mesmos grupos de pessoas se encontram várias vezes. Não de forma invariável, só que com bem mais frequência do que o acaso daria conta.

Do outro lado da sala, Theo, que estava concentrado nas suas contas, fez uma careta.

— Escute, irmãozinho, se você escrever sua teoria e conseguir números para comprovar isso, então ótimo. O problema é falar essa baboseira de alma e destino, o que acaba com sua hipótese. Sério, como você vai defender isso na frente de uma banca?

— Pare de implicar com ele — falei para Theo. Naquela época eu estava tão encantada com a teoria de Paul que nem conseguia contra-argumentar com coerência. — Todo mundo aqui tem o direito de ter uma teoria doida. Regras da minha mãe.

Theo deu de ombros, envolvido demais em suas contas para continuar protestando. Mas Paul me olhou como se me agradecesse por tê-lo defendido. E então me dei conta de como estávamos sentados próximos — bem mais do que o normal, tanto que meu braço quase roçava no dele —, mas não me mexi.

Em vez disso, repliquei:

— Então foi o destino que criou a matemática? Ou foi a matemática que criou nosso destino?

— Dados insuficientes — respondeu Paul, mas eu sabia, naquele momento, como ele queria acreditar no destino. Foi a primeira vez que pensei nele como alguém que, apesar de aparentar o contrário, poderia ter certa poesia na alma.

Talvez tenha sido a única vez que eu realmente o compreendi.

No dia seguinte, descubro como é a sensação de ter pessoas arrumando você pela manhã.

Tipo, arrumando *mesmo*. Minhas criadas surgem ao meu redor assim que acordo, me servindo chá em uma bandeja de prata, me oferecendo um banho quente numa enorme banheira de mármore e até mesmo ensaboando minhas costas.

(Sim, é *muito constrangedor* tomar banho com uma plateia, mas parece que é o que esta Marguerite faz todos os dias, então tenho que seguir com isso. Deduzo que elas já sabem como sou sem roupa... o que não me ajuda muito, na verdade.)

Essas mulheres até colocam pasta de dente na minha escova.

Elas escolhem um vestido para mim: um amarelo-claro, da cor da luz de uma vela, longo e tão formal para um dia comum que preciso me conter para não rir. Elas trançam meu cabelo para trás e o prendem com grampos que têm pequenas rosas brancas esmaltadas. Eu me olho no espelho, incrédula. Meus cachos incontroláveis e lunáticos foram domados em um penteado tão complicado quanto bonito.

Quase chego a acreditar que *sou* bonita, ainda que o crédito seja do estilista pessoal (ou qualquer que seja o equivalente disso no século XIX).

Não há maquiagem em lugar nenhum, mas as criadas passam cremes com cheiro doce no meu rosto e pescoço e depois um pó com aroma de violetas. Quando acabam de colocar meus brincos de pérolas, realmente já me sinto uma grã-duquesa.

— Muito obrigada, senhoritas — digo. Educação faz parte da realeza, não é? Sentindo-me ridícula e incrível ao mesmo tempo, abro a porta e vejo Paul.

Corrigindo: vejo o tenente Markov.

Ele está lá de guarda, de forma totalmente adequada e correta. Seus olhos cinza-claros, quase culpados, encontram os meus, e ele desvia o olhar. Talvez seja proibido olhar para a realeza. Lembro que supercelebridades como Beyoncé às vezes têm adendos nos contratos estipulando que ninguém pode olhar para elas nos olhos. Talvez as grã-duquesas sejam as Beyoncés desta dimensão.

Paul — o tenente Markov, melhor pensar nele assim — não fala nada. Claro. É provável que seja uma regra: ele não pode dizer nada até que eu fale alguma coisa primeiro.

— Bom dia, Markov.

— Bom dia, milady. — Sua voz é tão profunda e, ao mesmo tempo, tão gentil. — Espero que esteja se sentindo melhor hoje.

— Ah, estou, sim, obrigada. Mas me diga, Markov, onde posso encontrar o coronel Azarenko?

Ele franze a testa para mim.

— Meu comandante?

— Sim. Exatamente. Ele mesmo. — Paul pode não ter sido capaz de encontrar Azarenko no grande baile de ontem à noite, mas agora pode me passar a rotina dos oficiais, tudo isso. Teremos recuperado o Firebird dele ainda antes do almoço, e até esta noite o meu estará consertado.

— O coronel Azarenko foi para Moscou de manhã cedo, milady.

Moscou? Ele não está mais em São Petersburgo?

— Ele devolveu o seu... Ele lhe entregou alguma coisa antes de viajar?

A esta altura, o tenente Markov deve achar que enlouqueci. Mas, ainda que esteja franzindo o cenho — o único sinal que ele está tentando manter —, responde, educadamente:

— Não, milady. O que o coronel deveria ter me dado?

Nem vou entrar nesse mérito. Em vez disso, pergunto:

— Quando é que ele retorna?

— Depois do Ano-Novo, milady.

Depois do Ano-Novo? Isto é daqui a quase três semanas!

Três semanas.

Como é que vou fingir ser princesa por três semanas?

Engulo em seco e penso: *acho que vou ter que descobrir.*

12

Mantenha a calma. Respire fundo.

Ando confusa pelos corredores do palácio. É como se meu corpo estivesse apavorado demais até para entrar em pânico. Em vez disso, sinto como se tivesse sido drogada. Meus passos são lentos, e a estampa do carpete me deixa um pouco tonta.

— Tem certeza de que está mesmo bem, milady? — Paul, ou melhor, o tenente Markov, caminha atrás de mim mantendo alguns passos respeitosos de distância.

— Muito bem, obrigada, Markov.

Na verdade, estou a uns cinco segundos de enlouquecer completamente, mas vamos continuar andando, está bem? É isso que está nas entrelinhas. Talvez ele entenda. De qualquer forma, continua calado.

Eu estaria melhor se fizesse alguma ideia de para onde preciso ir. O Palácio de Inverno é enorme, e acho que mesmo se eu soubesse o que deveria fazer em seguida, não conseguiria chegar lá.

Por sorte, não fico sozinha por muito tempo.

— Aí está você! — Vladimir surge de um dos corredores e passa a andar ao meu lado. Apesar de a noite anterior ter terminado tarde e de todo o champanhe que ele provavelmente tomou, parece radiante. — Está se sentindo melhor?

— Acho que sim.

Sorrir para Vladimir me parece algo muito natural. É fácil lidar com ele, que é sempre muito simpático. Além disso, a afeição que ele sente pela irmã é inconfundível. O que uma irmã mais nova adorada diria em um momento como este? Vamos ver... Ele foi a um grande baile ontem à noite, não foi? Josie já chegou em casa algumas vezes bem mais tarde do que deveria, bem mais do que eu. Então digo para ele a mesma coisa que para ela:

— E você? Estou surpresa por não estar debaixo das cobertas com uma bolsa de gelo na cabeça.

Ele ergue os olhos, e suspira de forma um pouco melodramática.

— Você nunca vai deixar essa história de lado, né?

— Jamais. — Esse negócio de blefar é bem mais fácil do que pensei. Sorrio.

Ele continua:

— Uma noite exagerei na vodca, e apenas uma vez na minha vida sem ousadias acabo vomitando na urna decorativa. O preço que tenho que pagar por isso? A condenação eterna da minha irmã.

— Condenação, nunca. Mas provocação eterna, com certeza.

Vladimir ri do que eu falo. A risada dele parece muito com a da mamãe. Então é assim que é ter um irmão... Sempre senti vontade de ter um irmão, e Vladimir parece ser exatamente o que eu sempre quis: protetor, engraçado e gentil.

E neste momento sinto um beliscão forte no braço.

— Ai! — Eu me viro e dou de cara com Katya, que parece muito satisfeita consigo mesmo com seu vestido rosa. Eu arriscaria que ela tem cerca de treze anos. Mesmo sendo bem mais parecida com o czar do que nós dois, ela ainda tem os cachos que são definitivamente um traço dos Kovalenka. — Por que fez isso?

— Por pensar que eu era muito nova para ir ao baile. Mostrei para você. Os homens dançaram comigo a noite toda!

Observo Vladimir em busca de uma confirmação. Ele olha para Katya.

— Nossa pequena Kathy dançou exatamente quatro músicas, uma delas comigo e duas com os tios. Mas um oficial muito legal a chamou para dançar, e ela fez muito bonito.

Katya ergue seu queixo obstinado, como se não tivesse sido contrariada.

— Eles crescem tão rápido — digo, balançando a cabeça.

— Onde o tempo vai parar? — concorda Vladimir, unindo-se a mim no ato de superioridade dos irmãos mais velhos.

— Vocês não são tão maiores assim — diz Katya, emburrada, e sai correndo puxando o babado da barra do meu vestido. Ele se solta e arrasta no carpete. Ela o larga e sai correndo dando risada.

— Ah, francamente... — Será que ela é sempre tão irritante assim? A Marguerite desta dimensão mal deve suportá-la.

Mas tem alguma coisa na risadinha de Katya que me faz lembrar de uma época, muitos anos atrás, em que me escondi atrás de Josie enquanto ela estava ao telefone e puxei a presilha do cabelo dela. Minha irmã teve que sair correndo atrás de mim pela casa toda, por pelo menos uns dez minutos, até me alcançar. Por que isso parecia divertido quando eu tinha 9 anos? Não sei. Mas era *incrível*. Cheguei até a pular do sofá em determinado momento, morrendo de rir quando Josie tentou me copiar e acabou caindo no chão.

Eu me lembro dela gritando:

— Irmãs mais novas são as pessoas mais chatas do mundo inteiro!

Decepcionada, agora entendo que ela tinha razão.

Paul para na minha frente e se abaixa para pegar o babado. Quando me entrega, ele olha em meus olhos como se... como se eu fosse algo além da sua responsabilidade. Como se ele me *conhecesse*. Será que ele se lembrou de quem é de verdade? Minhas esperanças aumentam por um instante, até que me dou conta de que ele continua sendo o tenente Markov.

— Milady — diz ele.

— Obrigada, Markov.

As palavras saem firmes o bastante, mas é tão estranho... olhar para ele e reconhecer uma pessoa que ele é e não é ao mesmo tempo.

Alguém como sempre imaginei que Paul seria...

Vladimir não parece ter notado nada além do normal entre nós dois.

— Agora que você voltou ao normal, devo retornar ao quartel — diz ele enquanto Paul volta a andar atrás de mim, e rapidamente ajeito meu vestido. — Boa aula.

— Vejo você na ceia — respondo. Putz, e se eles não ceiam juntos? Será que eu devia ter dito "jantar"?

Mas não parece que cometi uma gafe, porque Vladimir assente. Ofereço a bochecha para ele dar um beijo rápido, e seu bigode me faz cócegas.

Descubro que há uma biblioteca no fim do corredor… não, é uma sala de aula.

— Você vai me deixar falar hoje? — reclama Katya, enquanto se senta em uma das carteiras largas e grandiosas da sala, que mais parecem saídas de uma loja de antiguidades do que de uma escola pública. — Ou vai fazer a puxa-saco do professor de novo? Ele deveria ser o tutor de todos nós, não só seu.

— Posso revezar — prometo, distraída, enquanto ouço passos breve e baixinhos vindos do corredor.

Um garotinho aparece na porta, com um enorme sorriso.

— Marguerite!

A enciclopédia me deu o nome de que eu precisava. O fato de que ele é *adorável* fornece a emoção necessária.

— Piotr!

Estendo os braços para o meu irmãozinho, que se joga neles. Ele se parece ainda mais com mamãe do que eu: é suave, quase frágil, e não muito grande para uma criança de dez anos, mas tem uma doçura única no rosto. Será que o czar lhe dá todo o carinho que ele precisa? Acredito que não. E o jeito que Piotr se pendura em mim me faz lembrar que a mãe dele — minha mãe, nossa mãe — está morta.

Até Katya fica mais fofa ao redor dele.

— Você vai me encantar com seu francês hoje, Pierre?

Ele consente, com um ar sério.

— Pratiquei com Zefirov.

— Mas Zefirov não fala uma palavra em francês! — Katya ri, apontando para o guarda do outro lado de fora da porta, ao lado de Paul. Zefirov não diz nada, apenas continua olhando fixo para a frente. — Veremos como você se sai, Peter.

Ela o chamou de Pierre, e depois de Peter. No corredor, Vladimir a chamou de Kathy, e ontem à noite usou Marguerite para se referir a mim, ainda que na enciclopédia conste que nesta dimensão recebi a versão russa do meu nome, Margarita. De acordo com minhas aulas de história, sei que a nobreza do século XIX usava diferentes nomes dependendo do idioma que falavam. Uma mania aristocrática que, aparentemente, permanece viva aqui.

Olho para Paul por cima do ombro. Aqui, com certeza, ele é chamado de Pavel — a forma russa —, mas não consigo me forçar a pensar nele com um nome diferente.

Esta sala de aula é completamente diferente de todos os lugares chatos e institucionais que já vi na televisão. Em vez das carteiras de plástico e dos quadros de aviso, há estantes de livros que vão do chão ao teto. O tapete persa daqui é um pouco mais gasto do que na maioria dos cômodos do palácio, e as cortinas de veludo verde-escuro talvez estejam um pouco puídas. Esta sala não foi feita para ostentar poder e riqueza. Ela se parece um pouco com a minha casa.

Sento na carteira que parece ser a minha e me pergunto como diabo vou blefar nesta aula, considerando que não faço a menor ideia do que eles estão estudando, além de francês. Katya vai poder ter a atenção do professor o quanto quiser. Eu provavelmente não seria capaz de responder a nenhuma pergunta.

Então escuto uma voz masculina familiar, sem qualquer sotaque.

— Estou vendo que as grã-duquesas não se cansaram tanto assim nos festejos da noite passada.

Eu me viro e dou de cara com meu pai.

Ele está vivo. Ele está vivo e está *aqui,* e mais do qualquer outra coisa eu queria correr até ele, abraçá-lo, dizer que o amo, tudo o mais que eu queria poder falar só mais uma vez. Este é o milagre pelo qual esperei desde que esta jornada começou.

Mas permaneço no lugar, com as mãos apoiadas na mesa. O que ele está fazendo aqui? Não entendo...

— Vamos começar nossa aula, então — diz ele. Meu pai deve ter vindo para a Rússia a fim de dar aulas para os filhos do czar. E aí conheceu minha mãe.

Não posso pular da cadeira para abraçar meu "tutor real". Preciso continuar interpretando meu papel. Só o que posso fazer é conter minhas lágrimas de alegria.

Ele ocupa seu lugar na frente da sala com vários papéis para fora da pasta. Parece tão desorganizado nesta dimensão quanto era na nossa casa. Apesar da estranha formalidade de suas roupas, um terno antiquado, com colete, e óculos de metal fininho, ele ainda é totalmente igual ao meu pai. O mesmo rosto fino, porém bonito, os mesmos olhos azuis-claros, o mesmo sorriso enigmático que dá quando está preocupado...

— Sua Alteza Imperial, ouvi dizer que não estava bem. Já melhorou?

Ah, sim. Ele está se referindo a mim.

— Muito melhor. Obrigada, professor. — Minha voz sai um pouco trêmula, como se eu mal conseguisse pronunciar as palavras.

Meu pai sabe que tem alguma coisa acontecendo, mas apenas me encara por um instante antes de balançar a cabeça e não exigir maiores explicações.

— Tudo bem, então. Imagino que todos vocês estejam ansiosíssimos para voltar a estudar francês, por isso, vamos começar logo.

Peter está aprendendo a gramática básica. Katya traduziu um texto. Eu deveria ter terminado uma redação sobre os trabalhos de Molière. Por sorte, também estudei Molière em casa, então devo conseguir prosseguir com o trabalho. No entanto, só consigo segurar o livro com minhas mãos suadas e olhar furtivamente para meu pai, que está vivo e a poucos passos de mim.

Eu nunca tinha perdido alguém. Não desta forma. Todos os meus avós morreram antes que eu nascesse, ou quando eu ainda era nova demais para me lembrar deles. O único enterro que já fui foi o do meu peixinho dourado. Então eu não fazia ideia do que realmente é o luto.

Agora sei que luto é uma pedra de amolar que afia todo amor, todas as suas memórias mais felizes, e os transforma em lâminas que nos cortam de dentro para fora. Alguma coisa em mim foi rasgada, algo que nunca mais vai cicatrizar, nunca, não importa até quando eu viva. As pessoas dizem que o tempo cura, mas mesmo neste momento, menos de uma semana depois da morte do meu pai, sei que isso é mentira. O que as pessoas querem dizer na verdade é que, eventualmente, você vai se acostumar com a dor. Vai se esquecer de quem era antes dela, da sua aparência antes das cicatrizes.

E acho que esta é a fronteira entre a juventude e a idade adulta, e não aquela babaquice que afirmam que é: se formar na escola, perder a virgindade, ir morar sozinha, ou o que for. Você só cruza a linha da maturidade na primeira vez em que sofre uma mudança que é eterna. Só quando sabe que nunca mais pode voltar atrás.

Toda vez que vejo o rosto do meu pai, ou ouço a voz dele, tenho que me esforçar para não chorar. Ainda assim, consigo seguir com as aulas. Francês, geografia e, por fim, atualidades.

— Quais mudanças poderemos ver nas próximas décadas? — pergunta ele, enquanto analisamos a última edição do jornal que temos (que é de quatro dias atrás, pois tudo aqui percorre distâncias bem lentamente). Meu pai está ficando empolgado, da mesma forma que fazia quando sua imaginação começava a viajar. — Se este tipo de linha de produção funciona para carros, o que mais podemos produzir dessa forma? Pensem nos avanços de produtividade, de tecnologia!

— Ou de guerra — digo, baixinho. — Vão criar armas desta maneira também.

Ele me olha com curiosidade.

— Imagino que você esteja certa. A automatização aumenta todos os potenciais humanos, tanto para o bem quanto para o mal.

No fundo da sala, vejo Peter tentando prestar atenção e Katya está dobrando uma página do *Le Monde* para fazer um aviãozinho de papel. Eu deveria deixá-los participar um pouco, é verdade, mas não posso deixar passar nenhuma oportunidade de conversar com meu pai.

— No entanto, não acha, sua Alteza Imperial, que pode haver mais benefícios do que desvantagem?

Papai empurra os óculos para cima no nariz. Dá para notar que ele fica enlouquecido com os óculos. Esta versão dele não tem lentes de contato.

— Não é uma equação simples. Não é como adição ou subtração... Está mais para cálculo avançado. — Começo a brincar com meu cabelo antes de lembrar que, pela primeira vez na vida, ele está arrumado. — Os bens serão mais baratos e existirão em maior quantidade, mas isto fará as pessoas os tratarem como se fossem descartáveis. Vamos trocar a individualidade e o artesanato pela previsibilidade e acessibilidade. Incontáveis empregos serão criados, mas conforme a indústria for se tornando mais globalizada, os empregos darão lugar a nações em desenvolvimento com menos leis trabalhistas para protegê-los...

Todo mundo na sala está me encarando. Meu pai parece admirado, já Peter e Katya passam a impressão de estarem irritados. Quantos anacronismos acabei de usar? Talvez a Marguerite desta dimensão não tenha tanta opinião assim sobre economia.

— ... então, hum, os efeitos da Revolução Industrial são complexos. E coisas do tipo. Sim.

Meu sorriso deve estar ainda mais esquisito do que acho que está.

— Revolução Industrial — repete papai, devagar. — Que expressão interessante. Dá para resumir tanta coisa que está acontecendo atualmente no mundo com isso! Revolução Industrial... Muito bem explicado, sua Alteza Imperial.

Por mais absurda que seja a situação, não consigo evitar me sentir extremamente feliz com o elogio que ganho do meu pai. Isso me dá vontade de chorar de novo. Então tenho que desviar o olhar.

Nossa aula termina e, arrependida, saio da sala com meus irmãos. Antes de ir, sorrio para meu pai.

Este sorriso representa tão pouco do que eu sinto, porém, não posso arriscar mais. Paul ficou esse tempo todo esperando por mim no corredor, ao lado dos guardas de Peter e Katya. Não há qualquer sinal de impaciência. É como se ele fosse esperar por mim para sempre, independentemente de quanto tempo fosse levar.

— Puxa-saco do professor, como sempre — resmunga Katya enquanto nos afastamos da sala.

— Ah, não enche — respondo.

Peter ri.

— Você é a preferida dele e sabe disso. Mas é natural, porque você é a mais inteligente.

Meu irmãozinho não se ressente a proximidade que eu tenho com nosso tutor, mas Katya obviamente não gosta.

— Nem mesmo é adequada... esta relação de vocês dois — diz ela, jogando o cabelo para trás, e sua longa trança bate nas costas. — Talvez ele esteja querendo lhe ensinar algo mais do que história, hein?

— Yekaterina! — O grito sai alto e forte. É claro que ela não teria como saber que sua piada foi extremamente grotesca, mas isto não muda o fato de que quero dar na cara dela. — Como se atreve dizer uma coisa tão maldosa? E é mentira.

Ela se encolhe. Até mesmo sua agressividade foi longe demais.

— Foi só uma piada!

— Este não é o tipo de coisa com o qual se pode brincar. Nem mesmo comigo. Professor Caine é um ótimo tutor, para todos nós, e você deveria respeitar isso.

— Está bem, está bem — resmunga ela, mas claramente está louca para que o assunto seja encerrado. Graças a Deus. A última coisa de que preciso é que ela descubra o verdadeiro motivo que me faz ser a favorita.

Descubro que devemos passar nossas tardes de maneiras diferentes: Katya vai aprender bordado com uma de nossas primas, que ela vai odiar. Peter vai ter aulas de equitação e talvez dê uma volta no campo de treinamento dos soldados com Vladimir, algo que ele vai adorar. E eu? Tenho que passar o resto do dia respondendo cartas de várias relações reais dos mais diversos lugares da Europa.

Há muitos problemas neste plano. Em primeiro lugar, não conheço nenhum desses parentes... Com certeza tenho uma lista, mas quem exatamente é a Princesa Serena Dagmar da Dinamarca? Quer dizer, é *óbvio* que ela é uma princesa chamada Dagmar. Mas será que somos primas? Amigas? Quase estranhas? Sobre quais assuntos será que costumamos conversar? Em segundo lugar, tenho quase certeza de que existem protocolos aqui para este tipo de coisa, algumas fórmulas para escrever cartas reais, mas não sei de nenhuma.

Ainda assim, não sei muito bem o que devo fazer no momento. Até o coronel Azarenko voltar e eu conseguir recuperar o Firebird dele, tenho que fazer o melhor que posso para me passar pela Grã-Duquesa Real Margarita. Isto significa que tenho que escrever cartas. Na biblioteca, consigo encontrar um livro de contabilidade chamado *A lista da realeza, nobreza e oficiais* que mostra quais são as principais famílias reais de cada país, e ainda traz notas que explicam como nos tornamos parentes.

Ao que parece, *todos* são meus parentes.

Paul fica comigo o tempo todo, a alguns metros de distância. Ele deve perceber como é bizarro eu precisar destes materiais de referência, mas não diz absolutamente nada, apenas fica esperando, cheio de paciência. Isso me ajuda a me sentir um pouco mais no controle, apesar de fazer uma bagunça com as cartas. A caneta tinteiro borra todas as palavras e escrever à mão leva muito tempo... Para ser sincera, Skype é a melhor forma de manter contato.

No meio das notas, busco na *Lista* alguma referência do nome Theodore Willem Beck. Tudo bem que as chances de Theo também ser da nobreza são mínimas, mas estou desesperada para descobrir onde ele está. Em um mundo sem Google, uma informação como esta é muito mais difícil de ser encontrada. Mas não há nenhuma menção a ele no livro, assim como minhas criadas me disseram esta manhã que nunca tinham ouvido falar nele. O paradeiro de Theo continua sendo um mistério.

Enquanto escrevo uma carta para uma princesa grega que parece ser minha tia, não consigo parar de pensar na presença de Paul. Ele fica parado na porta da sala onde escolhi trabalhar, nós dois sozinhos neste vasto e elegante cômodo, sendo observados pelos retratos a óleo de vários ancestrais meus. Seus rostos são de desaprovação. Por fim, não consigo mais suportar o silêncio.

— Você deve achar isso muito entediante, Markov.

Paul sequer mexe a cabeça.

— De forma alguma, milady. — responde ele.

— Você não preferiria estar com o seu... regimento? É esse o nome? Não preferiria estar com seus colegas soldados?

— Minha obrigação é ficar com a senhorita, milady.

E tem alguma coisa na maneira que ele diz “milady” que me incomoda. Torno a olhar para minha carta, mas só consigo ficar encarando a página.

Ok, já sei que Paul Markov não é assassino. Isso é um alívio, mas esta informação faz surgir mais perguntas do que respostas. Por que ele destruiria toda a pesquisa e os dados da minha mãe e fugiria? E se ele é tão inocente, por que lutou tão brutalmente com Theo em Londres?

Bom. Theo e eu o atacamos primeiro. E Paul disse que suspeitava de Theo quando o viu...

Calma. Arregalo os olhos. *Theo... não, não pode ser.*

Não. Não pode ser mesmo. Ele correu um risco enorme para tentar ajudar minha mãe a se vingar da morte do papai. Pulou para outras dimensões sem qualquer garantia de que não viraria uma "sopa atômica". Ele está tão confuso quanto eu sobre o que está acontecendo. Acho que essa história de mudar de dimensões me deixou insegura sobre muitas coisas. Mas, pelo menos, não existe razão para duvidar da lealdade de Theo.

Paul Markov continua sendo um mistério. Mas é um mistério que vou precisar solucionar para ter alguma esperança de consertar meu Firebird.

Tento me concentrar na minha carta, mas não dá. Apoio a cabeça em uma das mãos. Paul dá um passo em minha direção.

— Milady? Você está bem?

— Estou… assoberbada. Só isso.

— Deseja andar até o Salão da Páscoa, milady?

Salão da Páscoa? Quando ergo a cabeça, ele está sorrindo com timidez. Mesmo aqui, em um mundo em que ele é um oficial militar de uniforme completo, com arma e faca presas ao cinto, Paul continua inseguro sobre o que dizer.

Levanto-me da cadeira e deixo que ele vá na frente.

Ele me conduz por mais corredores compridos do Palácio de Inverno. Os tetos dourados brilham acima de nós enquanto andamos entre colunas de mármore esverdeado, passando por salas pintadas de dourado, ou vermelho-sangue ou em tom forte de azul. Minhas sandálias ecoam o som das botas brilhantes dele pelo chão de madeira. Chegamos, enfim, diante de uma porta dupla branca e alta.

Paul empurra as portas e aguarda ao lado, me permitindo entrar primeiro. Entro no cômodo e mal consigo conter um suspiro.

O Salão da Páscoa é onde nossa família guarda os ovos Fabergé.

Cada ovo é obra-prima de um joalheiro. Pequeno o suficiente para caber na mão de um adulto, são feitos de porcelana, ouro ou pedras preciosas, ou, na maioria das vezes, uma combinação dos três materiais. Alguns são modestamente bonitos, como o rosa envernizado, que tem pérolas bem pequenas enfileiradas, outros são espetacularmente criativos, como o ovo de *lapis lazuli* cercado por anéis de prata, feito o planeta Saturno, e aninhado por uma "nuvem" de quartzo esbranquiçado pontilhado com estrelas de platina.

Na minha dimensão, apenas poucos ovos Fabergé resistiram às décadas em que os Romanov os davam de presentes. Neste mundo em que estou, essa tradição durou mais de um século. Cerca de duas centenas de ovos brilham do alto das estantes nas paredes. É como entrar em uma caixa de joias, só que mil vezes mais deslumbrante, porque cada ovo é uma obra de arte única.

Cuidadosamente, vou na ponta dos pés até uma das prateleiras e pego um ovo de alabastro. Minha voz interior repete: *não derrube, não derrube, não, não, não*. A dobradiça de prata no meio se abre e descubro que há uma bailarina dentro, uma marionete de metal que começa a dançar ao som de uma música. É tão lindo, tão delicado, que me deixa sem ar.

— Esse não costuma ser seu favorito, milady — declara Paul, com gentileza.

Quantas vezes será que ele já me trouxe aqui quando me senti triste ou sozinha? Tenho a impressão de que este momento está longe de ser a primeira vez em que ficamos sozinhos aqui.

— Qual é o meu favorito? — Encaro os olhos cinzentos de Paul, como se o desafiasse a demonstrar seu conhecimento por mim.

Sem hesitar, Paul aponta para um ovo vermelho-escuro, cor de vinho, decorado apenas com delicados riscos circulares filigranados em ouro. O tom de vermelho é bonito por si só… Eu poderia passar horas misturando minhas tintas e mesmo assim nunca conseguiria capturar a profundidade daquela cor.

Entendo por que ele está tão contido, pois certamente não tem permissão para tocar no ovo.

Então ergo o queixo e digo:

— Pegue para mim, Markov.

Ele hesita por alguns segundos, e então pega o ovo com suas mãos enormes (tão grandes e fortes, que acho possível envolver minha cintura com elas). Observo-o levantar o topo do ovo para revelar a "surpresa", a camada extra de delicadeza ou brilhantismo escondida dentro de cada um. Neste há um pequeno amuleto de prata, uma pequena moldura com uma foto da minha mãe.

— Ah — sussurro.

É claro que esse tinha que ser meu preferido, o que eu amo mais que todos. Paul coloca o ovo na palma da minha mão à espera. Os dedos dele roçam nos meus por uma fração de segundo, mas mesmo assim fico sentindo o toque dele bem depois de já ter me afastado.

Continuamos ali por mais alguns instantes, muito próximos um do outro, olhando para aquele objeto delicado e caríssimo nas minhas mãos. Tenho consciência do silêncio de Paul, de sua inspiração e expiração. Estamos sozinhos em um salão de dezenas de metros, com um teto de mais de 50 metros e, apesar disso, nossa proximidade parece quase insuportável de tão íntima. O sol da tarde se esguelha pela janela alta, cintilando por toda decoração militar e dourando o ovo que estou segurando.

— Sua mãe era muito bonita, milady.

Ele está julgando com base em uma foto. Nesta dimensão, é provável que nunca tenha tido a chance de conhecer minha mãe. Penso no quanto ela o ama no meu mundo e fico triste com essa perda. Mais uma conexão que deveria ter existido, mas não aconteceu.

— É, ela era.

— Muito parecida com você, milady.

Não consigo olhar para ele. Não consigo respirar.

Por que ele causa isso em mim?

Mas, para ser muito sincera, o que estou sentindo começou há um tempo, com uma curiosidade que se tornou esperança de algo que nem sei nomear.

— Ah... — Estremeço enquanto um dos dentes dentro do ovo vermelho se quebra e cai no interior da casca. A foto da minha mãe não vai mais ficar pendurada. — Quebrei.

— Não se preocupe, milady. O tutor consegue consertar isso, com certeza. O professor Caine entende tudo de relógios e mecanismos deste tipo.

É claro. Em casa, de vez em quando, papai mexe em relógios antigos fazendo com que voltem a funcionar. A ótima mente científica dele, além dos desafios teóricos deste mundo, deve ter se voltado para a mecânica. Aqui ele deve mexer o tempo todo em mecanismos como este.

Por fim, olho para Paul e sorrio com tanta alegria que sei que ele fica surpreso. Mas não consigo evitar.

Acabei de pensar em outra solução.

13

"Professor Caine." É tão bizarro chamá-lo de outra coisa que não seja "pai".

Mas o que não é bizarro em toda esta situação?

Meu pai entra no Salão da Páscoa escoltado por Paul, que foi atrás dele como eu ordenei. Quando ele vê o ovo cor de vinho em minhas mãos, assente, prevendo o que vou pedir.

— É aquele ganchinho, não é? Um dia desses você realmente devia chamar um joalheiro da Fabergé para consertar este ovo de forma adequada, sua Alteza Imperial. — Ele enfia a mão em um dos bolsos da jaqueta e retira um rolinho de couro: seu kit de ferramentas de relojoeiro. — Mas posso dar um jeito por enquanto. Não se preocupe.

— Claro que pode.

Sorrio para ele, na esperança de parecer simpática por ele estar me fazendo um favor. Mas então me dou conta de que isso é um pouco ridículo. Quando você é a grã-duquesa da Dinastia Romanov, não pede favores, dá ordens.

Mas este ainda é meu pai e, mais do que nunca, quero tratá-lo com respeito.

— Eu tinha outro projeto para você, caso estivesse disposto a dar uma olhada. — Coloco com cuidado o ovo quebrado em uma pequena mesa lateral e depois enfio a mão no bolso. Ali, embrulhado cuidadosamente no meu lenço de renda, estão os pedaços do Firebird. — Este meu medalhão está quebrado.

Papai olha do ovo para mim, sorrindo.

— Acho que você está tentando me transformar em um joalheiro, para evitar suas futuras provas de francês.

— Não, juro, isso é importante para mim. E é complicado... — Paro de falar antes que comece a soar desesperada. Se meu pai (ou Paul, de guarda na porta) perceber como estou preocupada com o Firebird, pode fazer perguntas que não vou poder responder. — Este medalhão é mais do que um enfeite, sabe? E quando todos os pedaços forem encaixados corretamente, vai funcionar outra vez.

— O que isso faz? — Ele empurra os óculos nariz acima enquanto desembrulho de leve o lenço para revelar as peças de bronze. — Toca música?

— Não. — Mas será que posso contar para o meu pai? Ele não acreditaria na verdade. — Não sei exatamente.

— Então, sem saber como deveria funcionar, duvido de que eu consiga configurá-lo corretamente. É claro que quero ajudá-la, sua Alteza Imperial, mas talvez este seja trabalho para um profissional.

Ah, não. Se Paul e eu teremos qualquer tipo de plano B para sair desta dimensão, preciso de alguém como meu pai trabalhando no Firebird. Tudo bem que aqui ele está preso no corpo de um homem que trabalha como tutor, mas isto não muda o fato de que ele é um gênio. Ele é minha melhor chance, talvez a única que tenho.

Não há nenhuma garantia de que coronel Azarenko não vá jogar fora ou vender o Firebird de Paul antes que retorne de Moscou. Se o meu não voltar a funcionar, Paul e eu ficaremos presos aqui para sempre.

Para conter meu pânico crescente, respiro fundo algumas vezes e observo meu pai trabalhar no ovo Fabergé vermelho. Ele usa habilmente dois pequenos dentes para torcer o ganchinho de volta ao seu lugar correto, mas o que ele faz em seguida é que me deixa sem ar.

Ele pega o lindo retrato da minha mãe, comissionado pelo czar Alexander V, que provavelmente depois disso nunca mais olhou para a foto. Mas papai passa bastante tempo segurando a pequena moldura, e seus olhos absorvem a imagem do rosto dela. Em seu olhar consigo notar a mais profunda tristeza e saudade que já vi na vida.

("Eu não fazia ideia da aparência do seu pai quando ele veio me visitar pela primeira vez", contou minha mãe um dia, enquanto cozinhávamos no jardim durante uma tarde fresca de verão. "Mas eu já estava um pouco apaixonada por ele."

Meu pai riu enquanto a abraçava por trás.

— E encontrei a foto errada na faculdade, então eu achava que essa dra. Kovalenka já era uma senhora de idade. — Ele levantou a mão dela e deu um beijo. — Ainda assim, tínhamos trocado algumas equações muito atraentes. Eu também estava um pouco apaixonado. Como você pode ver, foi um cortejo meramente intelectual... a princípio.

— A princípio. — O sorriso dela era quase positivamente perverso. — Agora, me apaixonei de vez quando nos encontramos no aeroporto e descobri como ele era *incrivelmente sexy*.

— Idem — confessou papai. — Quase a agarrei em frente à esteira de bagagens.

Josie e eu fizemos cara de nojo, porque éramos mais novas e ainda achávamos nojento ver nossos pais sendo românticos daquele jeito. Isso foi antes de eu me dar conta de como é raro encontrar duas pessoas que continuam realmente se amando pelo resto da vida.)

Talvez seja errado da minha parte usar os próprios sentimentos do meu pai contra ele, mas no fundo sei que ia querer me ajudar e confortar a versão da minha mãe que ficou em casa, de luto por ele e desesperada para eu voltar. Então isso torna o que estou fazendo justificável. Pelo menos, espero que seja.

— Era da minha mãe — digo, segurando o Firebird embalado em renda.

Deu certo. Meu pai vira as costas para o ovo Fabergé.

— Da sua mãe?

— Ela sempre me mostrava esse medalhão quando eu era pequena. — A primeira regra para contar uma mentira, Theo me ensinou uma vez, é: *seja sucinta*. — Não lembro o que fazia... mas lembro que eu adorava. Minha mãe sempre mostrava isso para mim, então quando achei esse medalhão uns dias atrás, fiquei muito feliz. Mas, como você pode ver, está em pedaços. Alguém tem que consertar, e você poderia fazer isso... Sei que poderia.

Com muita gentileza, meu pai segura o quadrinho envernizado dentro do ovo cor de vinho e fecha o objeto. Em seguida, segura o lenço de renda e pega um pedaço do Firebird, um pedaço oval de metal que tem chips de computador dentro. De forma alguma ele tem como saber o que são chips de computador, penso, e fico um pouco triste ao me dar conta disso. Estou me enganando ao acreditar que isso é possível?

— Faz alguma ideia do funcionamento básico disso, sua Alteza Imperial? — pergunta ele.

Dou um tapinha na parte da frente do medalhão.

— Fica tudo dentro desse medalhão. As partes são dobradas até ficar parecendo que é uma joia única. E acho que não está faltando nada, nem que tenha algo quebrado. Só que é... Mais do que isso... Não.

Meu pai fica encarando o medalhão por mais alguns instantes, e então diz:

— A maioria dos dispositivos tem certa lógica interna. Com algum tempo para entender a deste, posso conseguir consertá-lo.

— Então você vai tentar?

— Por que não? Adoro um bom quebra-cabeças.

Eu me encho de uma esperança brilhante e selvagem.

— Ah, muito obrigada!

Meu primeiro impulso é abraçá-lo, mas consigo me conter.

Ele sorri enquanto junta os pedaços do Firebird e os coloca de volta no lenço.

— O prazer é todo meu, sua Alteza Imperial. É sempre um prazer ajudá-la.

— Você não faz ideia do que isso significa para mim.

Será que vou conseguir sair dessa?

— Sim, faço ideia. — É tudo o que ele diz, mas consigo ouvir naquelas palavras o amor que sente por minha mãe, e a profundidade do que ele faria em memória dela.

Nem mesmo meu pai é tão genial a ponto de consertar instantaneamente um dispositivo complicado que ele nunca viu. Ele também não consegue fazer o dia ter mais horas. A época de Natal é muito importante aqui em São Petersburgo, o que significa que toda noite tem alguma coisa: um jantar, uma festa, uma reunião social... Meu pai está liberado de alguns desses eventos, mas eu tenho que ir a todos. Azarenko continua em Moscou, e sem aquela máquina do tempo que minha mãe daqui nunca teve a chance de inventar, não consigo fazer o Ano-Novo chegar mais rápido.

Portanto, até lá, preciso me acostumar com esta vida.

Começo com o básico: memorizo o maior número de nomes da família real que consigo. Uma agenda com meus compromissos surge na minha escrivaninha, então fico sabendo quais são as próximas coisas que preciso fazer. Também encontro um mapa do Palácio de Inverno e consigo me localizar melhor (porque, se eu me perder na minha própria casa, é provável que as pessoas comecem a desconfiar).

A parte mais estranha de todas é como *não é tão estranho assim*. Após alguns dias, se torna completamente normal usar todos os dias estes vestidos longos e o cabelo preso em uma trança supercomplicada. Meu paladar se acostuma com o gosto de caviar, com o sabor cítrico da *borscht*, a sopa de beterraba, e com o fortíssimo chá russo. Consigo ler e falar inglês, francês e russo sem nenhuma dificuldade de transitar entre esses idiomas... E ainda pratico bastante, torcendo para conseguir levar um pouco deste conhecimento de russo e francês comigo de volta para casa.

Todas as manhãs as criadas me preparam para o meu dia fazendo tudo de que eu preciso, desde vestir a meia-calça até polir meus brincos antes de pressioná-los nas minhas orelhas (uma grã-duquesa não pode ter orelhas furadas nesta dimensão, pelo menos não em São Petersburgo. Ter qualquer tipo de piercing no corpo seria o mesmo que vestir uma camiseta com os dizeres PROSTITUTA AQUI, PERGUNTE-ME SOBRE PREÇOS E HORÁRIOS).

Elas cuidam de tudo mesmo. Inclusive, na minha quarta manhã aqui, fiquei menstruada. Isso provocou uma comoção, envolvendo o uso de uma geringonça que parece uma cinta-liga, mas que não é nada sexy, e toalhas de pano entre as pernas. Tenho que ficar ali em pé, roxa de vergonha, enquanto elas trocam as toalhas depois de algumas horas, e essas toalhas são lavadas à mão por alguém bem azarado. Por que eu não podia ter ficado menstruada na minha própria dimensão, ou naquela futurística de Londres? É provável que lá eles tivessem, não sei, absorventes internos milagrosos do espaço ou algo assim. Mas as criadas não parecem se incomodar com isso, então tento segurar a onda sem demonstrar como estou constrangida.

Todos os dias vou para a sala de aula e estudo francês, economia, geografia e qualquer outra coisa que consigo convencer meu pai a revisar. Ele adora minha curiosidade e me dá mais aulas de ciências sobre as inovações do momento, como, por exemplo, a corrida para desenvolver aviões (eles já foram inventados aqui, mas é algo muito recente, e ainda estão naquele momento "tecido e hélice". O voo mais longo da história, até então, durou cerca de vinte minutos). Peter adora esse assunto, faz mil perguntas, o que me faz achar que ele herdou a curiosidade científica da mamãe. Katya faz cara feia para o dever de casa extra, mas sei que, apesar de implicar, ela está interessada.

Ver meu pai todos os dias não facilita as coisas, mas fico feliz até com o sofrimento. Ter uma última chance de passar algum tempo com ele é um presente que eu jamais poderia subestimar.

E ainda tenho Paul sempre perto de mim. Sempre comigo. Quando ele não está no mesmo cômodo que eu, está do outro lado da porta.

À primeira vista, a garantia que sinto por tê-lo sempre perto é simples: enquanto Paul estiver próximo, tenho certeza de que ele está bem. Acredito que vamos recuperar o Firebird dele ou então meu pai vai consertar o meu, e assim vou conseguir fazê-lo se lembrar de quem é. Dessa forma, terei certeza de que podemos voltar para casa.

Outro grande baile é marcado, só mais um em meio a dúzia que ainda vai acontecer antes do Natal. Não terei como fingir mais um desmaio para me livrar deste. Infelizmente, o tipo de dança desses bailes não é nada parecido com o que sei fazer. Uma das principais parece ser a valsa.

Não faço a menor ideia de como dançar valsa. Se a filha do czar for até a pista de dança e fizer papel de boba, as pessoas vão começar a se perguntar o que há de errado comigo.

À tarde, quando Paul e eu vamos a biblioteca, nem me dou o trabalho de me sentar. Em vez disso, assim que ele fecha a porta, digo:

— Tenente Markov, eu gostaria de aprender a dançar valsa.

Ele para e fica me encarando. Não o culpo. Depois de alguns instantes, ele diz:

— Milady, você é uma excelente dançarina. Já a vi dançar valsa em várias ocasiões.

— Seja como for. — Será que isso soou majestoso? Talvez eu não esteja sendo muito firme. — Eu, hum, estou um pouco enferrujada. E gostaria de praticar antes do baile desta noite. Você vai dançar comigo, não vai?

Ele se empertiga, parecendo mais desconfortável e inseguro que já vi em nossa dimensão. Mas ele responde:

— Como quiser, milady.

— Ok. Muito bem. Primeiro, precisamos de música.

No canto do salão há um antigo gramofone, daqueles completos, com um trompete que funciona como caixa de som e tudo o mais. Nos filmes parece que são simples de usar: é só colocar o disco, posicionar a agulha e pronto.

Mas quando chego perto, com minhas sandálias fazendo barulho no tapete persa, percebo que este gramofone não usa discos. Sei mexer naqueles da coleção de vinil do meu pai, mas aqui são... cilindros? De cera? Tento disfarçar minha estranheza da melhor forma que consigo.

— Markov, escolha uma música para nós.

Ele anda devagar até parar ao meu lado e escolhe um cilindro. Observo com atenção para fazer sozinha da próxima vez, se for preciso. Então ele vira a pequena manivela de lado, e uma música suave e metálica começa a tocar, as notas lindíssimas apesar dos chiados e estalos causados pela estática.

Encaro Paul, pronta para começar, mas ele diz:

— O piso mais liso seria melhor, milady.

É claro. Pistas de dança nunca são acarpetadas.

Então vou atrás dele até a parte do salão mais próxima das janelas, onde não há carpetes. Os quadrados sob nossos pés parecem listrados de tão ricas que são as diferentes tábuas de madeira. A luz que vem das janelas estreitas nos ilumina suavemente, ressaltando o reflexo avermelhado do cabelo castanho de Paul.

— Com licença, milady.

Ele levanta as mãos com certa rigidez, muito próximas de mim, mas sem me tocar, e então me dou conta: ele precisa de permissão para me tocar.

Ergo o rosto e percebo... que ele quer me tocar.

— Claro, Markov.

Ele segura minha mão direita. A esquerda fica no ombro dele, isso eu sei. Sua mão esquerda se posiciona na minha cintura, e eu a sinto quente mesmo através do vestido de seda branco.

É difícil encará-lo, mas não desvio o olhar. Não posso.

Então ele começa a dançar. É simples: UM, dois, três; UM, dois, três. Ainda assim, no começo fico toda desengonçada. É difícil blefar na dança. Mas me lembro de uma coisa que minha mãe me disse uma vez sobre danças formais: sempre siga o homem que está dançando com você. É preciso se entregar completamente, deixá-lo guiar e conduzir o tempo todo.

Em geral, não sou muito boa em deixar outra pessoa no controle. Mas agora não tem jeito: deixo Paul guiar a dança.

Sinto a pressão suave da mão dele nas minhas costas, sem me empurrar para lá e para cá, e sim indicando muito gentilmente para qual lado ele vai virar. Nossas mãos estão unidas. Minha postura muda, pois estou deixando ele me inclinar um pouquinho. A inclinação e os giros me deixam levemente tonta, mas isso quase chega a ajudar. Assim posso me render a ele. Posso parar de pensar, parar de me preocupar, e existir apenas dentro da dança.

Ao entender minha mudança de postura, Paul fica mais atrevido. Ele me gira em círculos cada vez maiores. Meu vestido longo roda em torno de nós. Eu rio, encantada, e sou recompensada com o sorriso dele. É como se meu corpo inteiro conhecesse exatamente os passos dele, e estamos dançando com abandono, apenas pelo prazer da dança. A mão dele pressiona mais forte minhas costas e me puxa para mais perto...

... e então a música chega ao fim. Levamos um susto quando surge o silêncio. Só sobrou a estática.

Continuamos parados ali por mais alguns instantes, na posição da dança, que é quase um abraço. Até que Paul me solta e dá um passo para trás.

— Continua dançando muito bem, sua Alteza Imperial.

— Obrigada, Markov.

É assim que uma princesa deveria se comportar? Distanciando-se do seu parceiro de dança sem sequer olhar para trás? Espero que sim. Sento-me na escrivaninha e começo a fingir que estou lendo as cartas na minha frente e que cada parte do meu corpo não está pensando no cara que está indo montar guarda na porta.

O jeito que ele dança comigo e me olha... Preciso entender. Será que havia alguma coisa acontecendo entre a Marguerite desta dimensão e o tenente Markov?

Naquela noite, enquanto espero minhas criadas chegarem e me aprontarem para o baile, começo a fuçar nas coisas da grã-duquesa Marguerite, procurando por... cartas de amor, um diário, qualquer coisa assim. Quando acho uma pasta de portfólio, meu coração acelera. Ela também é artista! Eu daria tudo para ter minhas tintas a óleo agora.

Mas essa Marguerite não pinta com isso. Ela desenha.

Lápis e grafite são as ferramentas que ela usa, as quais achei em um estojinho de couro. O interesse que tenho pelas cores e pela intensidade não faz nem um pouco parte do trabalho dela. Em vez disso, essa Marguerite é mais preocupada com detalhes e precisão. Mas também vejo elementos no seu estilo que me lembram os meus.

Encontro um desenho de Peter lendo um livro com as sobrancelhas levemente erguidas, como se ele estivesse fascinado com o livro. Também vejo Katya se esforçando, como sempre, para aparentar ser mais velha do que é, e parecendo um pouco ridícula...

... e vejo Paul.

Sentada no tapete bordado do meu quarto, folheio o portfólio e encontro dois, três, vários desenhos de Paul Markov. Quando lembro que rasguei a pintura que fiz dele, sinto vergonha. Não apenas por ter destruído meu trabalho por ter acreditado em algo falso sobre ele, mas também porque nunca realmente captei sua personalidade naquela tela. Não se comparado com os desenhos desta Marguerite: ela é *ótima*. Ela captou algo quase intangível nele: aquele senso de propósito de Paul que domina todos os momentos, independentemente de quão casuais sejam. Esse desenho mostra Paul montando guarda para ela, e seus ombros foram retratados com tanta atenção aos detalhes que me dá a impressão de que ela passa muito tempo notando como o uniforme dele se dobra sobre o corpo e como ele se move.

Por fim, encontro um desenho feito no Salão da Páscoa. Não consigo ter certeza de se ele posou para os outros, mas fica óbvio que não foi o caso deste. Há algo especial nos retratos que são feitos de memória, são mais sinceros e também mais imperfeitos. Ela conseguiu captar a virada sutil que Paul faz com a cabeça, que significa que ele está prestando atenção, e também seu olhar tempestuoso. Os ovos foram desenhados atrás dele, mais parecendo sombras do que qualquer coisa, ainda que dê para capturar alguns detalhes com o lápis, como o verniz de um e o brilho de outro.

Tento prestar mais atenção nisso do que na maneira que ela desenhou Paul, olhando diretamente para a artista com uma expressão de sofrimento e esperança.

(Olhando para mim. Sempre, sempre olhando para mim.)

Junto rapidamente os desenhos espalhados no meu colo e os devolvo para a pasta. Os lápis e grafites continuam na cama, mas é melhor não tentar fazer nenhum retrato enquanto eu estiver por aqui. Posso tentar reproduzir algumas paisagens, para variar.

Que se dane, penso. *Se eu ficar presa nesta dimensão, posso me tornar a inventora da arte abstrata.*

Mas não vou ficar presa aqui. Não vou. Se todas as outras coisas falharem, meu pai pode me salvar. Tenho que acreditar nisso.

Se eu não ficar presa aqui, nunca terei que me perguntar qual foi o sentimento que levou esta Marguerite a desenhar Paul tantas vezes. Ela viu algo nele que a permitiu capturar detalhes da sua alma que eu nunca consegui.

A alma de Paul parece ser a mesma lá e aqui.

Minhas criadas se superam na minha preparação para o baile. Meu vestido dessa noite é feito de pura prata: a seda, os pontos, os detalhes costurados no decote quadrado, os punhos, a bainha... Mais uma vez, elas colocam a tiara de rubis na minha cabeça, e me dão brincos de diamante tão pesados que não consigo imaginar usá-los a noite toda. Meu reflexo no espelho me impressiona.

Por que fico tão linda em uma dimensão que não tem celular com câmera?, penso, desesperada, virando-me de um lado para outro. *Eu ficaria uma hora tirando selfies e estas seriam as únicas fotos que eu usaria pelo resto da vida.*

Mas, quando saio do quarto, vejo meu reflexo mais genuíno: nos olhos de Paul.

Ele respira fundo e diz, quase sussurrando:

— Milady.

— Tenente Markov.

Por mais que eu saiba que ele precisa me levar para o baile, só me resta não esticar os braços e convidá-lo para mais uma dança.

Será que posso dançar com ele esta noite? É provável que eu tenha que dançar com os nobres primeiro... e com Vladimir, claro, porque se ele dançou com Katya, vai dançar comigo...

— Tem certeza de que não fui convidado?

A voz masculina vem do corredor enquanto Paul e eu descemos a escada. Pela expressão das pessoas a minha volta, sei que isso não é uma coisa boa.

Katya desce correndo a escada atrás de mim, desengonçada com seu longo vestido branco.

— Ele veio — sussurra ela. — Disseram que não viria.

— Está tudo bem — digo, sem fazer ideia se as coisas estão bem mesmo.

Paul se vira para mim.

— Se em qualquer momento da noite você se sentir insegura...

— Vou direto procurar você — prometo a ele.

Vladimir surge, com uma expressão severa e esquisita em seu uniforme branco cheio de medalhas brilhantes.

— Venha, então — diz ele, me oferecendo o braço. — Parece que vamos ter que bancar a família feliz mais uma vez. Vamos enfrentar este dragão juntos, ok?

Ao lado de Vladimir, com Katya logo atrás, sigo pelo corredor principal. Dezenas de nobres repletos de joias e fitas estão novamente circulando por ali, fingindo não notar o confronto velado acontecendo no meio do saguão. Ali, o czar Alexander aguarda alguém, com um semblante rígido. Um homem um ou dois anos mais novo que ele, um pouco mais magro, apesar de ser igualmente alto, com um olhar de desdém orgulhoso e usando o uniforme mais resplandecente do salão.

— Tio Sergei — exclama Vladimir, fazendo uma reverência. Até então eu não tinha me dado conta de que até mesmo uma reverência pode ser sarcástica. — Que prazer vê-lo! E bem a tempo das festas de fim de ano!

O grão-duque Sergei. Os fatos da *Lista* que memorizei estão me ajudando. Ele é o irmão mais novo do czar, e seu rival no poder. Eu não sabia quão sério deveria levar as matérias de jornal que abordam esta rivalidade, mas ao ver pura maldade no olhar de Sergei, finalmente compreendo.

Ele estreita os olhos ao me encarar.

— Sua cortesia não engana ninguém, Vladimir. Mas pelo menos você é educado o bastante para fingir que está feliz em me ver.

Junto coragem e falo:

— Tio Sergei. Seja bem-vindo.

E estico a mão para que ele possa beijá-la. Sergei fica tanto tempo encarando que me pergunto se fiz algo errado, mas depois ele se curva diante da minha mão, a segura e dá um beijo nos nós dos dedos.

Seus lábios são frios. Acho que ele está imaginando como seria meu pulso sem pulsação.

Katya oferece a mão em seguida. Seu rosto pequeno e teimoso parece tão enojado que tenho medo de que, em vez de estender a mão, ela lhe mostre o dedo do meio. Sergei lhe dá o mesmo tratamento seboso que me deu, e observo os rostos ao meu redor: do czar, do meu irmão, dos nobres, de Paul. Todos parecem irritados, e também sinto medo em cada olhar.

Um rival no poder sempre quer todo o poder para si. Ele deve tentar destituir o czar, o homem que todos acham que é meu pai. Mas Sergei também teria que eliminar os herdeiros: Vladimir. E Piotr. E Katya. E...

Tornar-me a Marguerite desta dimensão significa assumir toda a vida dela. Não apenas os vestidos e as joias, não só a dança com Paul.

Antes eu só tinha medo de não conseguir voltar para casa. Agora estou com medo de não sair desta dimensão a tempo de escapar de um perigo que sei ser muito, muito real.

14

Na tarde seguinte, Vladimir entra na sala de aula com um pacote de cartas na mão.

— É você que cuida da correspondência real agora? — Dou um sorriso para mostrar que é uma piada, mas quero mesmo saber por que ele está fazendo algo tão fora do normal. Depois de uma semana e meia nesta dimensão, já sei que é muito esquisito ele trazer a correspondência, em vez de um criado.

— Recebemos uma carta estranha hoje de manhã. O secretário-chefe pediu minha opinião, mas não consegui entender, então decidi trazê-la para você pessoalmente. — Ele coloca o pacote de cartas na minha carteira antes de entregá-lo para mim. — Foi mandada pela Embaixada Francesa. Altamente irregular... Pode ser de algum lunático, mas, pelo que parece, a carta de apresentação foi extremamente persuasiva. Eu podia jurar que você vai querer dar uma olhada nisto. — Ele pega o envelope no topo da pilha e me entrega. — Você quer ler?

Escrito em um inglês fino e elegante, na parte da frente da carta diz: *Para sua Alteza Imperial, a grã-duquesa Margarita de todas as Rússias*.

E logo abaixo outro nome: *Meg*.

Theo! Pego o envelope das mãos de Vladimir com tanta rapidez que o faço rir de surpresa. Mas ele não me interrompe enquanto abro o selo de cera para ler o que há ali dentro.

Então, sou químico em Paris, o que achei muito irado até ler no jornal quem você é por aqui. Como diabo você é a filha do czar? Não sei ao certo como isso foi acontecer, mas... muito bem, Meg. Boa jogada.

Paul veio para esta dimensão, obviamente, e você também. É o que meu Firebird diz. Já passou quase uma semana e nenhum dos dois pulou para outra dimensão... Estou enlouquecendo tentando entender por quê. Eu estaria mais preocupado se não soubesse que você está cercada de guardas que podem protegê-la quando eu estou longe sem poder fazer isso. Você viu Paul? Usou seus poderes de princesa para mandar executá-lo de alguma forma russa bárbara?

É chocante ler as palavras de Theo. E é ainda pior lembrar que, até pouco tempo, eu achava que Paul era um assassino. Olho por cima da carta e o encontro parado à porta. Theo achou que eu precisava de guardas para me proteger dele, em vez disso, é ele quem está me protegendo.

Agora, falando sério, estou preocupado com você. Não tenho certeza do motivo que ainda a mantém aqui. Você está me esperando? Por favor, não faça isso. É quase impossível conseguir visto para viajar para a Rússia (eu já dei uma olhada nisso), especialmente para quem não fala a língua.

As únicas possibilidades em que consigo pensar são: seu Firebird foi danificado de alguma forma; você está doente; ou você não lembra quem realmente é neste momento. Se for a última opção... uau, esta carta deve parecer completamente louca. Espero que você não esteja doente. Fico lendo os jornais todos os dias tentando descobrir mais sobre como você está.

Se aconteceu alguma coisa com seu Firebird, fale comigo, ok? Vai ser mais fácil você escrever para mim do que o contrário. Pode ser até que você arranje um visto para este pobre químico parisiense. Ou... Ah, você podia pedir para viajar até Paris com a intenção de comprar as últimas tendências da moda, não é? Chapéus enormes parecem ser a sensação do momento. Diga ao czar que você precisa de um desses. Faça o que for preciso para chegar até aqui. Então vou poder ajudá-la e vê-la novamente. Eu não tinha ideia de como ia sentir sua falta.

Não se preocupe comigo, aliás. Recusei um emprego para poder trabalhar numa pesquisa com o elemento químico rádio, e moro a algumas estações de metrô do Moulin Rouge. Então estou aproveitando Paris.

Só preciso de você aqui.

Deixo a carta cair no meu colo, assoberbada com tantas emoções que nem sei o que pensar. Minha alegria por receber notícias de Theo novamente se mistura à esperança (será que ele é capaz de consertar o Firebird, caso meu pai não consiga?), à preocupação (como é que vamos conseguir nos encontrar?) e à culpa... porque Theo sente minha falta, se preocupa e importa comigo, e não tenho ideia do que sinto em relação a ele.

Às vezes, penso naquela noite em Londres, a forma que ele se curvou sobre mim na cama e beijou a linha do meu ombro... A lembrança é intoxicante.

Ainda assim, não é tão poderosa quanto a lembrança de Paul de pé na porta do meu quarto, me observando pintar. Ou me ensinando a dançar valsa bem aqui neste salão.

Mais uma vez, olho para a outra extremidade do cômodo, onde está Paul, no mesmo instante em que ele está me olhando. Nossos olhos se encontram e algo se agita dentro de mim. Ele se empertiga, mais formal do que antes, tentando fingir naquele momento que nada aconteceu.

— Você parece ter sido atingida por um raio — diz Vladimir. Ainda que ele esteja tentando me provocar, noto em sua voz que ele está realmente preocupado.

— É assunto pessoal — respondo. Quando ergo o olhar, ele parece magoado. Talvez a Marguerite desta dimensão conte tudo para ele. Ele realmente parece um cara confiável. Estendo uma das mãos, e quando Vladimir a segura, tento sorrir. — Você acha que o czar me deixaria viajar até Paris para comprar uns chapéus?

— Isso tudo é por causa de *chapéus*?

— De certa forma.

Vladimir balança a cabeça.

— Nunca vou entender as mulheres.

Ele deixa o salão, e volto a pensar que preciso escrever uma resposta para Theo. Tento me voltar para o resto das cartas que tenho para a tarde, mas é impossível me concentrar. A carta de Theo me lembrou do quão estranha é minha posição aqui, em como será difícil sair desta dimensão, mesmo se eu conseguir, e em tudo o que sinto por ele... e por Paul... coisa que nem posso explorar neste momento.

Apoio a cabeça nas mãos, me sentindo cansada e derrotada. Depois de alguns instantes, Paul pergunta:

— Está indisposta, milady?

— Não, não mesmo. Só acho que... estou com dificuldade de me concentrar hoje.

Tento puxar algum assunto que não envolva qualquer tipo de sentimento. No momento, não é algo muito fácil.

— Esta carta é para uma princesa romena que está visitando São Petersburgo. Por que uma grã-duquesa russa está escrevendo para uma princesa romena em inglês? E, aliás, por que estamos falando inglês agora?

— Tem sido um costume real de muitas gerações — responde ele, sem entender muito bem o porquê desta conversa.

Não apenas nesta dimensão. Quando penso em todos os livros de história que já li, me dou conta de que isto acontece na minha dimensão também: Nicholas e Alexandra trocavam cartas em inglês. As pessoas da realeza são esquisitas.

— Preferiria falar em russo, milady?

— Não, tudo bem. Ignore o que falei. Estou só pensando alto.

— Além disso... — A voz dele fica mais grave, como se ele tivesse que se esforçar para parecer mais oficial —, a prática lhe ajudará no futuro, milady.

Sobre o que ele está falando? Tento falar da forma mais casual possível:

— Você acha? Por que, exatamente?

Ele se empertiga.

— Estou me referindo ao seu noivado antecipado com o Príncipe de Gales. Perdoe-me por falar quando não era minha vez, milady.

Por um breve segundo, a notícia é hilária: *Vou me casar com o príncipe William! Vou pegar emprestado todos os casacos lindos da Kate Middleton!* Mas, depois me dou conta, ao me lembrar da *Lista,* que o herdeiro do trono neste universo não é Wills, e sim um parente mais direto e bem menos bonito. E, mesmo que fosse o príncipe William, não seria algo divertido por muito tempo, porque se eu ficar presa aqui vou ter que me casar de verdade com um completo desconhecido que mora do outro lado do mundo.

— Milady? — chama Paul, hesitante.

Estou bem, é o que quero dizer... mas em vez disso tapo a boca com a mão, me esforçando para manter a compostura. Não posso surtar. Não posso.

— Você quer dizer que eu deveria ser fluente em inglês. — Minha voz sai trêmula. Ele deve saber que estou sofrendo, ainda que não entenda totalmente por quê. — Já que vou ser rainha um dia.

Ok, graças a Deus eu pensei nisso, porque volta a ser um pouquinho engraçado: me imagino dando tchauzinho dentro de uma carruagem, ou usando algum chapéu enorme com penas...

Mas Paul quase parece tão deprimido quanto eu. Ele ainda tenta melhorar a situação:

— Milady, tenho certeza de que sua Majestade Imperial jamais permitiria que você se casasse com algum homem que não a merece.

Mas aposto que o czar Alexander basicamente me leiloou e me entregou para quem deu o lance real mais alto.

— Também queria ter essa mesma certeza.

Paul assente, estranhamente sério.

— É claro, milady, o Príncipe de Gales se revelará um marido dedicado. Não consigo imaginar que algum homem... não se consideraria afortunado por tê-la como esposa. Ele se apaixonaria à primeira vista.

Estamos a 60 metros de distância, mas a impressão que dá é de que estamos próximos o bastante para encostar um no outro. Imagino que ele consiga até ouvir minha respiração.

— Qualquer homem se apaixonaria — acrescenta ele. — Milady.

— Amor à primeira vista. — Minhas palavras saem em um sussurro, mas as que não digo continuam ecoando pelo salão. — Sempre achei que o amor verdadeiro só viria mais tarde. Depois que as duas pessoas se conhecessem bem, confiarem uma na outra... Após dias, semanas ou meses de convivência, aprendendo a compreender tudo o que não é dito em voz alta.

Ele sorri, o que só deixa seu olhar ainda mais triste.

— É possível crescer a afeição, milady. — As palavras dele saem ainda mais baixas do que as minhas. — Aprendi que isso é verdade.

Quando nos entreolhamos, Paul admite silenciosamente algo lindo e perigoso. Será que ele nota a mesma confissão em meus olhos?

Agora sei que a outra Marguerite retribuía o afeto dele, sem palavras nem esperança.

Nenhum soldado comum, não importa quão leal e corajoso seja, pode se casar com uma grã-duquesa. Nenhuma grã-duquesa pode se atrever a desafiar a ira do czar com um caso de amor proibido.

— Obrigada, tenente Markov. — Tento soar formal, completamente impassível. Mas falho.

Paul faz um cumprimento com a cabeça e volta para ficar de guarda, como se nada tivesse acontecido. Ele finge muito melhor do que eu.

Chega o Natal. Passo o dia na igreja. Isso, por si só, já seria esquisito para mim, por ser filha de duas pessoas que se descrevem como "Confuciagnósticas". E aqui "igreja" significa a catedral ortodoxa russa, com padres usando chapéus altíssimos e barbas compridas, além de corais cantando hinos em tons menores, e um cheiro de incenso tão forte no ar que preciso tapar meu rosto com as mãos para tossir.

Ao me ajoelhar no meu banco, penso na minha mãe e em Josie lá em casa, passando o primeiro Natal sem papai e sem mim também. A essa altura, elas já sabem o que Theo e eu aprontamos, mas talvez já tenham perdido a esperança de que nós vamos voltar.

Será que ela acha que estamos mortos?

Eu devia estar com ela. Em vez disso, fui atrás de Paul porque estava com muita raiva para pensar direito, irritada demais para ir com calma e esperar até que Theo e eu tivéssemos certeza do que estávamos fazendo. Mas também seria fácil culpar Theo, pois ele amava meu pai quase tanto quanto eu. Ele também não estava pensando direito com clareza.

Não, é culpa minha o fato de eu não estar com minha mãe e Josie no que deve ser o pior Natal da vida delas. É culpa minha mamãe estar sofrendo a perda do marido e também da filha. A vergonha me consome assim como a fumaça do incenso, e os olhares tristes dos ícones religiosos parecem me condenar de dentro de suas molduras douradas.

Naquela tarde, trocamos presentes no escritório do czar. (Ainda bem que a grã-duquesa Marguerite é bem mais organizada do que eu, e os presentes já tinham sido embalados e etiquetados antes que eu chegasse aqui.) Para minha surpresa, os presentes são coisas supercomuns. Vladimir me deu uma caneta tinteiro, dei para Katya lenços de renda e o czar Alexander parece ficar bastante satisfeito com as botas que ganhou de Peter. Eu achava que as famílias reais trocavam presentes épicos, como esmeraldas do tamanho de bolas de beisebol. Mas, talvez, quando a pessoa está envolta em opulência o tempo todo, as riquezas acabem valendo menos.

O grão-duque Sergei não está incluído no Natal da família. O que não é nenhuma surpresa.

Depois disso, Paul me acompanha de volta até meu quarto, como sempre, mas ao chegarmos à porta, ele pigarreia.

— Milady?

— Sim?

— Se me ceder a honra... Se não for impróprio aceitar algo de mim... Tenho um presente para você.

Ele parece muito inseguro, bem mais do que o Paul da minha dimensão já ficou. Não consigo evitar um sorriso.

— Tenho um para você também.

Um sorriso ilumina seu rosto.

— Se me permitir...

Assinto com a cabeça, dando-lhe permissão, e ele sai correndo até um quarto próximo, onde deve ter escondido o presente. Pego o último presente que encontrei, embrulhado com tecido vermelho em vez de papel e uma fita branca, e fico segurando-o nas mãos enquanto espero. O que será que ela comprou para ele?

Paul volta com uma pequena caixa, que também foi amarrada com fita.

— Para você, milady.

— E este é para você.

Trocamos os presentes ao mesmo tempo, o que acaba sendo um pouco desajeitado, mas nos faz rir. Tenho plena consciência de que estamos fazendo isso na porta do meu quarto, onde qualquer pessoa poderia passar e nos ver. Mas a única opção seria convidá-lo para entrar, o que deduzo que seria um milhão de vezes mais inapropriado.

— Aqui. Você primeiro.

— Está bem, milady.

Ele tira a fita e o tecido do embrulho e encontra um livro. Seus olhos se iluminam, ele fica emocionado, e leio rapidamente o título: *As leis da óptica Ou A refração da luz.*

É claro. Esse Paul e meu Paul são parecidos o bastante a ponto de ambos serem fascinados por ciência, e a Marguerite desta dimensão deve ter notado isso. Ficar de pé todos os dias me vendo escrever cartas? Isso não basta para ocupar sua mente brilhante. Em forma de reverência, ele passa a mão pela encadernação de couro do livro, como se tivesse acabado de lhe dar de presente os maiores segredos do universo.

— Obrigado — diz ele, e fica claro que está tentando encontrar as palavras certas para dizer. — Eu estava juntando dinheiro para comprar este livro, mas agora... Vou começar a ler esta noite.

Livros são caros neste mundo, além de serem as únicas fontes de informação. Não surpreende que ele tenha ficado emocionado. Sinto uma felicidade que não mereço, pois não fui eu quem escolheu o presente, afinal.

Paul já vai logo se desculpando.

— Meu presente nem se compara com o seu.

— Não seja bobo.

Desembrulho o presente dele o mais rápido que consigo, deixando a fita cair aos meus pés no chão. Quando tiro a tampa da caixa preta, vejo um arco-íris de cores e meu rosto se ilumina de felicidade.

— Giz pastel! Você comprou giz pastel para mim.

— Sei que tem o hábito de desenhar com grafite, milady. Mas achei que... de repente gostaria de experimentar.

Mesmo na minha dimensão, sempre quis trabalhar com giz pastel. Passo a ponto de um dedo pelo giz cor-de-rosa, que deixa minha pele rosada.

— São lindos.

— Não é um presente tão bom quanto o que você me deu...

— Pare com isso. Você não percebeu que nos demos a mesma coisa?

Ele inclina a cabeça.

— Milady?

— Toda forma de arte é outra maneira de ver o mundo. Uma nova perspectiva, uma nova janela. E a ciência... é a janela mais espetacular de todas. Dá para ver o universo inteiro através dela. — Meus pais sempre diziam isso, e por mais piegas que seja, eu acredito. Acredito neles. Sorrio para Paul. — Então, é como se tivéssemos dado para o outro o mundo inteiro de presente, embrulhado com fita.

— Você quer que eu aprenda sobre o universo inteiro? — Seu sorriso é natural, um pouco envergonhado, mas não somos mais guarda e grã-duquesa, e sim apenas um rapaz e uma garota muito próximos um do outro. — Por você, farei isso.

— E por você... — Penso mais sobre o que o giz pastel representa, artisticamente falando. — Passo muito tempo do meu dia pensando em... linhas e sombras. E você quer que eu encontre sutileza e profundidade.

Ele faz uma expressão triste.

— Não foi uma crítica, milady.

— Ah, não, não. Não quis dizer isso. Significa que você... quer deixar meu mundo mais bonito. O que é incrível. Muito obrigada.

— Eu que agradeço.

Coloco a mão por cima da dele apenas por um instante, mas o contato crepita entre a gente. Nós nos entreolhamos e sinto algo que nunca experimentei: uma sensação vertiginosa de estar à beira do abismo, ao mesmo tempo morrendo de medo e com uma vontade louca e inexplicável de me jogar no desconhecido.

— Feliz Natal, milady — murmura ele.

— Feliz Natal.

Nossas mãos se soltam. Ele se afasta da porta. Eu a fecho e ando lentamente até a cama. Segurando a caixa de giz pastel, me jogo na colcha, tentando entender o que está acontecendo.

Aquela sensação, a de estar à beira do abismo... A única vez que senti isso foi em casa, na noite em que Paul e eu conversamos sobre pintura. Na noite em que fiquei sabendo que ele me entendia mais do que qualquer pessoa...

Eu estava sendo sincera quando disse que não acreditava em amor à primeira vista. Leva tempo para se apaixonar realmente por alguém. Mas acredito em *momentos*. O momento em que você descobre a verdade sobre alguém e vislumbram a verdade dentro de você. Nesse momento, você não pertence mais a si mesma, não completamente.

Parte de você pertence a ele, e parte dele pertence a você. Depois disso não há como voltar atrás, não importa o quanto você queira nem o quanto tente.

Tentei voltar atrás quando achei que Paul tinha assassinado meu pai, mas não consegui, não totalmente. Mesmo quando eu sentia ódio dele, eu ainda... sabia que podia tê-lo amado. Talvez já estivesse começando a amar.

E, da mesma forma, também não tenho como voltar atrás no que aconteceu entre nós dois nesta dimensão. Agora algo em mim pertence a ele, e eu sinto, eu *sei*, que ele pertence a mim.

Você viu os desenhos da Marguerite daqui, digo a mim mesma. *Ela já era apaixonada por ele. Quem sabe é a outra Marguerite que está... transbordando em você.*

Não. Sou mais esperta que isso.

Estou apaixonada por Paul Markov. Por *este* Paul Markov. Totalmente, irremediavelmente, inteiramente apaixonada.

Mas estou apaixonada por um homem... ou dois?

Pouco depois do Natal, pegamos o trem real para Moscou sob o pretexto de realizar alguma função oficial. O czar Alexander, na verdade, quer testar seus nobres e oficiais, para ter certeza de que se manteriam leais a ele e não ao grão-duque Sergei. O resto da família está irritado. Mas eu estou animada.

— Vamos encontrar o coronel Azarenko lá? — pergunto casualmente a Vladimir enquanto nos preparamos para sair.

— É provável que sim — responde ele, franzindo a testa. — Por que você se importa com aquele velho detestável?

Dou de ombros, antecipando o momento em que poderei encarar Azarenko e ordenar que ele me devolva o Firebird de Paul.

Isto é, se ainda estiver com ele.

Com base nas aulas de história que tive sobre Napoleão e nos documentários que assisti pela metade em canal a cabo, eu achava que era impossível atravessar a Rússia no inverno. Mas, aparentemente, se a pessoa for russa, tudo bem. O trem real consegue fazer o percurso em algumas horas. Voltaremos para o Ano-Novo e para o maior baile de todos dia 1º de janeiro.

— Quero conhecer o engenheiro! — grita Peter enquanto subimos os degraus aveludados que levam até o carro real. — Por favor, posso conhecer o engenheiro dessa vez?

— Você ficará comigo, assim como seu irmão — insiste o czar Alexander. Ele sequer sorri para seu filho caçula. — Você já tem idade suficiente para ouvir sobre questões do Estado.

Ele tem *dez* anos. Mas seguro minha língua. Já aprendi que discordar do czar só piora as coisas. Meu pai, que está um pouco ao lado carregando a própria mala, contrai o maxilar, da forma que sempre fez quando está com raiva, mas tentando não demonstrar.

O czar olha com desprezo para Peter.

— Ou será que você prefere se sentar no fundo com suas irmãs e bordar?

— Não, vou ficar com você — responde o garoto, parecendo petrificado. Coitadinho.

Assim que o czar se vira, meu pai dá um tapinha no ombro de Peter e diz:

— Na volta para casa, você e eu vamos juntos para a estação um pouquinho mais cedo e deixo você conversar com o engenheiro. Pode ser?

Peter fica feliz da vida, e meu pai e ele sorriem um para o outro. Fico me perguntando se Peter também pode ser filho dele. Não sei como, mas tenho a impressão de que não é, apesar de meu pai se preocupar muito com o garotinho. Ele toma conta do filho da minha mãe em memória a ela, um ato de amor que ela nunca poderá testemunhar e que já dura mais de uma década após sua morte.

— Milady? — chama Paul, baixinho. Pisco para conter as lágrimas.

— Caiu um cisco no meu olho. Foi só isso.

Enquanto o grupo maior de homens segue para o próximo vagão a fim de abordar assuntos diplomáticos e beber vodca ou o que quer que façam ali, Katya e eu permanecemos no vagão real. Pela primeira vez, ela não está empenhada em me irritar, pois está entretida demais em um jogo de cartas com Zefirov.

Paul continua de guarda em frente ao vagão do trem. Leio a última edição do jornal, primeiro como uma tentativa de me acalmar, mas, vou me interessando mais conforme leio.

É bem fascinante: o que Paul disse sobre os padrões se repetirem em dimensões diferentes é verdade. Algumas das mesmas pessoas que eram famosas no meu universo, aqui também são, mas de outra forma. Por exemplo, a "famosa cantora Florence Welch" está terminando sua tour pela Europa na qual cantou *librettos* de óperas. Bill Clinton foi recentemente reeleito presidente dos Estados Unidos. Concorreu pelo Partido Progressista, e na foto ele aparece com aquelas costeletas e um bigode de deixar qualquer hipster com inveja.

E nas notícias de Nova York há uma ilustrada por uma foto do famoso inventor Wyatt Conley.

Conforme o trem balança para a frente e para trás, dobro a página já cheia de vincos e observo a foto mais de perto. Conley está usando um terno antigo e repartiu o cabelo ao meio... Uma aparência realmente péssima. Como isso pode ser moda? Mas, fora isso, ele parece basicamente o mesmo. Seu sorriso não esconde a confiança que ele sente, e sua aparência jovem não disfarça a falta de escrúpulos. A matéria é sobre ele ter inventado a fotografia que se move, e conta que ele já fez filmes "de até dois minutos", o que me faz dar um sorriso afetado. Aparentemente, Conley é famoso em qualquer universo por inovar.

Os freios guincham nos trilhos enquanto o trem desacelera. Apoio a mão no assento de veludo, franzindo o cenho. Olho pela janela e tenho a confirmação de que estamos no meio do nada, cercados de campos cobertos de neve e florestas de pinheiros, ainda muito longe de Moscou.

— Por que estamos parando?

— Deve ter muita neve cobrindo os trilhos — responde Paul, com uma expressão desconfiada. — Vista seu casaco, milady. Apenas por precaução.

Precaução contra o quê? Mas sigo sua sugestão e visto meu casaco comprido de zibelina. Paul vai até o outro vagão descobrir o que está acontecendo.

— Tenho que vestir o meu casaco também? — pergunta Katya a Zefirov.

— Só depois que eu ganhar esta partida — responde ele, rindo.

Mas tem alguma coisa estranha na risada dele.

— Katya? — chamo, me levantando.

— Não está vendo que estou ocupada? — retruca ela.

Zefirov ergue seu rosto redondo e convencido para me olhar. Meu coração acelera. Há alguma coisa errada, terrivelmente errada. Ele sabe o que é. O restante de nós está prestes a descobrir.

— Katya! — Estico a mão para ela, que me olha, irritada, a ponto de me xingar, mas então o tiroteio começa.

15

— Katya!

Eu a seguro pelo braço e a mantenho perto de mim. As cartas dela se espalham pelo chão do vagão do trem, ouros e espadas como lixo no chão a nossos pés.

Zefirov não se mexe, apenas sorri para a gente, um sorriso tão sórdido que tenho vontade de dar um tapa na cara dele.

— Veremos quem é tão superior e poderoso agora. Quem é que precisa jogar cartas com pirralhas mimadas em vez de servir como um soldado de verdade.

Katya começa a chorar. Encostando-a no meu peito, eu a abraço. Embora eu queira perguntar a ele o que está acontecendo, na verdade eu já sei.

— O grão-duque Sergei. Ele está por trás disso, não é?

— Não aceitaremos mais covardes — explica Zefirov ao ficar de pé. — Teremos um czar de verdade, com coragem de nos levar para a guerra.

Guerra? Quando foi que a guerra passou a fazer parte disso? Achei que estivesse começando a entender esta dimensão, mas não estou em casa e sou totalmente ignorante quanto ao que está acontecendo, o que é perigoso. E não há como compreender por completo algo que acabou de ser mencionado.

— Você é o segurança de Peter. É nosso amigo! — protesta Katya.

Zefirov ri enquanto pega a pistola no cinto.

Meu Deus. Começo a me dar conta do que está acontecendo e fico paralisada onde estou. *Vão matar todos nós e depois farão alguma coisa com o trem de forma a parecer que foi um acidente. E Sergei será o herdeiro legítimo ao trono. Ele triunfa assim que todos morrermos.*

Os gritos ecoam pelo resto do trem junto do som dos tiros. Eu sairia correndo com Katya se houvesse para onde ir. Mas não posso fazer nada além de observar horrorizada Zefirov empunhar sua pistola.

Dois tiros são disparados no vagão, tão altos que sinto uma dor aguda nos ouvidos. Mas é Zefirov que cai.

Eu me viro e vejo Paul ali de pé, empunhando a arma.

Ele dá um passo adiante enquanto fico parada em choque, meus ouvidos ainda zunindo.

— Milady, está machucada?

— Nós... estamos bem. O que está acontecendo?

— Nem todos os soldados deste trem são traidores.

Nunca vi Paul tão furioso. Ele acabou de matar um homem sem hesitar e nem se incomoda em dar uma olhada no corpo sangrando no chão.

— Eles podem ter colocado explosivos no trem. Vocês devem correr para a floresta.

A floresta fica a centenas de metros de distância. Começou a cair uma neve fofa e grossa, mas acho que consigo passar por ela. Podemos levar um tiro, mas... se ficarmos aqui, morreremos com certeza.

— Vão! — diz ele, e em seguida aperta minha mão para me acordar do choque. — Corram o mais rápido que puderem e não olhem para trás. Vou encontrá-la, milady. Prometo.

Katya se solta de mim e pega seu casaco. O instinto de sobrevivência da minha irmã deve ser mais forte que o meu. Logo atrás dela, vou correndo até a porta, mas depois dou uma olhada para trás.

— Paul, tome cuidado.

— Vão! — grita ele enquanto volta correndo para o vagão do meu pai.

Desço apressada do trem e caio na neve, que está ainda mais alta do que eu achava: quase batendo nos joelhos. Correr é quase impossível, mas faço tudo que posso.

A neve molhada gruda no meu casaco, no meu cabelo e nos meus cílios. Tudo é pesado e branco, mais grosso que a névoa. Ainda escuto tiros, mas com menos frequência, e a uma distância maior. Devem ter partido para a briga corporal, leais versus traidores, e em alguns locais a neve está manchada de vermelho.

— Marguerite! — A voz aguda de Peter se sobrepõe a todos os sons.

Olho na direção do barulho e o vejo nos braços do papai, que está se esforçando para correr até a floresta o mais rápido que pode. Apesar de estar olhando para mim, sua expressão é de desespero. Mudo minha rota de fuga numa tentativa de segui-los.

Tento correr mais rápido, mas acabo tropeçando. Conforme sigo cambaleando, alguém segura meu cotovelo, e a crueldade do aperto me informa que é um inimigo. Puxo o braço, mas ele tem uma faca e está bem ao meu lado...

— Solte minha irmã!

Katya literalmente pula nas costas do homem, socando-o com as mãos. É a cena mais ridícula e imprudente que eu podia imaginar na vida, mas eu faria o mesmo por Josie.

— Katya, não!

Tento afastá-la do homem, libertá-la para que possa fugir mesmo que eu não consiga. Mas um soldado leal nos alcança. Sua faca corta o pescoço do traidor e ele pega Katya nos braços enquanto o inimigo cai. O guarda começa a correr com ela de volta para o trem.

Katya está segura... tão segura quanto qualquer um de nós está nesse momento. Hora de correr.

Continuo seguindo na direção que meu pai foi. Pelo menos tento ir para lá. A nevasca está piorando a cada instante, dificultando minha visão e tapando as pegadas. Não sei mais ao certo qual é a direção certa, mas vou em frente, sabendo que até uma hesitação momentânea pode me matar. A cada segundo que passa imagino uma bala atingindo minha cabeça e jorrando vermelho do meu crânio enquanto eu caio.

O som dos tiros fica cada vez mais distante assim que, finalmente, entro na floresta. Mas os galhos das árvores bloqueiam só um pouco a neve, e não vejo mais ninguém: nem meu pai, nem Peter, nem qualquer pessoa da minha família. E nenhum soldado também. Estou sozinha.

O que eu faço? Nada que já vivi, em qualquer dimensão, é capaz de me ajudar aqui. Se eu gritar por ajuda, a pessoa errada pode me ouvir. Se eu ficar parada, os soldados fieis a Sergei podem me encontrar. Se eu correr, posso me perder tanto a ponto de nunca ser encontrada por ninguém, nem mesmo por Paul.

Decido, enfim, acreditar que segui na direção certa. Com certeza papai e Peter estão aqui por perto. Se eles entraram ainda mais na floresta, então é o que devo fazer também.

Começo a caminhar um pouco atordoada. Ainda bem que vesti meu casaco, pois sem isso eu já teria morrido de hipotermia. Em casa eu sempre me recusava a usar casacos de pele porque considero-os nojentos, mas estou agradecida pelo aquecimento que este aqui está me proporcionando. *Me perdoem, zibelinas. Juro que desta vez vocês morreram por uma boa causa.*

No entanto, este casaco é mais decorativo do que funcional. Os fechos pretos permitem a passagem da friagem e do vento úmido. Não estou de botas, e sim de sapatos, que já estão encharcados. Meus tornozelos doem por causa do frio e estão começando a ficar dormentes. Meu gorro de pelo continua no vagão, então os flocos de neve caem das árvores no meu cabelo, deixando-o molhado.

Meus dentes começam a bater. Meus passos ficam mais desajeitados e me sinto tonta.

Você precisa continuar, digo a mim mesma. *Tem que encontrar papai. Nada mais importa.*

Tropeço e me apoio em uma árvore. A casca se desfaz na minha palma, mas eu mal sinto isso. Minhas mãos estão duras e vermelhas. Também deixei as luvas no trem.

Continue, penso, embora esteja andando tão devagar que é difícil acreditar que estou fazendo algum progresso.

Nada do meu pai. Nem do Firebird. Nada de Theo. Nem de Paul. Não sei mais onde estou. Quem sou. Só sei que estou cansada. Pelo menos, não estou sentindo mais tanto frio. Há um calor forte e sedutor subindo pelo meu corpo, me dizendo que está tudo bem, que posso parar agora, fazer uma pausa e descansar por quanto tempo eu quiser.

Continue…

Afundo até os joelhos ao lado de um dos maiores pinheiros. Apoio a cabeça no tronco, me dizendo para não parar, não dormir, só descansar um pouquinho para recuperar a força.

Quando sinto meu corpo cair para trás, a neve é tão macia quanto uma cama, e não estou com medo.

Acordo com o estalar do fogo, quentinho e confortável. Estou aquecida... e não é a ilusão do calor da floresta, e sim um calor de verdade, vindo de um fogo real.

Sinto a maciez do colchão embaixo do meu corpo, e pelos acima de mim e ao meu redor.

Abro os olhos e encontro Paul deitado ao meu lado.

— Milady? — sussurra ele, o rosto indicando uma esperança repentina.

— Onde... onde estamos?

— Em uma dacha na floresta. Restaram alguns suprimentos aqui, o suficiente para nos mantermos.

Vários russos têm dachas, um tipo de pequeno chalé no interior onde eles passam o verão, plantam vegetais na horta e nadam no lago. Essas casas ficam vazias no inverno, a maioria isolada de tudo. Ao olhar em volta noto que as paredes simples são brancas, que há uma estátua de Nossa Senhora e um pequeno fogão de madeira laranja por causa do calor. Meu vestido molhado e o uniforme do Paul estão pendurados em ganchos na parede para secar.

Debaixo do meu casaco de pele e de alguns cobertores, Paul e eu estamos deitados juntos na cama de solteiro desta dacha, vestindo apenas nossas roupas de baixo.

— Minha intenção era apenas de ressuscitá-la, milady... — balbucia ele.

— É claro. — É isso que se deve fazer com pessoas com hipotermia: esquentá-la com o calor do corpo da outra. Mesmo se eu não soubesse disso, eu entenderia que Paul só queria ajudar. Rolo na cama para encará-lo. — Onde está meu pai? E meus irmãos e minha irmã? O czar? — Se Paul notou que me referi a meu pai e ao czar como sendo duas pessoas diferentes, não deixou transparecer.

— O czar sobreviveu, milady, e Vladimir também. Quanto aos outros... não sei. Nossas forças recuperaram o trem real, disso tenho certeza. Mas não pude permanecer lá por muito tempo, pois era meu dever encontrá-la.

Será que percorri todo esse caminho para ter que enfrentar a morte do meu pai outra vez? Será que ele está condenado em todo lugar? Ele é um homem bom destinado a morrer pela crueldade e ganância dos outros?

Se meu pai foi morto, fez isso tentando proteger Peter. Imaginar aquele garotinho caído morto na neve me apavora tanto quanto pensar no meu pai sem vida. E Katya! Minha irmãzinha se transformou numa gladiadora ao tentar me resgatar. Será que a machucaram? Não consigo suportar a ideia de imaginá-la morrendo por minha causa, por uma impostora.

E se mataram meu pai hoje... Se ele se perdeu na neve, na floresta... Isso significa que é provável que esse também é o fim do Firebird, e nunca mais vou voltar para casa.

— Milady — sussurra ele. — Não tenha medo.

— Você nem sabe me dizer se eles estão vivos ou mortos. Não tente me confortar com mentiras.

— Eu não faria isso.

E é verdade. Paul pode ser durão, esquisito ou brusco, mas ele é sempre sincero comigo. Como pude achar que ele tinha nos enganado?

Tento sorrir para ele, embora eu saiba que minha expressão deve estar tão péssima quanto eu me sinto.

— Mas se você não está mentindo, então como pode afirmar que não preciso ter medo?

— Só quis dizer que você está em segurança, milady. Assim que estiver aquecida e descansada, podemos ir atrás do trem real amanhã de manhã.

— E os outros estarão lá? — Eu me encho de esperança.

— Não, milady. Acredita-se que as tropas leais ao grão-duque Sergei estão cercando São Petersburgo. O czar e Vladmir se afastaram um pouco para montar acampamento com o intuito de se prepararem para a batalha. Preciso levá-la até o trem para que você retorne em segurança para Moscou, que se mantém fiel ao czar.

Então, se meu pai e Peter sobreviveram, também serão mandados para o acampamento. Já sei que o czar Alexander acredita que até seu filho caçula deve aprender a ser um soldado. Por isso, ele insistirá que Peter se aproxime da batalha, por mais brutal que isso seja. Meu pai nunca deixaria Peter sozinho lá. Ele insistiria em ficar ao lado do garoto para confortá-lo, mesmo que isso significasse arriscar a própria vida mais uma vez.

— Não. Não vou para Moscou. — O único motivo que eu tinha para ir até lá era procurar pelo coronel Azarenko, mas é provável que ele também esteja na batalha, não é? — Você deve me levar para o acampamento.

— Milady, recebi ordens.

— Também posso lhe dar ordens, não é? Você precisa me levar até lá. Não posso ir para Moscou.

— Você precisa ir. — A voz de Paul ganha mais urgência, e sem pensar muito ele se aproxima de mim, tentando me fazer ver o mesmo que ele. — É muito arriscado.

— Se meu pai morrer, quero morrer também.

— Não diga isso. Deve pensar no seu dever. Pelo menos um membro da próxima geração da dinastia Romanov deve ficar em segurança.

— Vou para o acampamento com ou sem você.

Tudo o que preciso fazer é seguir as marcas dos trilhos de volta a São Petersburgo, não é? É claro que não pode ser tão simples assim. Mas me recuso a admitir isso. Preciso descobrir se ainda tenho alguma esperança de voltar para casa ou se tenho que morrer tentando.

— Você deve ficar viva, milady.

— Por quê? — Agarro a gola da camisa dele. — Por quê? Estou presa em uma vida que não é minha.

Ele não sabe me responder, então só me encara. Minha mão começa a ficar trêmula, e minha voz também.

— Falhei com todo mundo. Falhei com meu pai, com minha mãe, com minha irmã, com Theo, com você... com todo mundo. Falhei em todas as coisas. Não vou ficar presa aqui. Não vou me casar com um homem que nem conheço. Mas não vejo saída para nada disso. Então, se é isso que me resta, se essa é a única vida que me resta... não quero.

Por alguns instantes, ele fica sem saber o que dizer. Permanecemos ali, deitados, frente a frente, minha mão apoiada no peito dele, nossos pés se tocando. É o mais perto que ficaremos um do outro. Nunca mais teremos oportunidade de ficarmos realmente sozinhos.

— Se não por você mesma, milady, fique viva por mim — diz ele, finalmente. Nossos olhos se encontram. Suas próximas palavras saem num sussurro: — Não preciso de um mundo sem você nele. Não sei se o que sinto é pelo Paul desta dimensão, pelo da minha ou pelos dois. Não sei mais a diferença, e, para ser sincera, não estou me importando nem um pouco.

Meus dedos sobem para o seu pescoço, alcançando o ponto do seu queixo onde começa a barba cerrada, e vão até o canto da boca. Ele abre um pouco os lábios e suspira.

— Paul — murmuro. — Me chame pelo meu nome.

— Sabe que não posso.

— Só uma vez. Só desta vez quero ouvir você dizer meu nome.

Ele aproxima o rosto do meu, ficando tão perto que quase nos tocamos.

— Marguerite.

E nos perdemos.

Sou eu quem desobedece a última regra, o último tabu: dou um beijo nele. Mas em seguida ele se rende. Perde o controle. Nós nos emaranhamos, nos beijando desesperadamente, agarrando as poucas peças de roupa que ainda vestimos, sem conseguirmos respirar nem pensar direito, muito menos fazer algo além de nos perdermos um no outro.

Quando agarro a bainha da sua camiseta, ele a levanta para me ajudar a tirá-la. Depois tiro as alças da minha camisola dos ombros. Eu nunca tinha considerado meu corpo magrelo bonito, não até ver os olhos de Paul se escurecerem ao se voltarem para mim. Não até vê-lo se abaixando para me beijar com mais intensidade e desejo que antes.

— Marguerite — diz ele, ofegante, com o rosto no meu ombro. — Não podemos... não *devemos*...

— Devemos.

Inclino meu corpo sobre o dele, um convite que todo homem entenderia. Ele me beija mais uma vez, nossas bocas abertas, a forma como nos movimentamos nos deixa ainda mais próximos.

— Tem certeza?

— Sim. Paul, sim, por favor...

Sua mente está lutando contra os próprios pensamentos, ainda que seu corpo esteja fazendo o oposto.

— Me perdoe. Me perdoe.

— Não tem o que... Ah. *Ah.*

Cravo os dedos nos ombros dele e mordo o lábio inferior. Aproximo meu corpo do dele, para recebê-lo completamente.

Ele afunda o rosto na curva do meu pescoço. O corpo dele inteiro treme com o esforço para ir devagar.

— Você... você está... — balbucia ele.

Beijo sua testa. Minhas mãos percorrem as costas dele, a curva do seu quadril, admirando a firmeza dos músculos e dos ossos. Em vez de respondê-lo com palavras, me aproximo mais. Ele geme, passa os dentes pelo meu pescoço e me deixa guiar.

— Eu te amo — sussurra ele. — Sempre te amei.

— Também te amo — digo, com sinceridade, ainda que eu não tenha certeza se amo esse Paul, o outro, ou todos.

Quando acordo de novo, já é tarde da noite. A única janela minúscula exibe um céu azul-prateado acima de um peitoril imerso alguns centímetros na neve. Nosso fogão ainda brilha com o calor e Paul continua deitado ao meu lado, me abraçando, oferecendo seu ombro como travesseiro.

A gravidade do que fiz é óbvia, mas não me arrependo. Sabendo como a grã-duquesa Marguerite se sentia por Paul, suspeito de que ela teria feito o mesmo, teria tomado a mesma decisão, mas nada muda o fato de que fui eu quem fez a escolha por ela. A noite que ela passou com o homem que ama pertence a mim. É um roubo que nunca terei como restituir.

Quanto a mim, bem, em casa já fiquei com alguns garotos. Já fiz bem mais do que só beijar, na verdade, embora nunca tenha ido tão longe quanto agora. Mas não estou menos encantada com isso, nem menos atordoada.

Os lábios de Paul roçam meu cabelo e penso: *nunca vou amar alguém assim. Nunca poderia.*

Culpada, me lembro de Theo. Se ele tivesse sido um pouco mais egoísta, um pouco menos carinhoso, nós teríamos passado aquela noite juntos em Londres.

Penso também no meu Paul Markov, que me disse que eu só conseguia pintar a verdade. Ele está comigo agora, profundamente adormecido dentro do homem com quem fiz amor. Não sei se ele vai se lembrar disso depois, o que seria... esquisito. Não o conheço tão bem para prever como vai reagir.

Mas conheço *este* Paul, de todas as formas possíveis que uma mulher pode conhecer um homem. Ele provou diversas vezes sua lealdade e devoção a mim. E não há nada que este Paul não faria por mim.

— *Golubka* — sussurra ele. É uma palavra russa carinhosa que significa "pombinha". É supercomum nessa língua. É normal as pessoas se chamarem fazendo referência a animais pequenos.

Quando Paul me chama assim, no entanto, tem alguma coisa na maneira que ele me abraça — me aninhando no peito, me envolvendo com força enquanto suas mãos enormes afagam minhas costas — que lembra como alguém seguraria um pequeno passarinho, algo frágil e trêmulo, se estivesse tentando protegê-lo e mantê-lo por perto.

Já tomei minha decisão. Ergo o rosto para ele, que dá um sorriso suave enquanto passa os dedos em meu cabelo.

— Você está bem, milady?

— Milady? Até agora?

— Marguerite. — É óbvio que ele ainda fica surpreso só de ter permissão para falar meu nome. Seus olhos cinzentos procuram os meus. — Não se arrependeu disso?

— Não. Nunca vou me arrepender, jamais poderia.

Dou outro beijo nele, e passamos um tempo perdidos mais uma vez um no outro.

Quando nossos lábios finalmente se afastam, Paul fica um pouco ofegante.

— Você precisa saber que eu nunca vou revelar o que aconteceu aqui. Nem com palavras, nem com atos.

O que fizemos é expressamente proibido. Se o czar descobrir que transamos... Bom, duvido que seja atrasado o suficiente para mandar matar Paul por causa disso, mas ele certamente seria rebaixado e mandado para algum lugar remoto, talvez a Sibéria. E o que aconteceria comigo? Não tenho certeza, mas sei que não seria nada bom.

— Fica entre nós — respondo gentilmente. — Esta noite é nossa, e de mais ninguém, para sempre.

— Para sempre.

Acaricio a bochecha dele com uma das mãos e digo:

— Agora preciso contar outro segredo. Promete guardar esse também?

— É claro, mi... Marguerite. — Ele franze o cenho, curioso, é claro, porém disposto a fazer o que pedi. — O que precisa me contar?

Respire fundo. Aí vai.

— A verdade.

16

Mamãe e papai já me disseram como Paul é inteligente. Vi equações de física flutuarem da sua caneta enquanto ele conversava sobre algo completamente diferente. Além disso, Paul ajudou a desenvolver a viagem interdimensional. Então sabemos que ele é esperto.

Mas nunca acreditei na genialidade dele tanto quanto nesse momento, quando, meia hora depois de contar minha história, ele já começou a entender por alto a teoria das dimensões paralelas.

— Então você é, ao mesmo tempo, a grã-duquesa Marguerite e outra Marguerite — observa ele. — Vocês são o mesmo indivíduo, mas levando vidas separadas.

— No momento, não tão separadas assim.

— E você acredita que agora sou eu mesmo e este outro Paul, o que teve o privilégio de cursar uma faculdade e se tornar cientista.

A forma que ele coloca isso em palavras me assusta. Apenas os filhos de pessoas muito ricas podem sonhar em ir para universidade aqui. Por isso, não surpreende que ele tenha ficado tão contente com o livro de óptica que lhe dei de presente.

— É verdade. Ele... está adormecido dentro de você. Inconsciente. Mas é parte de você.

Ele apoia os braços nos joelhos, sério e concentrado mesmo que a gente continue junto na cama, com as cobertas ainda bagunçadas ao nosso redor e o casaco de pele cobrindo nossos pés. A expressão de Paul me é familiar, mas faz pouco tempo que comecei a entendê-la de verdade. É a cara que ele faz quando analisa uma situação por completo, pesando cada questão e permutação, desvendando os segredos. Por fim, ele diz:

— Isso explica meus sonhos.

— Sonhos?

— Nas últimas duas semanas, meus sonhos têm sido... abundantes e estranhos. — Agora ele não sorri para mim. Em vez disso, parece concentrado nas imagens em sua mente. — Sonhei com você pintando, em vez de desenhando, e seu cabelo era solto e bagunçado. E sonhei com sua mãe, viva outra vez, me ensinando física. E com professor Caine agindo quase como se fosse um pai para mim. Sonhei com cômodos bem menores que os do palácio, mas que abrigavam coisas maravilhosas, como máquinas que funcionam feito uma biblioteca, contendo todos os fatos imagináveis.

— Computadores. Minha mãe *está* viva, na minha dimensão, e ela é mesmo sua professora. Sua orientadora na faculdade. Ah, meu Deus, você se lembra!

— Também sonhei com um amigo, ou um irmão, não tenho certeza, que sempre me coloca em confusões, mas toda vez tem uma boa intenção por trás. — Ele semicerra os olhos como se fosse me testar. — Me diga o nome dele.

— Theo. O nome dele é Theo.

Paul respira fundo.

— Então o que você está dizendo é verdade.

Caio na gargalhada.

— Você realmente acredita em mim. A maioria das pessoas acharia que enlouqueci.

— Se você tivesse enlouquecido, essa história seria um pouco mais melodramática. — A franqueza dele me pega de surpresa. Paul nota minha reação. — Só quis dizer que você tem um espírito apaixonado. Almeja a agitação e arranja isso onde dá. Se sua mente estivesse inquieta, seus impulsos a conduziriam. Em vez disso, você está me dando uma explicação nem um pouco ortodoxa de uma maneira completamente razoável. Portanto, está dizendo a verdade.

Ele tem razão? Eu arranjo uma agitação onde posso? E sobre ser melodramática?

Você se aventurou em uma vingança não confirmada contra Paul usando um dispositivo experimental que nunca tinha sido testado, penso. *Pode ser que ele esteja certo.*

Paul observa atentamente meu rosto, como se fosse o pintor que precisa conhecer cada sombra, cada linha. Ele acrescenta baixinho:

— Acho que eu acreditaria em você de qualquer forma.

Mas ninguém nunca colocou tanta fé em mim. Sinto meu coração se aquecer mais uma vez, daquele jeito que me faz sentir exposta, mas ao mesmo tempo feliz, mais feliz do que já fui na vida.

— Você precisa me ajudar a encontrar o Firebird, o que o coronel Azarenko pegou de você.

— Não me lembro disso. Mas, de acordo com o que você descreveu, eu não deveria me recordar mesmo.

O Firebird tem a qualidade de um objeto de outra dimensão: não é intangível, não é invisível, mas tem a vantagem de passar despercebido facilmente. Passo a mão no meu cabelo desgrenhado.

— A última notícia que temos é que Azarenko estava em Moscou. De que lado da briga você acha que ele ficou?

— Ele é leal ao czar Alexander a ponto de ser fanático. Ele conduzirá tropas de Moscou diretamente para a batalha. Não tenho dúvidas de que ele já está na linha de frente.

— Então temos que ir para lá.

— Você devia ir para Moscou. — Os olhos dele encontram os meus, calmos e seguros. — Precisa entender que é perigoso.

— A essa altura, você precisa entender que há mais coisa em risco do que a minha vida.

— Não — diz ele, brevemente. — Para a grã-duquesa Marguerite, este é o único risco, o único perigo real.

O vento canta do lado de fora, batendo no vidro da janela e nos galhos das árvores como se estivesse se vingando por ter sido trancado para fora.

Como soldado, ele deveria ter obedecido minhas ordens apesar de seus protestos. Nosso relacionamento nunca mais será tão simples como hoje. O amor que sente por mim significa que ele vai me proteger mesmo que eu perca a chance de voltar para casa.

— Pelo que sabemos, o grão-duque Sergei já foi forçado a recuar.

Paul assente.

— Ele seria um tolo por se rebelar com tão pouco apoio... mas também acredito que ele seja um tolo.

— Então, pelo menos, devíamos procurar o acampamento. Devíamos descobrir o que está acontecendo antes de tomar qualquer outra decisão, não acha?

— Você vai brigar comigo durante todo o trajeto até Moscou, não vai?

Ele diz isso como se estivesse prestes a me colocar no ombro e me arrastar até lá, mesmo se eu chutar e gritar o caminho inteiro. Ai, meu Deus, pode ser que ele faça mesmo isso.

— Preciso descobrir se meu... se meus irmãos, minha irmã e se o professor Caine sobreviveram. Se o Firebird continua inteiro. Se foi destruído, se não conseguirmos encontrar o coronel Azarenko, ou ainda se ele perdeu seu medalhão, então vou ficar presa aqui para sempre.

— E a grã-duquesa Marguerite ficaria presa em você para sempre.

Sinto um aperto no peito ao pensar que Paul ainda está considerando protegê-la em primeiro lugar, apesar de tudo, apesar de mim. Porém, o que mais eu poderia esperar dele?

De forma mais gentil, ele acrescenta:

— Quero *vocês duas* livres.

— Isso faz de mim uma cela de cadeia. — Sai como se fosse uma piada, e me arrependo no mesmo instante, porque não era. Em seguida, sussurro: — Como você pode não me odiar?

— Você não é minha Marguerite. E, ao mesmo tempo... é. O essencial que vocês duas compartilham, a alma, é *isso* que eu amo. — O sorriso de Paul é o mais lindo e o mais triste que já vi. — Eu amaria você em qualquer corpo, em qualquer mundo, com qualquer passado. Nunca duvide disso.

Mal consigo suportar olhar para ele, pois é como encarar o brilho e o calor do sol, sabendo que está queimando, mas, enquanto isso, esse mesmo sol torna sua vida possível.

— O que você vai fazer se o pior acontecer? — pergunta ele. — Se não conseguirmos recuperar e consertar os Firebirds?

— Acho que terei que levar a vida desta Marguerite. Para sempre.

Isso basta para me deixar enjoada.

— Isso seria tão terrível assim?

— Como você pode me perguntar isso agora?

Ele segura minhas mãos.

— Não importa o que aconteça, não importa o que você vai se tornar, se estiver aqui, sempre ficarei com você.

Seguro seus dedos entre os meus. Ele leva minha mão aos lábios e dá um beijo. Ficamos ali sentados, em silêncio, por um tempo.

Por fim, digo:

— Não quero pensar no que pode acontecer se a gente falhar. Ok? Porque vamos conseguir. Vamos achar ou consertar um dos Firebirds, não importa o que for preciso. Nada mais importa.

Com um suspiro, Paul diz:

— Sei o que isso significa. Significa que tenho que levá-la para o acampamento das forças do czar. — E antes que eu possa responder, ele prossegue: — Se houver combate, ou se virmos alguma evidência de perigo, vamos dar meia-volta e nenhum dos dois vai parar até chegarmos a Moscou. Não vou colocar você em perigo.

— Ok. Quer dizer, sim. É isso que vamos fazer.

— Amanhã de manhã, então.

— Amanhã de manhã.

O que nos dá mais uma noite.

Ainda que a gente esteja nu na cama onde fizemos amor, nenhum dos dois tenta nada. A verdade muda as coisas. Ainda não sei exatamente como, mas muda.

— Talvez não devêssemos... não devêssemos — começa Paul. — Já coloquei você em perigo.

Perigo? Ah, por *perigo* ele quer dizer gravidez. Não que fosse uma coisa boa eu ficar grávida em nenhuma dimensão, mas para a grã-duquesa Marguerite — que, espera-se, será a noiva virgem do Príncipe de Gales —, isso seria pessoal e politicamente desastroso. Sinto o pânico crescer no meu estômago, mas me convenço de que foi só uma vez.

É errado eu querer isso, considerando minha situação terrivelmente complicada? Não sei. Não tenho como saber. A única verdade na qual posso confiar é a de que precisamos um do outro, e que esta noite nunca mais se repetirá. Então levo a mão dele aos lábios e beijo os nós de todos os dedos, a parte macia de cada dedo, o centro da palma da sua mão.

— Será que ela teria escolhido isso? — pergunta ele, baixinho. — A grã-duquesa. Eu nunca teria... se ela não quisesse ficar comigo, então eu...

— Dei uma olhada nos desenhos que ela fez de você, que me contaram toda a história. — A princípio, me sinto culpada ao admitir isso, por revelar os segredos da outra Marguerite. Mas sei que ele também precisa entender a verdade. — Ela ama você. Sonha com você. Se ela estivesse aqui, acho que teria feito exatamente a mesma escolha.

Ele quer muito acreditar em mim. Dá para ver em todas as partes tensas do seu corpo o esforço que ele faz para se conter.

— Mas qual... qual parte de você escolheu?

Eu me inclino para mais perto dele.

— Todas as partes de mim — sussurro. — Todas as Marguerites. Nós duas te amamos, completamente. De corpo e alma.

— Todas as Marguerites — repete ele, e ele para de conter seu desejo. Mais uma vez, nos rendemos um ao outro.

O dia seguinte amanhece frio, mas claro. Nós nos acomodamos para tomar café da manhã — ou o mais próximo disso, se tivéssemos alguma comida. Na dacha encontro um cachecol estampado para amarrar no cabelo; apesar de não aquecer tanto quanto meu gorro de pelos, isso é melhor do que nada. Paul insiste para que eu coloque as luvas dele. São grandes demais para mim, o couro fica sobrando no punho e nos dedos, mas fico agradecida com o calor que elas proporcionam.

Muita neve significa que levamos horas até encontrarmos um lenhador e sua esposa procurando madeira. Paul tem algumas moedas, e promete que o czar vai recompensá-los no futuro com muito mais do que moedas. Eles parecem desconfiados, mas acabam nos emprestando o trenó e o cavalo, além de nos dar o pedaço de pão que tinham trazido para comer ao longo do dia. Insisto em levá-los até a casa mais próxima antes de seguirmos, uma gentileza que provavelmente não partiria da grã-duquesa Marguerite, considerando os olhares que me dão quando ofereço isso.

O velho casal me encara e até mesmo Paul parece surpreso, mas os deixamos em uma casa próxima antes de seguir viagem.

Assim que partirmos, coloco os braços em volta dele, que balança a cabeça.

— Não deve fazer isso, milady.

— Você vai continuar me chamando assim? — Na verdade estou achando bastante sexy, mas eu achei que já estaríamos na fase de chamar pelo primeiro nome.

Ele nem se dá o trabalho de olhar para mim, continua fixo no que está a sua frente enquanto solta meu braço.

— A partir de agora, a qualquer momento, podemos ser observados. Meu comportamento com você deve ser o mais correto possível. Irreprovável. Você é a filha do czar. Nós... nos permitimos esquecer isso por um tempo. Porém, não podemos esquecer nunca mais.

Ele tem razão, mas isso não diminui a dor que sinto. Entrelaço as mãos no meu colo. Estamos um do lado do outro, mas sem nos tocar.

Exatamente como antes.

Enquanto Paul apressa o cavalo pela neve, pisco com a luz do sol refletindo no solo branco e digo a mim mesma que apenas a luz forte está machucando meus olhos, e nada mais.

É um dia longo e silencioso, interrompido apenas pelo som encharcado do cavalo se esforçando para avançar pela neve, o som metálico dos trilhos deslizando sobre o gelo e minha oferta ocasional de pão e água a Paul. Nós dois estamos famintos, então o pão acaba bem depressa.

O que acontece se as tropas do czar forem forçadas a recuar, ou pior, se forem dizimadas? Só agora começo a me dar conta de que Paul não estava apenas preocupado em evitar que levássemos um tiro quando quis que fôssemos para Moscou. Ele estava preocupado em nos manter alimentados.

Mas conforme o sol da tarde começa a colorir os topos dos pinheiros de dourado e laranja, vemos um acampamento ao longe, e balançando acima dele está a bandeira vermelha e branca da Rússia. A bandeira do czar. Paul apressa o trenó pelo restante do caminho, impulsionando o cavalo, e já ao nos aproximar do acampamento, um dos soldados vem correndo em nossa direção. Eu o reconheço e me levanto, balançando os braços.

— Vladimir!

— Margarita! — Ele estende os braços para mim, e pulo no colo dele. Damos um abraço tão apertado que mal conseguimos respirar. Mas o humor de Vladimir logo muda. — Markov, você deveria levá-la para Moscou assim que a encontrasse.

— Não o repreenda — interrompi. — Ordenei que Markov me levasse até você. Ele não teve escolha.

Olho de volta para Paul, mas ele já está parado em posição de guarda ao lado do trenó. Mais uma vez, é o soldado exemplar. Seguro a mão do meu irmão.

— Katya? Peter?

— Estão seguros em Moscou, onde você também devia estar. Embora eu não possa culpar Markov por isso, hein? Sua boba teimosa.

Vladimir dá um beijo estalado na minha testa que desfaz o comentário maldoso.

Ainda de guarda, Paul diz:

— Senhor príncipe, a insurreição já foi derrubada?

— Não totalmente, mas estão começando a se retirar. — Os dedos de Vladimir se apertam ao redor dos meus. — Nosso pai tem a lealdade de quase todos, poucos regimentos são exceção, e, em segredo, alguns já ficaram sabendo que seriam perdoados caso abandonassem a causa de Sergei e abaixassem as armas. É claro que nosso pai não está pronto para ouvir isso, mas dê a ele um ou dois dias para a poeira baixar. Quando ele souber que você está bem, eu me atreveria a afirmar que estaremos a dois passos de resolver tudo.

Demoro a absorver a informação: o lembrete de que, por mais rígido e frio que o czar Alexander V possa ser, ele realmente acredita que sou sua filha, e, no mínimo, ficaria preocupado se eu me ferisse. Mas isso não muda o fato de que quero meu pai de verdade.

— E o professor Caine está bem?

— São e salvo. E receberá uma medalha por ter resgatado Peter. Quanta calma na linha de fogo! Eu nunca poderia imaginar que ele não foi da infantaria.

Vladimir assente para Paul, dispensando-o. É algo perfeitamente razoável a se fazer, mas agora me parece desdenhoso e superior... Ele realmente está apenas ilustrando o vão que existe entre a dinastia Romanov e todas as outras pessoas da Rússia, o abismo entre Paul e eu, aquele que nunca conseguiremos cruzar novamente.

Olho para ele por cima do ombro do meu irmão. Seus olhos cinzentos se fixam nos meus apenas por um instante, antes que ele se vire para dar uma olhada no pobre e exausto cavalo.

— Venha — diz Vladimir. — Vamos tomar um café quente, talvez com umas gotinhas de conhaque. E você pode me contar tudo sobre sua fuga selvagem.

Não tudo, penso.

O czar está feliz por eu estar viva, ou pelo menos é o que ele diz. De maneira geral, ele fica furioso por eu estar aqui e não em Moscou, mas concentra sua raiva toda em mim, e não em Paul.

— O que você achou que poderia fazer aqui? — grita ele durante o jantar na sua tenda do acampamento, enquanto tomávamos um ensopado em tigelas de metal. — Mulheres na frente de batalha. Absurdo!

— E as enfermeiras? — protesto, fazendo o czar olhar para mim como se eu tivesse enlouquecido. Ninguém nunca o contradiz. Talvez ele devesse ouvir opiniões diferentes com mais frequência. Como quem não quer nada, continuo: — Onde está o regimento do coronel Azarenko? Eles não estão aqui?

— Ele voltou para São Petersburgo para reunir tropas adicionais, mas se juntará a nós em breve — responde Vladimir. — Amanhã, esperamos.

— Agora você está preocupada com os movimentos das tropas? — resmunga o czar para mim, mas eu ignoro.

Ok, o coronel Azarenko está a caminho. Mas quais são as chances de ele estar com o Firebird de Paul? E se o seu regimento enfrentar uma batalha antes de chegar aqui? Ele pode ser morto, o que, obviamente, seria triste para a família dele e tal, mas admito que neste momento estou mais preocupada com o fato de que, se ele morrer, a informação sobre o paradeiro do Firebird morre junto.

Quando o grupo se separa depois do jantar, em vez de voltar para a pequena barraca que prepararam para mim, digo para Paul:

— Quero visitar o professor Caine.

Ele assente.

— Está bem, milady.

Sua postura é tão rígida, sua expressão parece tão deliberadamente vazia que tem o efeito exatamente contrário do que ele pretende. Qualquer pessoa prestando atenção notaria que algo mudou entre nós.

Por sorte, nenhum dos oficiais à nossa volta repara em algo estranho no comportamento de Paul. Ele segue alguns passos atrás de mim enquanto andamos até a barraca que Vladimir disse ser do meu pai. E por mais que faça semanas que estou vivendo nesta dimensão, ainda que eu saiba que devo chamá-lo de professor Caine... Quando Paul puxa a cortina da barraca e vejo meu pai sentado diante de uma mesa de acampamento, escrevendo à luz de velas... corro para abraçá-lo. Ele ri, constrangido.

— Sua Alteza Imperial! Eles me disseram que você estava bem. Ainda bem.

— Estou muito feliz em ver você — digo, e minha voz sai abafada no ombro dele.

— Também estou feliz em vê-la. — Ele retribui meu abraço, apenas por um instante. — Ouvi dizer que é preciso agradecer ao heroico tenente Markov pelo seu retorno em segurança.

Sorrio para Paul, que fica ainda mais rígido.

— Sim, ele foi mesmo um herói. Você tem certeza de que está bem? Não devia ter ido para Moscou também?

— Sua Majestade Imperial quer que eu informe esses acontecimentos ao meu rei, para garantir que outras nações conheçam a verdadeira versão da rebelião. — Ele franze a testa, preocupado. — Mas eu queria ter ficado com Peter. Ele estava muito assustado.

— E Katya? — pergunto. Ele sorri.

— Katya estava pronta para mirar pessoalmente um canhão no grão-duque Sergei. Ela teve que ser arrancada da linha de frente. É uma pena que as mulheres não possam ser soldados. Sua irmã tem o espírito lutador de dez homens comuns.

— Acredito.

Ela atacou o soldado que tentou me matar, mesmo ele tendo uma faca e ela podendo usar apenas as mãos. Mas ninguém deveria subestimar os punhos dela.

— Mas você vai encontrar Peter em breve, não vai? Ele precisa de alguém. — Meu pai afasta meu cabelo do rosto e logo em seguida se censura, se dando conta de que não deveria demonstrar tanta afeição pela "filha do czar".

— Em breve — prometo —, mas antes preciso de um favor seu. Lembra-se do medalhão que dei para você consertar? Ainda está com ele?

Meu pai pisca, sendo pego de surpresa.

— Sim, está na minha mala nova, inclusive. Mas com certeza isso não é importante agora.

— Por favor, me deixe vê-lo.

A mala dele está no canto da barraca. Ele a abre e pega o lenço de renda. Meu coração quase para quando vejo que o Firebird continua em vários pedaços. Ele já conseguiu juntar algumas partes, mas nem está perto de acabar.

— Isso é na verdade muito interessante — diz ele. — As partes formam um mecanismo, o que é óbvio, apesar de eu ainda não entender bem o que deveria fazer. Mas existe uma lógica fascinante em sua construção... complicada, mas inegável. Mal posso esperar para terminar de montar o resto.

— Preciso que você se apresse. Preciso disso montado o mais rápido possível.

Meus dedos percorrem a corrente do medalhão. É tudo que posso fazer para não agarrá-lo. Nunca mais quero ficar longe dessa coisa.

Meu pai claramente não quer me contradizer, mas ainda assim acrescenta:

— Sua Alteza Imperial, estou seguindo ordens do czar. Por mais que eu admire muito o valor sentimental que você tem por esse medalhão, neste momento temos preocupações bem maiores.

— Não temos. Não temos mesmo, de jeito nenhum. — Como é que posso convencê-lo?

Volto a olhar para Paul e penso: *ele acreditou em mim. Será que meu pai não acreditaria também? Ainda mais se Paul me der cobertura?*

Então, pela segunda vez em vinte e quatro horas, conto a verdade para alguém desta dimensão: sobre quem realmente sou, de onde venho, o que os Firebirds são capazes de fazer.

Mas meu pai não acredita.

— Sua Alteza Imperial, pare um pouco e considere o seguinte — diz ele, com um tom de voz suave. — Ontem você sofreu um tremendo choque. O medo por si só teria confundido a maioria das pessoas. Se ainda somarmos isso a quase morrer congelada...

— Estou bem! Acha que pareço histérica? — Espere. Estou aqui falando sobre dimensões paralelas, então não devia ter perguntado isso. Direciono a atenção dele para o viajante dimensional mais sóbrio. — E o tenente Markov? Os sonhos dele são as memórias do meu Paul Markov. Como isso seria possível se não fosse verdade?

— O que sua Alteza Imperial diz está correto — confirma Paul, ainda em posição de guarda. — Acredito nela.

Meu pai suspira.

— Me perdoe por dizer isto, tenente Markov, mas nós dois sabemos que você daria cobertura para a grã-duquesa mesmo se ela afirmasse que veio da lua.

Continuo tentando.

— Sei que essa conversa sobre dimensões paralelas parece estranha, mas estou lúcida, e lhe contando a verdade. É por isso que preciso do Firebird funcionando. O mais rápido possível.

Ele com certeza não está convencido. É provável que pense que vou sair desse transe após uma boa noite de sono.

— Vou continuar trabalhando nele. Prometo isso para você. Mas as ordens do seu pai são prioridade.

E então descubro um jeito de convencê-lo.

— Sei de coisas que a grã-duquesa Marguerite jamais descobriria sozinha — digo. — Coisas que provam que vim de outro lugar. De outra realidade.

Paul parece intrigado do outro lado da barraca. Meu pai mais parece estar querendo tirar sarro de mim e pergunta:

— Como o quê?

— Sei que o czar não é meu verdadeiro pai. Você é — sussurro.

17

— Sophia nunca me contou isso — diz ele. — Não com palavras.

Estamos sentados juntos na sua barraca, minhas mãos sobre as dele. Os fragmentos do Firebird estão na mesa de acampamento, brilhando sob a luz de velas. Eu me aproximo, curiosa para ouvir como, neste mundo improvável, fui concebida.

— Então você não tinha certeza até agora?

— Eu tinha certeza. — Meu pai está sorrindo, mas é o riso mais triste que já vi. Porque ele não está olhando para mim, está encarando o passado, minha mãe, que ele nunca mais vai ver. — Nós já tínhamos... não fazia muito tempo que estávamos juntos. Era muito perigoso para nós dois. É claro que Sophia não podia falar sobre a condição delicada dela, mas depois de alguns meses percebi que ela seria mãe outra vez. O czar podia facilmente ter sido o pai. Eu me convenci de que esta tinha que ser a verdade. Até que um dia, pouco antes de você nascer, ela veio visitar Vladimir durante suas aulas. E, enquanto ele estava distraído, ela... pegou minha mão. — A voz dele começa a falhar. — E a colocou na barriga dela, para que eu pudesse sentir você chutando. Foi a única informação que ela me deu. A única coisa de que eu precisava.

— Ah, papai!

Dou um abraço nele, que o retribui, soluçando. Eu me dou conta de que esta foi a primeira vez na vida que ele teve chance de mostrar seus verdadeiros sentimentos.

Então ele se empertiga e volta a parecer durão.

— Tenente Markov — diz ele, inexpressivo. — Vai reportar esse fato?

— Claro que ele não vai!

Olho para Paul em busca de confirmação. Ele faz uma reverência com a cabeça.

— Os segredos da grã-duquesa são meus segredos. Nunca contarei uma palavra sequer a ninguém sobre isso.

Meu pai relaxa ao perceber que estamos seguros.

— Katya... ela é obviamente filha do czar. Mas Peter? — pergunto.

— Sua mãe e eu nunca voltamos a ficar juntos. Eu não poderia colocá-la em perigo dessa forma. Foi um alívio você ser tão parecida assim com ela. — Seu olhar se suaviza quando ele observa meu rosto. — Queria que ela tivesse visto você crescer.

— Ela viu — respondo, me inclinando para a frente numa tentativa de fazê-lo entender. — Na minha dimensão, ela está viva e bem. Vocês dois se apaixonaram quando iniciaram uma pesquisa científica juntos.

— Uma cientista? Sophia conseguiu se tornar cientista? — Não há palavras para descrever o brilho de felicidade nos olhos dele. — Aqui a mente dela foi desperdiçada com aulas de etiqueta e danças de baile. Ela era mesmo brilhante.

— Eu sei. Porque foi ela que inventou isso — digo, dando outro tapinha no Firebird.

Ele acredita em mim agora, eu sei. E meu pai quer saber mais sobre esse mundo em que minha mãe e ele ficam juntos.

— E ainda somos casados? Ela e eu?

Essa pergunta me pega de surpresa. Em primeiro lugar, os dois nunca se casaram formalmente. Pelo que parece, eles deram entrada uma vez, mas fizeram uma importante descoberta no laboratório bem no dia marcado e, quando terminaram o trabalho, enfim, perderam a data. Minha mãe vivia dizendo que eles iam acabar remarcando, quando tivessem tempo, e acabariam realizando uma cerimônia formal, mas, para ser sincera, acho que eles esqueciam que não eram formalmente casados. Isso nunca incomodou a mim nem a Josie, pois sabíamos que nenhum dos dois ia a lugar algum. No entanto, duvido que o Henry Caine desta dimensão mais tradicional fosse achar o mesmo que nós.

Mas essa informação é quase irrelevante se comparada ao fato de que meu pai, o Henry Caine que me amou e me criou, está morto.

Não posso contar isso a ele. Seria horrível demais contar que foi assassinado.

— Nada jamais separaria você e mamãe — digo. — Vocês estudam física lado a lado, todos os dias. Eu... tenho inclusive uma irmã mais velha, Josie. Quer dizer, Josephine. Ela também é cientista, como vocês.

Ele vira a cabeça bruscamente e percebo que está se esforçando para conter as lágrimas ao pensar em outra filha que ele nunca terá a chance de conhecer.

— Por favor — sussurro. — Sei que é um pouco egoísta da minha parte, mas quero muito retornar para casa. Minha mãe deve estar apavorada. Preciso voltar para ela.

Depois de suspirar fundo, ele olha para o Firebird e diz, com a voz instável:

— Esse dispositivo é mil vezes mais poderoso do que eu poderia sonhar. Você ainda confia em mim para consertá-lo?

— Você ajudou a inventá-lo. Isso faz de você minha melhor chance de voltar para onde pertenço. E se não conseguirmos recuperar o Firebird de Paul, então você é minha *única* chance.

Ele ergue uma peça de metal, estudando-a sob a luz de velas, e seu olhar fica mais atento.

— Então, minha querida, vamos levá-la para casa.

Minha cama dobrável já seria fria e desconfortável sob qualquer circunstância. Agora, no entanto, estou comparando-a com a cama onde dormi com Paul na noite passada, tão firme e quente.

Esta noite Paul está acampado com os outros soldados. Ele está a apenas alguns metros de distância, em uma barraca não muito diferente da minha. Mas é como se estivéssemos em planetas separados. Amanhã ele será mandado para outro regimento, que está a caminho de se juntar às nossas forças.

— Vamos nos reunir com o regimento do coronel Azarenko no meio do percurso — contou ele antes de nos despedirmos. — É claro que vou pedir o Firebird a ele assim que tiver oportunidade. Mas isso não significa que vou conseguir recuperá-lo.

— Por quê? Você acha que ele pode ter penhorado o medalhão ou alguma coisa assim?

— Não, claro que não. Mas ele me flagrou usando algo que não fazia parte do uniforme, e pegar o medalhão foi uma punição. Por isso, pode ser que ele não me devolva imediatamente.

— Ele vai devolver para *mim* — digo. A essa altura, já estou vivendo no corpo da grã-duquesa tempo suficiente para saber como ter uma atitude real. Entrei em contato com a Beyoncé que vive dentro de mim. Jogo o cabelo para trás e acrescento: — Se esse coronel souber o que é bom para ele.

— Estou ansioso para ver isso — diz Paul, sorrindo, mas logo depois ele fica sério novamente, com medo de ser visto e de o nosso segredo ser descoberto.

Passo a noite toda me revirando na cama dobrável. Tenho a sensação de que nunca mais vou me sentir quente. De que nunca mais vou saber o que é conforto e segurança, da forma que senti na noite passada. De que nunca mais vou me conhecer tão verdadeiramente como nos braços de Paul.

Por fim, pego no sono, mas ainda assim continuo inquieta. Quando acordo, Paul já saiu com os outros soldados do regimento. Ainda que meu primeiro pensamento seja passar o dia com meu pai, sei que preciso deixá-lo se concentrar.

Vladimir, então, me oferece uma distração totalmente inesperada.

— Carta para você — diz ele, franzindo a testa para o envelope em suas mãos. — Recebemos um pacote de correspondências em São Petersburgo. Parece que seu correspondente parisiense está de volta.

Theo!

Arranco o papel de Vladimir, que ri da minha impaciência. Desdobro o papel com pressa para ler mais uma carta com o garrancho de Theo, que parece ficar ainda pior com caneta tinteiro.

Marguerite,
Recebi sua mensagem hoje cedo...

De quando é isso? Dias antes do Natal. Escrevi para ele uma semana antes. A comunicação aqui é tão arrastada. Nunca mais na vida vou reclamar do 3G.

...e me sentei para responder logo depois de surtar. Não sei o que foi que Paul contou para você em Londres, e não me importo. Não temos fatos, e até termos você NÃO PODE CONFIAR NELE. Mantenha distância. Você diz que ele não se lembra de quem é, mas o fato é que esse cara é seu guarda e passa o dia inteiro ao seu lado com uma arma (ou uma baioneta, um sabre de luz ou o que quer que seja que carregam aí. Independentemente do que for, não quero perto de você.). Isso não é nada bom.

Balanço a cabeça. Ele ainda não entende, não viu a expressão de Paul ao ficar sabendo que papai tinha morrido. E Theo não conhece o "tenente Markov", não entende que nunca me senti tão segura na vida como quando ele está ao meu lado.

Vou deixar de lado a pergunta sobre como diabo você conseguiu cair e quebrar o Firebird. É, pode ser que o Henry deste universo consiga consertá-lo, mas ficaria muito mais feliz se eu mesmo pudesse dar uma olhada. Quem sabe assim algum dia eu poderia voltar a dormir.

O que vai acontecer é o seguinte: você vai conseguir para mim um visto russo, e vou fazer o que for preciso para chegar até você. Não me importo se eu tiver que percorrer todo o caminho a pé ou de trenó. Temos que tirar você desse lugar sã e salva, e nada é mais importante que isso.

Fico sem ar por um instante e me esforço para disfarçar as emoções que estou sentindo. Theo está disposto a se arriscar tanto quanto Paul fez, lutaria por mim tão bravamente quanto ele, quer me proteger da mesma forma. Tudo que já senti por ele vem à tona outra vez, e de repente percebo que estou com saudade dele... tanta que mal consigo suportar.

Não tem CNN nesta dimensão. Será que Theo já ficou sabendo da rebelião? Será que ele está enlouquecendo de preocupação, pensando que posso estar ferida ou morta?

Estou trabalhando para a ESPCI aqui, a Escola Superior de Física e Química Industrial. É uma instituição bastante prestigiosa, então você consegue convencer quem for preciso de que sou um palestrante, ou alguém que deveria estar numa universidade, algo assim. Vou voltar à embaixada russa e implorar mais uma vez. De um jeito ou de outro, estarei com você de novo em breve.

Enfiei você nessa confusão, Meg. Juro que vou tirar você dela. Não há nada em universo nenhum mais importante do que isso.

Theo

Devagar, dobro a carta e a apoio no peito.

Vladimir comenta com uma voz suave:

— Imagino que eu não deva falar sobre essa carta com o czar.

— Por favor!

Até parece que ele me entregaria. Dou a mão para ele, o único irmão mais velho que terei na vida. Vladimir não faz perguntas, ainda que deva estar se perguntando o que está acontecendo comigo. Ele fica ao meu lado, não importa o que aconteça.

Percebo que vou sentir saudade dele quando for embora.

Então ouvimos gritos vindo lá de fora. Não de alguns homens, e sim de dezenas. Centenas. A mão de Vladimir aperta a minha, compartilhando o medo ao nos darmos conta de que os gritos que estamos ouvindo não são de pânico. São de comemoração.

Saímos da minha barraca e vemos os soldados jogando seus chapéus para o alto e jorrando vodca dos cantis para brindar a felicidade.

— O que houve? — grita Vladimir. — Qual é a novidade?

Czar Alexander sai do meio da multidão dando um sorriso largo.

— Os regimentos leais atacaram as forças do meu irmão traidor esta tarde. Sergei está morto, e sua rebelião também!

Ele se junta às comemorações pela morte do irmão. Considerando que Sergei também tentou nos matar, acho que a atitude é justificável.

Mas só consigo pensar que essa é a primeira vez que vejo o czar sorrir.

Vladimir não começa a comemorar, mas seu alívio é evidente.

— Que bravos soldados encerraram a rebelião?

O czar parece achar que esse é apenas um detalhe sem importância, mas responde que foi o batalhão de Azarenko.

Isso significa que Paul estava na batalha.

— O tenente Markov... Ele está bem? Foi ferido?

— Como é que vou saber? — O czar Alexander já parece entediado por estar conversando com seus filhos quando há os soldados querendo comemorar com ele. — Confira nos relatórios, se quiser.

Vladimir olha para mim e agarra minha mão.

— Venha, Marguerite. Vou pegar os relatórios para você.

Os relatórios são inúmeros papéis escritos à mão, muito confusos porque foram enviados às pressas, antes que a tinta secasse.

De pé na barraca do czar, segurando os papéis e me esforçando para entender as palavras, leio sobre como o grão-duque Sergei foi morto por uma baioneta. Descubro que apenas dezenove soldados do czar pagaram o preço por isso, entre eles o coronel Azarenko. E outros oito soldados ficaram gravemente feridos.

E leio que um dos soldados feridos é Paul.

18

— Não dá para irmos mais rápido?

Eu me sinto mal por dizer isso. Os cavalos estão fazendo o melhor que podem, puxando o trenó pela neve mais rápido do que qualquer veículo motorizado faria nessas condições. Ainda assim, tenho a impressão de que eu chegaria mais rápido a pé, como se minha força viesse do medo de perder Paul, a gravidade cederia e eu voaria daqui direto para o lado dele.

— Fique calma — diz meu pai. Ele se voluntariou a me levar lá, o que é um alívio. Não sei se suportaria estar com mais ninguém neste momento, qualquer um que não soubesse a verdade. — Chegaremos lá em uma hora, nesse ritmo.

— Eu sei. Desculpe. É que… — Mas o que posso dizer?

Ele fala por mim:

— É que você ama esse rapaz. — Quando me viro perplexa para o meu pai, ele apenas balança a cabeça pesarosamente. — Sei o que é um amor proibido, Marguerite. Aprendi a reconhecê-lo nos olhos da sua mãe. — Aperto o braço dele.

— Paul precisa estar bem.

— Se o tenente Markov não sobreviver, o seu Paul morre também?

— Ninguém tem certeza. Mas… provavelmente, sim.

Meu pai me olha.

— E você está com medo por qual dos dois?

— Pelos dois. — O ar frio cortante machuca meu rosto enquanto seguimos adiante. — Estou presa a Paul... em todo lugar, talvez. Da mesma forma que você está preso à mamãe.

Ele fica quieto por um tempo antes de dizer:

— Não estamos juntos no seu mundo... Sua mãe e eu.

— Falei que...

— Sim, você me contou. E nunca vi um olhar tão triste como aquele em alguém supostamente dando boas notícias. — Suas palavras são gentis, como sempre, mas ele sempre soube como e quando me pressionar. — Já é conforto suficiente saber que existem mundos infinitos. Possibilidades infinitas. Agora sei que em algum lugar, de alguma maneira, Sophia e eu tivemos nossa chance. Mas você não deve mentir para poupar meus sentimentos.

— Vocês ficaram juntos. Sempre. Nada seria capaz de separá-los. — A verdade: meu pai merece isso. — Nada exceto a morte.

Ele respira fundo.

— Eu nunca deveria tê-la forçado a ter mais filhos.

— Não foi ela, pai — sussurro. — Foi você.

Seguimos em silêncio por um tempo depois disso, ouvindo apenas o som dos cavalos, as rédeas sacudindo. Será que meu pai está surtando? Como será que deve ser ouvir que você estava morto?

Então ele põe um braço em volta de mim.

— Minha pobre garotinha querida.

Meus olhos se enchem de lágrimas enquanto me apoio nele. Meu pai me abraça mais forte, me reconfortando. Percebo que ser pai é isso: encarar a pior coisa que poderia acontecer com você e ainda assim só pensar se isso vai fazer sua filha sofrer.

— Foi recente? — pergunta meu pai, baixinho.

Assinto apoiada em seu ombro.

— Logo antes de eu partir — respondo.

— Então me ver aqui deve ser difícil para você.

— Não. Tem sido maravilhoso estar com você outra vez. Porque você tem mais coisas parecidas com ele do que diferentes.

— Fui um bom pai para você? Sempre imaginei como teria sido, se eu tivesse tido a chance.

— Você foi o melhor. — Todas as pequenas irritações que já tive com meu pai… O fato de se recusar a me emprestar o carro, ou de tirar sarro do meu vício por *Vampire Diaries*, ou de que ele às vezes *não parava* de imitar a cena da Inquisição Espanhola, a versão do Monty Python... Nada disso importava, nem um pouco. — Você sempre me deixou ser eu mesma, eu e Josie. Nossa casa sempre foi muito esquisita, nada parecida com a casa de qualquer criança, mas nunca me importei. As outras pessoas é que tinham que se encaixar em algum padrão, tinham que se preocupar com o que os outros iam pensar. Mas você e mamãe... nunca foram assim. Vocês queriam que encontrássemos nosso próprio lugar no mundo, e estavam sempre presentes para nos ajudar. Diziam que nos amavam todos os dias antes de dormir. Em algumas noites, depois do jantar, você lavava a louça cantarolando músicas dos Beatles. A sua preferida era "In my life", e nunca mais vou conseguir ouvir essa música sem pensar em você. Eu não ia querer. Eu te amo tanto, pai. Apoio a cabeça no ombro dele, que me aperta novamente. Depois de muito tempo, ele diz:

— O que isso tem a ver com insetos?

— Insetos?

— Besouros? Beatles?

— Os Beatles eram uma banda de rock. — Isso não vai fazer sentido algum para ele. Caio na gargalhada em meio às lágrimas. — Cantores. Eram cantores que você gostava.

Ele dá um tapinha no meu braço.

— E sua mãe e eu éramos felizes?

— Quase que ridiculamente felizes.

— Sophia tem uma boa vida?

— Ela é uma cientista muito reconhecida, trabalhando em uma pesquisa que a interessa mais do que qualquer outra coisa. Ela tem a mim e à Josie, e é uma mãe incrível, mas acho que você teria que ver isso com os próprios olhos. Imagino que ela diria que sua vida era quase perfeita, antes de perder você.

— Obrigado — diz meu pai. — Lembrar disso vai me ajudar muito. — Então ele faz uma pausa. — E a grã-duquesa Marguerite?

— Como assim?

— Se e quando você for embora, qual é o efeito na grã-duquesa? Ela vai se lembrar de alguma dessas coisas? Ela vai... — A voz dele falha outra vez — ... ela vai saber que sou seu pai?

Meu primeiro impulso é responder não. Vi como Paul de Londres se comportou depois que meu Paul saiu do seu corpo. Ele perdeu completamente a memória. Não fazia ideia do que tinha acontecido.

Mas, ao que parece, Paul e eu viajamos entre as dimensões de maneiras bem distintas. Então, quem pode afirmar o que as outras Marguerites vão ou não lembrar?

— Não sei — respondo. — Para o bem dela, espero que sim. Ela precisa de você.

— Também preciso dela.

Lembre-se, penso, tentando gravar este momento no cérebro para que o vestígio permaneça mesmo depois que eu for embora. O braço do meu pai aperta meu ombro, como se ele entendesse o que estou tentando fazer. Talvez ele entenda mesmo. *Lembre-se sempre*.

Finalmente nos aproximamos do campo de batalha, que vemos do alto de um cume, e a princípio parecem apenas manchinhas pretas se mexendo apressadas lá no fundo no meio de uma imensidão branca. Mas, conforme vamos chegando mais perto, começo a ver as manchas vermelhas na neve. O curso do vento muda, nos trazendo o cheiro da batalha: pólvora e um odor que só posso chamar de morte.

Meu pai parou o trenó. Alguns dos soldados têm olhares severos — uma garota se infiltrando ali? —, até que um dos generais me reconhece. Quando ele grita "sua Alteza Imperial", os outros prestam atenção. Eu me levanto no trenó como a grã-duquesa que sou, e ordeno:

— Levem-me até Paul Markov.

Eu sabia que os cuidados médicos nesta dimensão eram muito mais primitivos do que são na minha, mas não estou preparada para ver a enfermaria, onde há soldados deitados em camas dobráveis, com curativos cobrindo os membros amputados de quem perdeu um pé ou uma das mãos. Tigelas de metal sustentam os acessórios médicos e o sangue. Os homens parecem sentir uma dor terrível, a maioria pelo menos. Existe morfina aqui, mas não há muita disponível. Ouço gritos, gemidos, orações e um garoto mais novo que eu chorando pela mãe.

Paul está em silêncio.

Vou até o lado dele, observando-o horrorizada. Ele está todo enfaixado: ao redor do ombro, nos joelhos, e o pior de tudo: na barriga. Li romances de guerra suficientes para saber o que significa um ferimento nesse local em uma época anterior ao antibiótico.

Não. Não é possível. Paul não vai morrer. Não pode. Vou vê-lo superar isso, de alguma forma. Vou escrever para Theo em Paris e dizer para ele deixar as placas de Petri de lado só essa noite para que possa inventar a penicilina. Vou passar cada segundo ao lado dele. Paul vai resistir a isso.

Quando me ajoelho ao seu lado e seguro sua mão, ele se mexe. Sua cabeça vira para um lado, com dificuldade, como se fosse pesada demais para ele. Paul abre os olhos, ao me reconhecer, tenta sorrir. Por mais ferido que ele esteja, quer me confortar.

— Vai ficar tudo bem — digo. A mentira é amarga na minha boca. Mesmo que ele sobreviva, sei que suas pernas nunca mais serão as mesmas. Será que sequer vai continuar sendo um soldado? Não importa. Nada mais importa além de salvá-lo. — Estou aqui agora. Não vou deixar você.

Paul tenta falar, mas não consegue. Seus dedos se movem a minha volta como se ele quisesse segurar minha mão, mas está fraco demais para isso.

Com certeza há médicos aqui perto, com certeza há outros soldados que podem ouvir. Mas que todos vão para o inferno. Beijo sua mão e digo:

— Eu te amo, Paul. Eu te amo tanto. Nunca, nunca mais vou deixar você sozinho.

— Marguerite... — Meu pai coloca a mão no meu ombro, mas, quando balanço a cabeça, ele se afasta.

Paul respira fundo e depois fecha os olhos. Não sei dizer se ele pegou no sono ou não, mas, na dúvida, continuo repetindo o quanto eu o amo e segurando sua mão. Mesmo que ele esteja praticamente inconsciente, mesmo que não possa ver nem ouvir, ele vai ser capaz de sentir meu toque e saber que estou ao seu lado.

Tenho consciência de que os outros soldados e médicos estão nos encarando. O que acabei de dizer para Paul é algo que nenhuma grã-

-duquesa deveria dizer para um soldado comum. Mas também sei que nenhum deles se atreverá a repetir uma palavra sequer. Espalhar boatos sobre algum membro da família real é a melhor maneira de ser transferido para Vladivostok.

Com minha mão livre, confiro seu pescoço esperando encontrar o Firebird pendurado ali. Não me importo mais com o que acontece comigo. Mas eu poderia garantir que meu Paul viajasse para algum lugar melhor, para que pelo menos sobreviva a isto.

Mas também queria que este Paul sobrevivesse.

Não importa. O Firebird não está em seu pescoço, e quando ordeno que um soldado saudável procure nas coisas dele, não encontra nada parecido com um medalhão. O coronel Azarenko morreu na batalha, portanto, não tenho mais para quem perguntar.

O Firebird continua perdido, e estou observando dois homens morrerem em um único corpo.

Ao anoitecer, ele se mexe mais uma vez. Seus olhos tremulam ao abrir, e sorrio para ele em meio às lágrimas.

— Paul? Estou aqui, *golubka*. Estou aqui.

— Todas as Marguerites — diz ele, e então morre.

Um tempo depois, nada está muito claro. Acho que fiquei muito calma, fui lá fora e me certifiquei de que estava longe da enfermaria antes de começar a gritar. Os soldados feridos precisavam de descanso. Não deviam me ouvir gritar sem parar até que minha garganta estivesse ardendo, meus olhos inchados e eu caísse de joelhos na neve.

Mesmo sem conseguir mais gritar, continuo ali fora, sozinha, por mais alguns minutos. Meus joelhos e pés estão quase dormentes por causa do frio. Ordeno que minha mente e meu coração também congelem. Que percam os sentidos. E assim o restante de mim pode vacilar emocionalmente.

No entanto, sempre que penso que já passei do ponto de ser capaz de sentir mais dor, uma lembrança ressurge: Paul no Salão da Páscoa, pegando um dos ovos Fabergé nas mãos; Paul me guiando na valsa, o calor da sua mão grande nas minhas costas estreitas; Paul me beijando infinitamente logo antes de dormirmos emaranhados um no outro.

Por fim, consigo ficar de pé. Um dos médicos não está longe de mim, provavelmente me seguiu, com medo de que eu estivesse à beira de um colapso. Pergunto a ele:

— Onde está o professor Caine? — Minha voz sai rouca, parecendo mais a de uma senhora do que a minha.

Sou levada a uma barraca, que aparentemente foi montada para mim, mas meu pai está lá dentro. Quando entro, ele se levanta.

— Eles me disseram que foi o fim. Achei que você precisava de um tempo sozinha.

— Precisei. Obrigada.

— Sinto muito, minha querida. Sinto muito mesmo. Markov era um bom homem.

Ouvir suas palavras gentis abre novamente a ferida, mas contenho as lágrimas. Então vejo o que meu pai ficou fazendo durante todas essas horas. Ali, na mesa do acampamento, está meu Firebird, aparentemente inteiro.

Seu olhar segue o meu.

— Fiquei me dedicando a isso. Talvez eu tenha conseguido. Mas não me sinto confortável em deixar você fazer algo tão perigoso sem pelo menos um teste.

— Posso testá-lo — digo, com uma voz vazia.

Pego o Firebird e sigo as regras para formar um lembrete. As camadas de metal se encaixam sob meus dedos até que um choque percorre meu corpo. Sinto uma dor, intensa e elétrica, quase insuportável… mas bem-vinda. Esse tipo de dor é a única coisa capaz de adormecer meu coração. Estou grata mesmo que por apenas alguns segundos de descanso do meu sofrimento.

— Isso parece ter doído.

Meu pai tenta pegar o Firebird de volta, mas não deixo.

— O que eu fiz tem mesmo que doer. — Tento sorrir. — Você fez isso voltar a funcionar. Viu, sabia que você era um gênio.

Ele passa uma das mãos no cabelo castanho desgrenhado.

— Tem certeza absoluta de que é isso que deveria fazer?

Ele está preocupado. Não posso culpá-lo. Nem eu me sinto segura ao pensar em viajar mais uma vez com essa coisa. No entanto, minha única alternativa é esperar as semanas, ou até os meses, que levará para trazer Theo a Moscou ou até eu mesma ir a Paris.

Preciso voltar para minha mãe. Preciso contar a ela sobre Conley, e logo. O Firebird de Theo vai avisá-lo que saí desta dimensão, então ele virá atrás de mim. A questão é: para onde irei? Meu Firebird ainda está programado para seguir a versão de Paul que conheço, mas ele acabou de morrer nos meus braços. Porém, quase nem importa mais para onde vou, contanto que eu vá parar em algum lugar onde Theo possa me encontrar. Confio nele para me levar para casa.

Acima de tudo, confio no meu pai.

— Está funcionando — afirmo, tentando parecer confiante. — Estou indo, então.

Meu pai assente. Seus olhos estão tristes. Esta pode ser a última vez que sua filha o reconheça como quem realmente é.

Pode ser a última vez que vejo o rosto do meu pai.

Eu me jogo em seus braços e fecho os olhos enquanto ele me abraça forte.

— Eu te amo — sussurra meu pai. — Eu te amei cada segundo de todas as horas desde que você nasceu, e até mesmo antes disso.

— Também te amo, pai. Falei isso para você quase todos os dias e mesmo assim não foi o suficiente. Eu nunca conseguiria dizer o suficiente, independentemente de qualquer coisa.

É muito difícil deixá-lo. Continuo nos braços dele enquanto toco o Firebird, e a última coisa que sinto nesta dimensão é seu beijo na minha bochecha. Adeus. Adeus.

19

Quando acordo em meu novo eu, já estou sentada em uma cadeira macia. *Bem, essa é uma boa mudança,* penso antes de abrir os olhos e ver...

...minha galeria de retratos, no meu quarto.

Percebo que estou sentada em minha própria poltrona, olhando para a pintura que fiz de Josie: os mesmos olhos azuis, a mesma expressão feliz. As paredes do meu quarto estão pintadas do mesmo tom de creme. Minhas cortinas estampadas brilham de leve com a brisa porque as janelas estão abertas, como sempre. Estou até usando meu vestido favorito, o vermelho com estampa de pássaros amarelos e flores beges.

Estou em casa.

No entanto, quando olho para minha cama, percebo que a cabeceira não é exatamente igual. É uma colcha sari de seda que Josie me deu no Natal do ano passado, mas as estampas e as cores são diferentes. É algo que fiquei admirando em um catálogo (não tenho vergonha de anunciar o que quero ganhar de presente), e me lembro claramente da descrição dizer: *Cada peça é única.*

Agora que penso nisso, noto que o retrato de Josie parece o mesmo, mas está pendurado ao lado do da minha amiga Angela, em vez de estar perto da tela de papai. E o retrato da minha mãe a mostra usando uma camiseta branca de algodão com botões, em vez da camiseta cinza que lembro que foi ela mesmo quem escolheu.

Esta dimensão é muito, muito parecida com a minha... mas não é minha casa.

De início, sinto uma saudade terrível de casa, ainda mais por estar cercada de coisas que são tão parecidas com as minhas, mas, que ainda assim, não são. Nesse momento a ficha cai: se mudei de dimensão com o Firebird programado para seguir Paul... será que ele também está aqui?

Deve ser isso. Só pode ser. Ele está *vivo*. Meu coração se enche de esperança com a possibilidade de que ele tenha sobrevivido, de que ele esteja em algum lugar próximo...

... e então me dou conta.

O tenente Markov do Batalhão de infantaria da sua Majestade Imperial — o Paul que me salvou, com quem passei uma única noite perfeita — está morto, se foi, para sempre.

Eu me encolho na poltrona com os braços em volta das pernas. O homem que amo está morto. Nada muda isso.

Eu me lembro do seu corpo pesado nos meus braços, sangrando e vazio, e sei que perdi algo insubstituível.

De repente, este não parece mais meu quarto. Posso ter voltado para a Rússia, ajoelhada na neve, gritando de dor sem me importar com quem esteja escutando. Mas nesse momento só o que posso fazer é chorar copiosamente.

As possibilidades se chocam, as emoções se confundem como nós górdios. Há mil maneiras de amar, perder e duvidar de Paul Markov, e sinto que estou só começando a descobrir todas elas.

Neste momento, tudo o que posso fazer é me concentrar no fato de que Paul, Theo e eu continuamos correndo sério perigo... e talvez mamãe e Josie também. Preciso seguir em frente. Não tenho opção.

Segure a onda, digo a mim mesma. Pego um lenço de papel da caixa que está na mesma prateleira de sempre, assoo o nariz e tento me concentrar no presente.

Ao olhar ao redor do meu quarto, noto que o comum se tornou extraordinário. Depois de algumas semanas em um mundo que considera a luz elétrica uma invenção ultramoderna, é chocante ver meu celular, meu aparelho de som, meu tablet. Até mesmo as coisas menos tecnológicas são lindas devido à sua familiaridade. Minha calça jeans manchada que uso para pintar e minha camiseta velha estão na cadeira. Outras roupas estão espalhadas pelo chão e meu cavalete está montado. Pelo visto, eu estava prestes a começar algum trabalho.

Pego minha caixa de tintas. Só de ver os tubos prateados fico aliviada, por reencontrar algo familiar.

Ando pelo corredor, pintado com uma tinta com efeito de quadro-negro e repleto de equações de física, exatamente como deveria ser. Na sala de estar encontro as plantas da mamãe e a mesa de arco-íris, além de todas as pilhas de papel e de livros que eu esperava. Mas alguns detalhes da pintura na mesa parecem um pouco diferentes. Eu me inclino para observar a superfície — o máximo que consigo debaixo de todo aquele papel —, porém, um dos pesos de papel chama minha atenção. É um disco metálico grosso e redondo, em cima de uma pasta com a logomarca da Tríade na frente...

Uou. Meus olhos se arregalam. Eu nunca tinha visto um prêmio Nobel de verdade, mas tenho 95% de certeza de que se trata de um.

Seguro o prêmio nas mãos, impressionada com o peso do ouro puro, e me dou conta de que meus pais devem ter feito sua descoberta alguns anos antes nesta dimensão. Olho para o prêmio Nobel e penso: *Mandou bem, mãe*.

Mas e o quanto ao resto de nós? E Josie? Sim, ela continua estudando oceanografia na Scripps, em San Diego. Ela nos deu alguns ímãs, que estão na geladeira. Na verdade, de acordo com o calendário feito no quadro branco da cozinha, ela vem para casa hoje à noite para passar... Putz, o Ano-Novo, que é esta noite. Perdi um pouco a noção do tempo quando eu estava na Rússia, com toda aquela rebelião violenta e sangrenta e tudo o mais.

E Theo? Aqui ele também é um dos assistentes dos meus pais. Ou isso, ou eles têm outra pessoa que quer ser hipster e deixou seu chapéu fedora de brechó no cabideiro. Mesmo agora, Theo está provavelmente se materializando nesta dimensão no alojamento da faculdade onde ele mora. Aposto que ele vai chegar aqui em uma hora.

E Paul...

A porta da cozinha se abre e ouço mamãe dizer:

— Se o processo cognitivo de um cachorro for realmente mais parecido com o de um homem do que com o dos seus parentes primatas mais próximos, será então que devemos passar a considerar os cães nossos parceiros no processo evolutivo?

— Acho que realmente devíamos ter comprado aquele filhote quando as garotas pediram. — Papai entra atrás dela na cozinha, os dois carregando várias sacolas recicláveis do mercado. — Isso teria nos fornecido um material canino para observação. E, além disso, podíamos tê-lo chamado de Ringo.

Mamãe e papai. Os dois vivos, bem, logo aqui na nossa cozinha como se nada tivesse acontecido, porque nesta dimensão tudo é como deveria ser.

Minha mãe vê primeiro.

— Oi, querida! Achei que estivesse pintando.

— Oi — respondo.

É completamente inadequado, mas não consigo pensar em nada mais. Então subo os dois degraus que levam até a cozinha e abraço os dois ao mesmo tempo.

— Isso é pelo quê? — pergunta meu pai, rindo.

Respondo, conseguindo, de alguma forma, manter a voz firme:

— Só... estava com saudade de vocês.

Meu pai dá um passo para trás, parecendo desconfiado.

— Você deixou cair tinta em alguma coisa?

— Não! Está tudo bem, juro. — Solto os dois, mas não consigo parar de sorrir feito uma boba. Estar perto deles não faz passar a dor que sinto com a morte de Paul na Rússia, mas me ajuda a me sentir quase completa outra vez. — Está tudo perfeitamente bem.

Mamãe e papai se entreolham. Ela diz:

— Acho que alguma hora as alterações de humor da puberdade tinham que funcionar a nosso favor.

— Já estava na hora — responde meu pai.

Empurro os dois, de brincadeira. Eles podiam implicar comigo de forma mil vezes pior e nem assim eu me incomodaria.

— O que vocês compraram?

— Ingredientes para fazer uma lasanha. E um vinho tinto. Pode ser que Josie queira tomar uma taça.

Ela começa a guardar as compras, mas pego uma das mãos dela.

— Por que não me deixam fazer o jantar? Vocês podem se sentar e relaxar.

Quando os dois se entreolham desta vez, parecem menos animados e mais preocupados. Mamãe pergunta:

— Está se sentindo bem?

Meu pai balança a cabeça.

— Você vai pedir o carro emprestado.

Dou risada. Aparentemente, evito me meter na cozinha nesta dimensão tanto quanto na minha.

— Parem com isso, gente. Está tudo bem. Apenas acho que pode ser divertido. Só isso.

Ainda que meu pai obviamente não esteja convencido, mamãe diz:

— Henry, deixe ela.

Ela coloca o pacote de massa de lasanha na minha mão, depois se vira para o meu pai e o empurra gentilmente pelos ombros até o sofá. Enquanto ele continua andando, rindo, minha mãe para ao meu lado. Bem baixinho, ela acrescenta:

— Muito obrigada por nos ajudar neste momento, Marguerite. Isso significa muito para nós agora.

Neste momento? O que ela quis dizer com *neste momento*?

— Imagina — respondo. Parece uma resposta segura.

— Sei que isso... não aconteceu só com a gente. — Ela mantém a voz baixa e penteia meus cachos com os dedos. Ela fazia isso quando eu era pequena. Nos últimos anos, eu achava um pouco irritante, mas nunca mais vou reclamar, não depois de dois universos sem ela. — Mesmo que a polícia encontre Paul, pode ser que a gente nunca entenda por que ele fez aquilo. Seu pai e eu ficaríamos felizes em retirar a queixa assim que tivermos respostas, mas a Tríade nunca vai fazer isso. Então... — A voz dela some. — Odeio o que ele fez com a gente, mas não consigo suportar o que ele fez consigo mesmo. Arruinou a própria vida, e para quê?

Não consigo responder. Neste momento, mal sou capaz de respirar.

— Desculpe. Você estava tentando nos animar. Vou deixá-la continuar tentando.

Ela me dá um tapinha no ombro e vai atrás do meu pai.

Tudo o que posso fazer é ficar ali de pé na nossa cozinha, segurando uma caixa de massa de lasanha feito uma idiota, e pensando: *O que foi que aconteceu?*

Mesmo sem ter detalhes, entendi o que ocorreu aqui. Paul traiu meus pais. *Nos* traiu. De novo.

Achei que estava começando a entendê-lo. Mas agora acho que nunca o entendi, nem ninguém, nem nada.

Meia hora depois, ainda estou trabalhando na cozinha, e com isso na verdade quero dizer que estou "andando de um lado para outro em choque". De alguma forma, consegui colocar todos os ingredientes do molho de tomate na panela, mas levo cinco minutos para lembrar de acender o fogo. Meu cérebro está atordoado demais com a traição de Paul, de forma que não consigo me concentrar em nada tão mundano quanto um jantar.

Será que eu devia contar aos meus pais a verdade sobre quem sou e de onde venho? Fui capaz de convencer meu pai sobre viagens interdimensionais em um universo onde ninguém sequer havia inventado o rádio... Aqui, acreditariam em mim no mesmo instante.

Tudo o que eu precisaria fazer seria tirar o Firebird da gola do meu vestido.

Mas não preciso da ajuda deles aqui da mesma forma que precisava da ajuda do meu pai na Rússia. Quero contar a verdade porque quero que eles me confortem, e me escutem reclamar de tudo pelo que já passei. Mas isso não é motivo suficiente. Eles já estão arrasados com o que Paul fez. Quão pior pode ser saber como essa traição vai longe?

Continuo querendo acreditar nele e ainda sofro pelo Paul que morreu em meus braços, mas, neste momento... não confio mais nos meus instintos.

A porta da cozinha se abre novamente e me viro para ver quem é.

— Oi, Meg. — Theo sorri para mim. — Feliz Ano-Novo.

Eu não o via há quase três semanas. Parece uma eternidade.

— *Theo.*

Coloco os braços ao redor do seu pescoço. E ele pode fingir ser tão blasé quanto quiser, porém, me abraça ainda mais forte. E sussurra no meu ouvido:

— Estou esperando aquele beijo à meia-noite, hein?

Ele está brincando. Mas também não está. Fico corada... e ainda assim só consigo pensar em Paul deitado na cama dobrável onde ele morreu, abrindo os olhos para me ver pela última vez e dizer: *Todas as Marguerites*.

Dou um passo para trás, me afastando de Theo.

— A gente devia... hum... Eu falei para meus pais que eu ia cozinhar.

Os olhos dele se arregalam.

— É você mesma, não é?

Ao entender o que ele quer dizer com isso, puxo a corrente do Firebird com o polegar e o deixo acima da gola do vestido. Ele relaxa visivelmente, ficando mais tranquilo.

Da sala, meu pai grita:

— Theo! Você veio.

— Como se eu fosse perder o Ano-Novo... — responde ele, sorrindo.

Mamãe entra cantarolando.

— Se você não for útil aqui na cozinha, venha me ajudar com algumas fórmulas para uma esfera de trinta dimensões.

— Quer saber? — Ele entrelaça as mãos. — Hoje me parece um bom dia para aprender a cozinhar.

Meu pai nos espia do canto, o rosto escondido atrás do exuberante imbé da mamãe, e diz:

— Vocês dois enlouqueceram ao mesmo tempo?

— É — responde Theo. — É para ganhar tempo.

Isso faz meu pai rir e, mais importante, ele se volta para o que estava fazendo. Theo e eu ganhamos alguma privacidade.

Nós dois começamos a colocar as camadas de massa da lasanha, mais molho e queijo no refratário de vidro. Tudo está indo bem. Nenhuma massa disforme, nenhum risinho, nenhum Paul ao meu lado. É muito menos divertido assim.

Enquanto preparamos o jantar, conto em voz baixa para Theo o que aprendi naqueles últimos instantes em Londres.

— Se tivesse sido Paul, ele não ia ter feito aquela cara de jeito nenhum. Ele realmente não sabia.

— Nem vou responder a essa mentira. Fala sério, Meg. Você é esperta demais para ser feita de boba tão facilmente assim.

— Você não viu a cara dele. Eu vi — sussurro, magoada.

— Não preciso ver a cara de Paul para saber o que ele fez. Você acha que é esperta demais para reconhecer uma mentira? Ele enganou os gênios dos seus pais, então tenho certeza de que enganaria você também.

Não posso aceitar isso. Não posso. Se sei alguma coisa sobre Paul Markov é que ele não é mau o suficiente a ponto de ter assassinado meu pai. E se devo alguma coisa ao Paul da Rússia por ter me amado tanto e salvado minha vida, então devo a todos os outros pelo menos o benefício da dúvida.

— Ele não nos traiu — afirmo. — E não vou traí-lo mais uma vez ao não acreditar nele.

Theo suspira ao começar a acrescentar mais uma camada de ricota.

— Você tem coração mole, Meg. Fica brava rápido, mas também logo se acalma. Amo essa característica sua, mas essa não é a hora para ficar mudando de ideia. O mundo continua mudando à nossa volta, o que significa que precisamos nos agarrar ao que sabemos.

— Não sabemos nada. Nem ficamos para o enterro. Já podem ter descoberto mais coisas depois de terem... — *Examinado o corpo. Feito a autópsia.* Sequer consigo dizer essas palavras em voz alta, ao pensar em meu pai. — Além do mais, na Rússia, Paul morreu para me salvar. Não acho que ele é o vilão aqui.

Lembro-me da dacha e de me deitar no braço dele. Seus sussurros ainda ecoam na minha cabeça: *Golubka. Pombinha.*

Uma centelha do que estou sentindo deve transparecer em minha expressão, porque Theo fica ainda mais irritado.

— Ok. Então Paul Markov não é um filho da puta em todos os lugares. Dimensões infinitas significam possibilidades infinitas. Deve, inclusive, existir uma dimensão em que eu não sou instantaneamente desejado por todas as mulheres que encontro. — A piada não ajuda muito para melhorar nosso humor, então ele prossegue: — Sério. Qualquer coisa pode acontecer. Todas as coisas *têm* que acontecer em uma dimensão ou outra. Por isso, tem que haver um Paul decente em algum lugar. E você o conheceu. Parabéns. Mas o Paul com o qual estamos lidando nesta viagem? Esse Paul? Ele nos sacaneou e vai fazer isso de novo. Não permita que ele faça isso. Não seja boazinha com ele agora.

Não parece que estou sendo boazinha. Tenho a impressão de estar sendo muito firme.

— Só não acredito que ele matou meu pai, Theo. Ele admitiu ter apagado os dados, e é claro que roubou o Firebird, mas...

— Então ele confessou tudo, menos o assassinato, e basta isso para você perdoá-lo? — Ele passa a mão em seu cabelo preto indisciplinado, obviamente tentando se acalmar. — Isso é difícil para mim também, aliás. Eu amava Paul. Sempre achei... que fôssemos acabar juntos, na mesma faculdade, Cambridge ou Caltech, e nos tornarmos professores loucos juntos. — Seu sorriso é saudoso, apesar de breve. — Acho que é o que faremos em alguma dimensão.

— Até você vê isso — digo colocando a última concha de molho de tomate. — Você sabe que Paul não é um cara mau. Deve ter tido um bom motivo para fazer todas essas coisas. — Theo suspira, e parece estar lutando por uma causa perdida.

— Pare um pouco para pensar aqui, enquanto estamos seguros e as coisas não estão tão esquisitas. Repense essa história. *Pense* de verdade. E lembre-se de que o que Paul poderia ser não importa tanto quanto o homem que ele realmente é.

Sei que Theo quer me proteger acima de tudo, mas também sei que ele já entendeu que Paul e eu nos aproximamos mais na Rússia. Ele não sabe exatamente quão próximos ficamos, mas já adivinhou o suficiente da verdade para ficar chateado.

Para ficar com ciúme.

Quando seus olhos encontram os meus, percebo que ele sabe tudo o que ando pensando. O canto da sua boca se curva para cima, como se ele quisesse sorrir, mas não conseguisse direito.

— Nunca tentei ser objetivo sobre você, Meg.

— Preciso que você seja objetivo sobre Paul.

— Um de nós já está fazendo isso. Só precisamos saber quem é. Mas esse é um jogo de apostas altas. Apostar em Paul e errar pode nos custar nossa vida.

20

A porta da cozinha abre.Theo e eu vemos Josie ali parada vestindo uma camiseta de Coronado Island e com a mochila nos ombros.

— Estou interrompendo alguma coisa? — pergunta ela, maliciosamente.

Estávamos tendo uma conversa série sobre um assassinato em outra dimensão, só isso. Mas acho que minha irmã mais velha não precisa ouvir essa explicação. Além disso, agora estou feliz demais em vê-la.

— Bem vinda!

Corro até ela e a abraço o mais forte que consigo com a mochila atrapalhando.

— Obrigada.

Ela bagunça meu cabelo do jeito que sabe que eu odeio. Em geral, essa é minha deixa para fazer careta, mas no momento estou amando até como ela me enche o saco.

Da última vez que vi Josie, ela chorava copiosamente nos braços da mamãe. Mas nesse momento ela é a mesma garota praiana relaxada de sempre, com chinelo e o nariz descascando depois de pegar muito sol. Ao observá-la, reconheço algumas semelhanças entre ela e meu pai: os olhos azuis, o queixo quadrado, os cabelos castanhos... Sou a que mais se parece com minha mãe, assim como Vladimir e Peter...

Só então me dou conta e me lembro de que neste universo meus irmãos e minha irmãzinha nunca existiram.

— Você está bem? — Josie me olha de um jeito engraçado. Atrás da gente, escuto Theo colocar a lasanha no forno.

— Sim, estou bem. É só que... — Faço um gesto com uma das mãos como quem diz: *estou um pouco fora da realidade neste momento.*

A expressão de Josie muda, e percebo que ela acha que estou falando de Paul e das cicatrizes que a traição dele deixou na família. É por isso que ela veio para o Ano-Novo em vez de passar curtindo com os amigos, ela está tentando ajudar nossos pais a superar isso.

— Mamãe e papai estão na sala? — pergunta ela, largando a mochila no chão, bem perto da porta, como sempre fez, desde o quarto ano da escola. Quando vai para a sala atrás dos nossos pais, eu me apoio na geladeira, inquieta.

Quando Theo me lança um olhar curioso, aponto para a sala.

— Vá lá, preciso de um tempinho.

Ele não parece cem por cento satisfeito com minha resposta, mas concorda com a cabeça e me dá o espaço de que preciso.

Assim que ele sai da cozinha, fico ali olhando pela janela. (Em casa, temos um vitral nessa janela, com a imagem de uma pequena borboleta amarela e laranja. Aqui, ele é no formato de um pássaro azul e verde. Fico um pouco triste com isso, mas, dessa vez, não tem remédio.)

Consigo ver a ironia. Durante essa jornada, o que eu mais desejei foi estar com minha família de novo. Mas agora que estou com eles, bem, mais ou menos... tenho outra família para sentir falta.

Katya e o pequeno Peter... nem consegui vê-los depois do ataque ao trem real. Ele deve ter ficado totalmente apavorado. Nem vai conseguir dormir à noite. Eu devia ter ordenado que colocassem um sofá no meu quarto para ele ficar perto de mim e acordá-lo se ele tiver pesadelos... E Katya? É provável que ela já esteja argumentando com o czar que ele devia aceitar mulheres no Exército... E Vladimir deve estar exigindo que o czar considere mais reformar constitucionais, de forma que nenhum outro candidato ao trono possa causar outra divergência...

Eu devia estar lá, penso, antes de lembrar que na verdade estou lá, sim. A Marguerite que pertence àquela dimensão voltou a comandar a própria vida, e somos parecidas o suficiente para saber que ela está tomando conta de Peter, e se somando à voz de Vladimir para o que quer que valha a pena brigar com o obstinado czar Alexander.

Ela está também sofrendo pela morte de Paul Markov, o Paul dela, morto para sempre.

Será que ela se lembra das últimas semanas que passou com ele? Ela sabe que passou uma noite com Paul, uma noite em que todas as barreiras entre eles foram derrubadas? Se não, então... significa que eu roubei isso dela. Algo sagrado, que devia ser dela, se tornou meu para sempre. Mais cedo, eu disse ao Theo que não achava que Paul era o vilão aqui.

Agora estou me dando conta de que talvez a vilã seja eu.

— Então, eu estava pensando sobre a ética das viagens interdimensionais — digo, durante o jantar.

Meus pais se entreolham, e Theo me encara como se perguntasse: *Você está louca?*, mas finjo que não o estou vendo.

— Já tivemos essa conversa dezenas de vezes — responde mamãe enquanto se serve de um pedaço de lasanha. — Me perdoe, querida, mas nunca achei que você estivesse interessada nisso.

Tenho que admitir que isso é mesmo verdade. Se eu prestasse atenção toda vez que eles falam de física, iria enlouquecer de verdade. Além disso, quando é que aquelas inúmeras teorias teriam alguma utilidade prática na minha vida?

Agora, é claro, sei a resposta para essa pergunta.

— Das outras vezes que vocês falaram sobre isso, sempre foi, tipo, "e se". Algo abstrato, e não concreto. — Espero estar parecendo casual, apenas interessada em puxar papo. — Mas agora as coisas mudaram.

— Sim, mudaram — concorda meu pai, sério, e sei que ele está pensando em Paul.

Estamos sentados à mesa de arco-íris, que está temporariamente sem nenhum papel para que coubessem a lasanha, a salada, o pão de alho, o vinho e uma jarra de cerâmica cheia de água com gelo (o prêmio Nobel está no chão junto dos livros, como se nem fosse algo tão importante assim). De muitas formas, essa cena é exatamente como deveria ser: confortável, familiar, e sem dúvida *nossa*. Mamãe prendeu o cabelo com grampo para segurar o rabo de cavalo bagunçado feito com dois lápis. Meu pai está usando óculos de leitura com uma armação retangular de tartaruga. Josie tem cheiro de manteiga de cacau. Theo está apoiando os cotovelos na mesa.

E eu estou chutando o pé do meio da mesa, um hábito de nervosismo que meus pais tentaram fazer com que eu abandonasse quando ainda estava no nono ano. Tem até o pacote com os chapéus brilhantes de festa que Josie sempre traz e nós só usamos perto da meia-noite.

Mas ainda há uma cadeira vazia na mesa, o lugar que seria de Paul. A presença mais forte na sala é a ausência dele.

— Pensamos que podia ser uma boa oportunidade para observar pequenas camadas do multiverso com outros olhos... e depois voltar para casa e dividir nosso conhecimento. — O olhar dela fica sério. — Mas parece que o conhecimento não é suficiente para algumas pessoas.

— Fala sério, Sophia. — Theo abre seu sorriso mais charmoso para ela, que é realmente charmoso. — Não me diga que também está ficando paranoica.

Ela balança a cabeça e um dos seus cachos cai no seu rosto.

— Não concordo com o que Paul fez. Ele quebrou nossa confiança. Mas isso não quer dizer que ele estava errado sobre a Tríade.

— Espere aí, a Tríade continua pressionando? — diz Josie com a boca cheia de salada. — Achei que vocês já tinham mandado eles à merda.

— Nós tentamos. — Papai suspira. — Mas parece que é difícil fazer uma corporação multinacional ir a algum lugar. Ainda mais quando eles financiaram sua pesquisa.

— O que exatamente fez vocês mandarem a Tríade à merda? — pergunta Theo, erguendo uma das mãos para os meus pais como se dissesse: *minha vez de parecer burro.*

— Alguns pesquisadores da Tríade queriam testar até onde podíamos ir, o que em teoria é ótimo! Não é como se a gente não quisesse aprender mais sobre as possibilidades da viagem interdimensional. Mas Conley não quer apenas mandar energia entre as dimensões. Ele quer mandar matéria.

Balanço a cabeça: isso eu já entendi.

— Consciência é energia e pode viajar com mais facilidade, mas matéria é muito mais difícil, certo? É quase um milagre o Firebird conseguir fazer a viagem.

— Correto — responde mamãe, se comportando como professora. — No entanto, o Firebird também prova que transferir matéria entre dimensões é possível.

— E isso não é ruim, em tese — interrompe Theo. — Quer dizer, imaginem como seria incrível se pudéssemos trazer uma tecnologia extraordinária de outras dimensões um pouco mais avançadas que a nossa? Trazer para cá, analisá-la, entender como replicar os efeitos? Parece maravilhoso.

Lembro-me da tecnologia de Londres, as telas holográficas, os smartphones em formato de anel, e todo o resto.

— Até agora não tenho objeções — interfere papai parecendo cansado. Decido servir um pouco mais de vinho para ele. Em geral, meu pai não bebe mais de uma taça, mesmo no Ano-Novo, mas talvez esta noite ele precise. — Mas Conley está pressionando com intenções mais agressivas do que essas. Não me parece que ele quer estudar outras dimensões, e sim que quer, bem... *espioná-las*.

— Conseguem imaginar isso? — completa mamãe. — Ele quer encontrar formas de fazer os viajantes dominarem completamente seus corpos nas outras dimensões. Por longos períodos de tempo, quem sabe para sempre. Não era isso que pretendíamos. Nunca quisemos machucar ninguém, e o que Conley está dizendo vai além disso. Os Firebirds seriam usados para... roubar as pessoas delas mesmas.

Papai balança a cabeça, como se tivesse sentido um calafrio.

— Você poderia conversar com seu melhor amigo sem ter ideia de que ele foi substituído por um espião de outra dimensão. É assustador.

Theo e eu nos entreolhamos, imóveis.

Minha mãe respira fundo.

— Enfim — conclui ela. — Como eu disse, Paul foi longe demais. É tarde demais para impedir a Tríade de desenvolver a tecnologia. Muito tarde — diz ela, deixando claro seu arrependimento. — Eles estão só alguns meses atrás de nós. Teria sido melhor se ele continuasse trabalhando com a gente. Ainda acho que poderíamos ter convencido Conley sobre os riscos de tentar uma coisa dessas.

— Exatamente — completa Theo. — A mudança tem que vir de dentro, não é?

— E foi por isso que deixamos você fazer aquele estágio na Tríade. Mas não devíamos ter deixado — diz meu pai. — Eles fizeram você trabalhar demais nos últimos meses. Nem sabíamos se veríamos você esta noite. Sabe que está atrasadíssimo com a dissertação, né?

Theo resmunga.

— Por favor, podemos não falar de dissertação num feriado? É como invocar o demônio em frente ao espelho à meia-noite...

Meu pai ergue as mãos como se dissesse: *eu me rendo*. Lembro-me de quando ele fazia esse mesmo gesto no dia em que reclamei que eu devia ter permissão para pintar no meu quarto, porque, assim, as manchas seriam problema meu. A lembrança me faz sorrir, mas também sinto vontade de chorar.

— Mas não me incomodei de ficar na Tríade — continua Theo. — Isso me deu a chance de defender nosso trabalho. E eu sei que Conley quer algum retorno do investimento que fez. Mas acho que apenas temos que fazê-lo entender os limites, tanto éticos quanto literais. Até porque existe um limite do que podemos trazer das outras dimensões.

— Vamos rezar para que seja verdade. Podemos falar sobre outra coisa agora? Confesso que não consigo pensar em Paul sem... — A voz do papai falha, e sei que ele quer dizer algo sobre estar com raiva, mas não é bem isso. Ele não está com raiva, e sim decepcionado.

Minha mãe sussurra:

— Fiz um bolo de aniversário para ele.

— Não faça isso com você mesma. — Theo pega a mão dela e aperta com força, um gesto tão carinhoso quanto eu já dei a ela. — Está bem, Sophia?

Ela assente, triste. Papai se ajeita na cadeira.

— Marguerite, estamos distraídos, mas não estamos *tão* distraídos assim.

Do que ele está falando? Então percebo que, depois de servir vinho para todos da mesa, coloquei um pouco para mim também. Nós bebíamos vinho no Palácio de Inverno, e esqueci completamente que aqui sou menor de idade e não posso beber.

— Desculpe — murmuro.

— Pode beber — diz minha mãe, erguendo uma sobrancelha. — É noite de Ano-Novo. Só não faça disso um hábito.

— É tudo culpa minha, tenho certeza — brinca Theo. — Todos sabem que sou uma péssima influência.

Josie lança um olhar para ele.

— Espero que não seja uma influência *tão* ruim assim. — Ela está se referindo ao que acha ter visto na cozinha, o que traz à tona toda a questão do que sinto ou não sinto por ele, em meio a todos os outros acontecimentos confusos...

Tomo um gole de vinho. Não ajuda.

Depois do jantar, meu pai lava a louça. Quando ele começa a cantarolar "In My Life", a princípio penso que é a coisa mais bonita que já ouvi. Então me dou conta de que é a última vez que vou ouvi-lo cantar sua música preferida dos Beatles... e tenho que morder o lábio para conseguir conter as lágrimas.

Ou eu poderia simplesmente ficar nesta dimensão para sempre.

É tentador. Meu pai está vivo. Nossa família está unida. E o que quer que tenha acontecido com Paul, podemos investigar e ajeitar as coisas.

Mas, lá em casa, minha mãe está sofrendo pela morte do meu pai, preocupada com Paul e morrendo de medo por mim e por Theo. Preciso voltar para ela. Esta dimensão pode parecer minha casa, mas não é. Nunca será.

Fico do lado de fora da cozinha, ouvindo, até meu pai terminar. Depois vou até o deque porque preciso de alguns minutos sozinha para me acalmar antes de nos reunirmos para ver a virada do ano na Times Square pela TV.

É o mesmo deque, o mesmo quintal esquisito que não é reto o suficiente para colocar uma cadeira dobrável. Até as luzes são idênticas, os peixinhos tropicais de Josie brilham no corrimão. As árvores altas em torno do quintal escondem as casas ao nosso redor. E ainda que a gente esteja no centro de Berkeley Hills, é possível imaginar que estamos isolados, sozinhos. Quando eu era pequena, gostava de fingir que as árvores eram um muro de pedra cercando nosso castelo. Quem dera isso fosse verdade.

A porta atrás de mim se abre. Não viro a cabeça. Continuo sentada nos degraus do deque.

Theo coloca o cardigã verde-maçã da mamãe nos meus ombros antes de se sentar ao meu lado.

— E aqui estamos novamente.

Rio.

— Foi aqui que essa viagem maluca começou.

— Você deve desejar que eu nunca tivesse lhe contado sobre os Firebirds.

— De jeito nenhum. Estou feliz que tenha feito isso.

Penso em tudo que já vi, tudo o que descobri sobre as pessoas que amo. Especialmente Paul... sempre, sempre Paul.

Onde será que ele está agora? Se ele estivesse aqui, talvez eu descobrisse se eu amo a mesma coisa nele em qualquer dimensão. Tudo que sei é que quero tanto ele comigo que quase chega a doer.

— Você está com aquele olhar distante — diz Theo, apoiando os antebraços nos joelhos, inclinando-se para a frente a fim de observar meu rosto. — Como você está?

— Acho que eu poderia passar o ano que vem inteiro tentando adivinhar e ainda assim não chegaria a nenhuma conclusão.

— É difícil ficar perto do seu pai? Fico querendo abraçar o cara. Você pelo menos pode fazer isso sem que ele ache que está chapada.

Vindo de Theo, isso não é só uma piada.

Mas ele tem segurado a onda, até onde eu sei, pelo menos. Provavelmente eu não devia perguntar o que ele aprontou em Paris, mas aposto que envolveu absinto.

— Escute — diz ele. — Está na cara que você quer culpar a Tríade e não Paul. Certo?

— Até você admitiu que a Tríade foi longe demais — respondo. — Quem sabe o que mais eles estão armando?

— O que Wyatt Conley está armando, você quer dizer. — Ele passa a mão no cabelo. — Por que não perguntamos para ele?

Eu o encaro.

— Simplesmente ir atrás de um dos maiores ícones de tecnologia do mundo, de qualquer mundo, e perguntar o que ele tem feito?

— Não seja tão literal. Nesta dimensão nós trabalhamos muito mais perto da Tríade. Lembra, sou estagiário deles há meses. Isso significa que tenho acesso à empresa, que aqui é supermaneira, moderna e completa. Então daremos uma olhada nisso primeiro, quando chegarmos lá amanhã.

Do bolso da frente da camisa ele puxa um crachá com a logomarca da Tríade.

— Podemos entrar no prédio! — sussurro, abrindo um sorriso — Você tem acesso aos computadores deles.

Ele ergue a mão, como um sinal de alerta.

— Não tenho acesso a tudo, mas talvez a um pouco mais do que eles gostariam. Além do mais, o lugar vai estar deserto no primeiro dia do ano. O que nos dá a chance de enfiarmos o nariz onde não fomos chamados.

A essa altura estou muito curiosa para saber mais sobre que tipo de homem Wyatt Conley pode ser. Estou começando a acreditar que ele tem um papel muito maior na minha vida e na morte do meu pai do que todos suspeitam.

Theo acrescenta:

— Enquanto estivermos lá, poderemos até conseguir rastrear o Paul desta dimensão. Ele está fugindo, e sozinhos nunca vamos encontrá-lo. Mas a Tríade? Foram eles que desenvolveram o software que a Agência Nacional de Segurança usa, então não é fácil se esconder desses caras.

Passo a mão nos meus cachos.

— Por que você ainda tem tanta certeza de que ele matou meu pai?

— Por que de repente você tem tanta certeza de que ele não fez isso? E não me venha com aquele papo do "olhar inocente" de novo. Isso não é evidência válida.

— Essas jornadas, as outras dimensões que vimos... não lhe ensinaram nada? — Não, não estou querendo ficar na defensiva. E muito menos quero ser grosseira com Theo, não depois de tudo o que ele fez por mim e por meu pai. Então me viro para ele enquanto tento encontrar as palavras certas. — Cada Marguerite que fui tem personalidade própria, com suas fraquezas e seus pontos fortes. Mas todas eram *eu*, Theo. Não tenho certeza se há alguma coisa nelas que não seja parte de mim também. E não só aprendi mais sobre mim mesma, como aprendi mais sobre Paul. — Se eu pensar no Paul na Rússia outra vez, não vou conseguir segurar a onda, então me forço a me concentrar no aqui e agora. — Todas aquelas versões de Paul *são* Paul. Conheço ele melhor agora do que antes. Ele não é um assassino. Eu colocaria minha mão no fogo por isso.

— Você *está* colocando a mão no fogo, não percebe? — resmunga ele, batendo o tênis no degrau. — Eu nunca devia ter deixado você vir nessa viagem.

— Se vingar a morte do meu pai é trabalho de alguém, então é meu. Sim, mais do que seu. Você sabe disso.

— Você acha que passei algum segundo dessa viagem sem me culpar por estar colocando você em perigo? Que não me odiei por envolvê-la nisso? — Seus olhos escuros procuram os meus. — E agora fico sabendo que você está confusa, observo-a baixar a guarda... e só consigo pensar: *Marguerite vai se machucar*. E se isso acontecer, será minha culpa. E nunca, jamais, vou aceitar isso.

Discordo com a cabeça, mas não consigo responder nada. A emoção crua em sua voz roubou a minha.

Ele se aproxima ainda mais de mim, ficando tão perto que nossos rostos quase se encostam.

— Você diz ter visto todas essas diferentes versões de Paul. Que descobriu quem ele realmente é. Bem, e o que você aprendeu sobre mim, Marguerite?

— Theo...

A mão dele agarra a curva do meu pescoço, é um toque forte e possessivo, e em seguida Theo me beija.

Suspiro e a língua dele escorrega para dentro da minha boca aberta. Minha pele fica quente, e meus membros enfraquecem. Meu corpo reconhece a sensação antes mesmo da mente. Theo coloca os braços em volta de mim e tudo o que quero é retribuir seu beijo.

Então me lembro de Paul, na dacha no meio da neve, de fazer amor com ele sob o brilho do fogo. Lembro-me de amar Paul mais do que minha própria vida.

Viro o rosto e digo:

— Pare, Theo. Por favor, não.

Ele fica imóvel por um segundo, e depois me solta. Continuamos sentados ali por um tempo, um ao lado do outro, ofegantes, incapazes de falar alguma coisa.

Até que Theo diz, por fim:

— Ele conquistou você.

Quero discutir com ele, mas isso só pioraria tudo.

Com um suspiro, ele se levanta. Quando olho para ele, fico surpresa, me sentindo animada, ao ver que ele está tentando sorrir.

— Vamos só... Amanhã a gente começa de novo, ok?

— Ok. Amanhã.

Quando vamos andar pela sede da Tríade, lado a lado. Mesmo nesse momento, *sempre*, Theo é meu aliado. Ele procura as chaves do carro no bolso e eu pergunto:

— Você nem vai ficar até a meia-noite?

— E a tradição do beijo? — Ele ergue uma sobrancelha. Está tentando fazer piada com a situação, mas não funcionou muito bem. — Duvido que minha sorte vá melhorar até lá.

Ele merece mais do que isso. Mas “merecer” não tem muita relação com se apaixonar.

21

Meu próprio quarto. Minha própria cama. No entanto, não consigo dormir.

Continuo tirando meu tPhone da base de carga e dando uma olhada na lista de contatos. Paul Markov está lá, exatamente como lá em casa. Até escolhi o mesmo toque para ele.

Rachmaninoff.

Por um instante, parece que estou de volta em casa, cozinhando ao lado de Paul, enquanto nós dois fingimos que nossos braços não estão se tocando...

Aparentemente, meus sentimentos por Paul são confusos nesta dimensão também. (Encontrei no galpão lá embaixo o quadro cortado que fiz dele, a lona rasgada pendendo da moldura.)

Matemática ou destino? Qualquer que seja a força que continua nos colocando juntos em um mundo atrás do outro, é poderosa. Inegável. Mas ainda não sei se essa força será minha salvação ou minha destruição.

Lá pelas duas da manhã, não resisto e mando um torpedo para Paul. Escrevo e apago pelo menos uma dúzia de mensagens antes de enviar um simples "precisamos conversar".

Ainda fico acordada por mais umas duas horas, porém, não recebo resposta. Pego no sono pensando no corpo dele morrendo em meus braços.

— Você está bem? — pergunta Theo pela décima vez em um trajeto de trinta minutos.

— Sim, estou bem. É só que… foi uma manhã difícil.

A manhã foi como várias outras da minha vida: meu pai fez waffles de blueberry (usando seu chapéu verde da festa da noite anterior), Josie ficou reclamando de um dos sonhos malucos e complexos que ela sempre tem, mamãe vestia roupa de yoga enquanto todos nós estamos ainda de pijama, porque até mesmo na manhã do primeiro dia do ano ela acorda de madrugada e faz suas saudações ao sol... Mas desta vez eu estava vivendo e assistindo a tudo isso do ponto de vista de alguém que sabe como é perder momentos como esses. Eu nunca tinha entendido como coisas tão normais podem ser tão lindas.

— Imagino. — Theo me observa por um instante com olhos gentis, e logo em seguida volta a prestar atenção na estrada. Estamos pelo menos 15 km acima do limite de velocidade permitido, com Theo forçando seu carro turbinado por cada espacinho que nos fizesse chegar mais rápido na Tríade. — Segure firme, Meg.

Agarro a corrente do Firebird que balança debaixo da minha camiseta. Theo e eu temos sido supercuidadosos nesta dimensão para manter nossos Firebirds debaixo de roupas que não deixem seu contorno à mostra, porque neste mundo meus pais os reconheceriam de imediato e saberiam o que está acontecendo.

Meu celular está no bolso da saia, com a vibração ligada, então não tenho como perder uma ligação ou mensagem de texto. Ainda assim, pego o aparelho e confiro mais uma vez. Nada. O carro de Theo sobe uma ladeira, indo longe nos subúrbios, de forma que estamos cercados por mais árvores do que prédios. Vejo uma meia-lua prateada brilhante no horizonte. Quando me dou conta do que se trata, fico de queixo caído. Theo ri.

— Espetacular, né?

Em casa, a sede da Tríade é mais teórica do que real: a logomarca fica na frente de um prédio em construção. Aqui, a obra já está concluída e brilha como uma miragem fantástica, surreal, mas ao mesmo tempo tão substancial que domina o espaço. O cubo espelhado do prédio principal é cercado por uma estrutura circular brilhante: o maior e mais eficiente gerador de energia solar do mundo. O prédio da Tríade segue o mesmo ideal de design de seus produtos: a união entre poder e beleza.

Theo tem um distintivo na frente do carro que nos permite passar pelo portão principal. A grama parece recém-cortada, como um campo de golfe. Longas fileiras de arbustos formam o caminho até o estacionamento da Tríade.

— Vamos — diz Theo. Ele está sorrindo como se isso não fosse nada demais. É provável que ele esteja animadíssimo só de poder olhar o lugar. — Vamos arranjar um crachá de visitante para você.

Sigo atrás dele, mas não consigo evitar erguer os olhos para admirar a enormidade do prédio enquanto entramos. A luz do sol reflete de forma tão brilhante no vidro que é difícil prestar atenção em qualquer outra coisa.

Se Paul estiver certo, e se a Tríade estiver armando para realizar os piores medos da minha mãe e do meu pai, então estou entrando na cova dos leões.

As portas de vidro se abrem para nós ao entrarmos na recepção ainda mais estonteante que o exterior do prédio. Enquanto Theo flerta com a segurança para que meu crachá fique pronto mais depressa, controlo meu impulso de olhar para tudo. O espaço já seria impressionante independentemente de qualquer coisa, mas é surreal tê-lo quase que todo só para nós, e meus passos ecoando baixinho no silêncio. O teto da recepção tem pelo menos a altura de uns dez andares, com telas por todos os lados mostrando os diversos produtos da Tríade, tanto os reais quanto os teóricos. Durante todo o tempo, pelo menos uma das telas exibe a logomarca verde-esmeralda da empresa, com o slogan em letras brancas embaixo: Todo lugar. Todo momento. Todo mundo.

Um puxão na barra do meu cardigã me faz virar e ver que Theo colocou meu crachá bem ali, no meu quadril. Ele pisca para mim.

— Relaxe. Lembre-se: não importa o quão impressionante tudo isso pareça, seus pais ainda são a coisa mais grandiosa que já aconteceu para este lugar.

Difícil. Esta é a casa que Wyatt Conley construiu, e todo mundo sabe disso. Ainda assim, o sorriso de Theo ajuda a acalmar o frio na barriga. Com ele, me sinto segura.

Theo estende a mão para mim. É um gesto casual, ou é o que ele quer que pareça, mas consigo reparar que está nervoso. O beijo de ontem à noite ainda está na minha memória, um lembrete de tudo o que sinto e não sinto por ele. Nem conseguimos nos olhar.

Mas dou a mão para ele.

É claro que este prédio tem aqueles elevadores de vidro terríveis. Entramos em um e Theo diz:

— Laboratório Onze.

— Pois não, sr. Beck — responde o elevador.

Está bem, esse computador talvez seja um pouco esperto demais. Lentamente deixamos a recepção com as telas brilhando ao redor.

— Acho que hoje o prédio é praticamente nosso — diz ele, passando o polegar pelos nós dos meus dedos. — Jordyn, da mesa de segurança, disse que só cinco pessoas deram entrada aqui hoje.

No entanto, assim que ele diz isso, o elevador para em um andar que, pelo rosto franzido de Theo, sei que não é nosso destino. As portas se abrem... e Wyatt Conley entra.

Wyatt Conley. O *próprio*. Sim, o fundador e CEO da Tríade, o que significa que obviamente ele vai à sede da empresa às vezes. Mas encontrar com ele no elevador? É como fazer um tour na Universal Studios e ser recebida pelo Leonardo DiCaprio.

Exceto pelo fato de que é completamente diferente, porque estou começando a acreditar que esse homem pode ser o responsável pela morte do meu pai.

— Theo. — Conley diz o nome com tanta facilidade que nem dá para imaginar que ele tem milhares de funcionários, e nem parece superesquisito que ele aparentemente saiba o nome de todos. — Você está aqui para trabalhar ou para se exibir para sua namorada? Eu não o culparia se fosse pela segunda razão.

— Esta não é... Quer dizer, esta é Marguerite Caine. — A mão de Theo aperta a minha com um pouco mais força. — A filha da dra. Kovalenka e do professor Caine.

O sorriso de Conley se alarga.

— Ora, ora, ora. Já estava na hora de nos conhecermos!

Bom, tecnicamente nos conhecemos em Londres, se é que minha aparição no palco durante a palestra dele conta como "conhecer".

Mas aquela era uma versão diferente de Wyatt Conley. No entanto, este aqui se veste de uma forma quase igual: rico despojado, casual falso, mais como um menino do que como um magnata. Ele não parece... um assassino. Seja lá o que isso signifique. Quer dizer, Conley parece ser um cara metido, mas o que se pode esperar de um magnata da internet de trinta anos?

— Prazer em conhecê-lo — minto, esperando que ele acredite que estou agindo de forma esquisita porque é *muuuito* legal conhecer alguém famoso.

Aparentemente, Theo acha que estou sendo esquisita e ponto. Porque ele rapidamente interrompe:

— Achei que Marguerite fosse gostar de dar uma olhadinha na sede.

— Claro. — O sorriso de Conley é tão simples, tão natural, que apesar de tudo eu conseguiria acreditar que ele está mesmo sendo sincero... pelo menos neste momento. — Vejo semelhança com a dra. Kovalenka. Seus pais são pessoas muito marcantes, Marguerite. Você devia ter orgulho deles.

— Eu tenho, sim. — *E não preciso que você me lembre disso.*

O elevador para no décimo andar. Theo me conduz para fora, mas Conley vem atrás de nós. Ou ele já estava vindo para cá mesmo ou está com muito tempo livre. Ainda que eu saiba que Theo também deve estar nervoso, ele age como se fosse completamente normal ser seguido por Conley. O caminho nos leva a um corredor com paredes de vidro que nos mostram a recepção lá embaixo, então luzes coloridas continuam brilhando nos painéis. Conley sorri quando diz:

— A filha de dois gênios. Quem sabe o que podemos esperar de você um dia?

— Não sou mais um gênio da família — respondo, depressa. — Não mesmo.

— Marguerite está se subestimando — comenta Theo, dando um sorriso de lado para mim, com uma expressão mais gentil que o normal. Às vezes esqueço como ele consegue ser gentil apesar de toda sua atitude. — Ela não é cientista, mas é incrivelmente talentosa. Uma artista, de várias formas.

Conley assente.

— É mesmo. Retratos, não é isso? Quem sabe um dia não peço para você me pintar?

Há dois meses, essa sugestão teria sido a mais emocionante do mundo. Um retrato de Wyatt Conley? Com isso eu me tornaria uma retratista renomada da noite para o dia. Mas no momento tenho outras prioridades.

Por outro lado, sempre acreditei que um retrato mostra a verdade. (*Você sempre, sempre, pinta a verdade,* ouço na minha cabeça.) Se o Conley se sentasse comigo por algumas horas e eu pintasse o que de fato vejo nele, talvez eu entendesse exatamente que tipo de homem ele é.

— Isso seria incrível — respondo com um sorriso, de maneira jovial e feminina. É o que ele espera de mim, não é?

Conley ri.

— Gosto de meninas que aproveitam uma oportunidade de ouro quando veem uma. Agora, Theo, está pronto para a última etapa de testes de mercúrio?

— Com certeza — responde ele, fazendo um excelente trabalho ao fingir que sabe do que se trata. Ou talvez ele já tenha lido a respeito no computador do Theo daqui e está prestes a cuspir jargões técnicos.

Neste momento, meu celular vibra no bolso da saia. Eu me afasto dos dois com a desculpa clássica: *Chegou uma mensagem... O que eu posso fazer?* Enquanto eles continuam conversando, dou de ombros e pego meu telefone, desesperada para que seja o Paul, mas provavelmente é Angela me contando qualquer coisa sobre seu Ano-Novo, ou minha mãe me pedindo pra comprar leite na volta para casa.

Mas é Paul.

A mensagem dele apenas diz: *Não entre lá.*

Digito depressa uma resposta: *Lá onde?*

Laboratório onze. Você precisa sair daí AGORA.

Sinto um calafrio ao me dar conta de que Paul está nos observando neste instante.

Olho em volta, esperando que ele apareça em algum canto, ainda que isso não faça sentido. Então noto umas semiesferas paralelas espelhadas no teto, sem nenhuma função aparente. Elas certamente não estão ali para compor a decoração futurística, portanto, algumas devem ter câmeras de segurança.

Paul trabalhou aqui ao lado de Theo pela maior parte dos últimos meses. Ele não apenas sabotou os dados dos meus pais, como também hackeou o sistema interno de segurança da Tríade, que deve ser um dos melhores no mundo.

Meu celular vibra de novo.

Você não encontrou Conley por acaso. Theo não está correndo perigo, mas você está.

Quando olho para Conley e Theo, percebo que Theo não suspeita de nada. Ele está sorridente enquanto os dois conversam e Conley assente ao ouvir as ideias do funcionário. Até onde consigo ver, tudo parece bem.

Olho para a porta a alguns passos de nós, onde está escrito: LABORATÓRIO 11.

Você tem que sair daí agora.

E digito de volta: *Mas de que outra forma vou conseguir respostas?*

Não vai ser com Paul, obviamente. *De que outra forma posso descobrir o que Conley quer?*

Theo olha para mim, mais relaxado desde que entramos. Ele claramente não sabe que há algo errado.

— Pronta?

Meu telefone vibra com mais uma mensagem. Dou uma olhada na tela e leio o que Paul escreveu:

Conley quer VOCÊ.

— Marguerite? — Ele parece confuso. — Você está bem?

Não sei o que fazer. Sequer sei o que pensar.

A pergunta é: confio em Paul ou não?

Assim que penso nisso, sei que *não vou passar por aquela porta.*

— É... Eu, hum... — *Pense rápido, pense rápido!* — É minha amiga Angela. Desculpem. Peguei uma pulseira emprestada e ela quer de volta para usar num encontro hoje à noite.

Conley faz uma expressão como se dissesse: *Meu Deus, como é fofa*, que nem um GIF de cachorrinhos ou algo do tipo. Eu queria poder dar um tapa na cara dele.

— Ah, meus dezoito anos.

— O que acontece é o seguinte: coloquei a pulseira hoje de manhã, mas não sei onde foi parar. — Ergo o pulso, torcendo para que Theo não comente nada sobre eu não estar de pulseira de manhã. Com a outra mão, guardo o celular no bolso da saia. — Tenho certeza de que estava com ela no carro. Será que posso... quero descer e checar na recepção, ou talvez no carro também. Desculpem, mas se eu perder essa pulseira, ai, meu Deus, Angela me mata *de vez*.

Ok, mandei o papo meio forçado da garotinha adolescente idiota no final, mas neste momento só quero que Conley ache que eu não passo disso. Preciso que ele seja mais um daqueles babacas que acham que meu cérebro não aguenta nada além de fofoca e minhas cores preferidas de esmalte. Se ele acreditar nisso, vai me deixar ir confiando que vou voltar logo.

Theo troca um olhar com ele e diz:

— Mulheres. Fazer o quê? — Mais tarde vou fazer ele ouvir muito por causa desse comentário, mas talvez ele tenha se dado conta de que preciso ir embora. Ele pega as chaves do carro no bolso e as joga para mim. — Volte logo, ok? Ah, tem uma Starbucks na cafeteria que entrega aqui em cima. Eles estão abertos hoje, eu acho. Você quer um latte?

— Parece ótimo — respondo, com um sorriso, que não tenho certeza se foi muito convincente. Espero que pareça apenas que estou preocupada com a pulseira perdida.

Até virar as costas para os dois e aguardar o elevador já me deixa aflita. Cada segundo que passa, fico esperando Conley me chamar de volta, ou acho que vou sentir a mão dele no meu ombro. Mas quando ouço o apito e as portas se abrem, entro no elevador sem problemas.

Assim que começa a descer, pego meu celular e vejo que Paul já mandou mais uma mensagem.

Bom trabalho. Agora saia do prédio. Vá para algum lugar seguro.

Digito de volta: *Me diga onde você está. Não aceito não como resposta.*

Respostas... é disso que preciso, e não vou mais esperar por elas. Mas o celular permanece em silêncio enquanto desço, as telas projetando a luz verde em mim enquanto releio o slogan: “Todo lugar. Todo momento. Todo mundo.”.

Mando mais uma mensagem.

Responda ou juro que vou voltar lá para cima.

E realmente vou voltar. Porque se Paul não estiver pronto para me dizer a verdade, mesmo agora, talvez eu tenha errado ao acreditar nele. Talvez eu tivesse razão ao querê-lo morto.

O telefone vibra.

São Francisco. Bairro do Tenderloin. Me encontre no Union Square Park.

O elevador me deixa no térreo e diz: "Tenha um bom dia, srta. Caine." Essa coisa é assustadora.

Caso Conley esteja me observando de cima, finjo que estou procurando a pulseira na recepção, depois me desculpo com a segurança enquanto devolvo o crachá e me dirijo para a saída. Então corro até o carro de Theo o mais rápido que consigo, tanto que minhas sapatilhas quase voam dos meus pés.

Quando destranco a porta do carro, Paul manda mais uma mensagem:

Você sabe que precisa roubar o carro.

— Pegar emprestado — digo em voz alta, sabendo que ele não consegue me ouvir. — Estou só *pegando emprestado* o carro de Theo. Ele vai entender. Um dia.

Viro a chave na ignição e, depressa, mando mais uma mensagem:

Como assim Conley está atrás de mim?

A resposta vem antes que eu saia com o carro:

Tudo isso é por sua causa, Marguerite. É você que Conley queria todo esse tempo.

22

Theo sempre disse que algum dia iria me ensinar a dirigir carro com câmbio manual, mas nunca tinha tempo. Então a culpa é mesmo toda dele.

A embreagem faz barulho (ou o motor, sei lá *o que* está fazendo esse barulho no carro dele) e sei que tem algo errado. Vou até a estação, paro no estacionamento e pego um trem para o centro da cidade.

Enquanto estou sentada no trem (que é azul-claro, tão diferente dos vagões holográficos do metrô de Londres), sinto meu coração tão acelerado que parece que o medalhão está batendo no meu peito.

Estou correndo até o cara que todo mundo que eu amo acha que nos traiu, o cara no qual ninguém acredita, só eu.

Houve um tempo em que o Tenderloin era uma parte decadente da cidade, ou pelo menos é o que meus pais contam. Mas o Union Square Park agora está cercado pela Saks Fifth Avenue, a Macy's, a Nordstrom... A maioria das pessoas está cheia de casacos. Mas depois de uma temporada em São Petersburgo, o dia não me parece tão frio. Todo mundo parece ocupado e alegre, ainda mais a multidão na pista de patinação no gelo, que sempre montam no fim do ano. Por um instante, as figuras girando e rodopiando no gelo me fazem lembrar de São Petersburgo... e então vejo uma pessoa parada e quieta no fundo. Paul está ao lado do monumento Victoria, vestindo seu único casaco de inverno bom, um presente da minha mãe. Ele deve ter me visto antes, porque nem se mexe. Em vez disso encolhe os ombros, como se estivesse se preparando para uma briga.

Paul. Meu coração se divide entre alegria, dor e medo. Alegria por vê-lo vivo outra vez. Dor porque este não é o mesmo Paul que morreu na Rússia, porque sua presença me lembra que o Paul que amei e que me amou de volta se foi para sempre. E medo porque ainda não sei o que está acontecendo. Não sei se ele está me salvando ou se está me levando para um perigo maior ainda.

Não consigo mais andar para a frente, é como se eu estivesse presa ao chão. Mas Paul já está vindo na minha direção, cobrindo o resto da distância entre nós. Cada passo que ele dá me deixa mais atenta, e me flagro notando cada detalhe nele que lembra o Paul da Rússia, e cada detalhe que o diferencia os dois.

Ele fala primeiro:

— Obrigado por ter vindo até aqui. Por confiar em mim.

Ainda não consigo superar o fato de vê-lo vivo outra vez.

— Como... como você saiu da Rússia?

— Azarenko me devolveu o Firebird antes da batalha. Troquei de dimensão pouco depois do início da batalha.

Ele parece preocupado, e sei que quer perguntar sobre o outro Paul. Se ele sobreviveu. Não sei se consigo falar sobre o tenente Markov. Vou começar a chorar, e não posso fazer isso neste momento.

— O que está acontecendo?

— Estou em um albergue aqui perto. Theo arranjou uma identidade falsa para mim ano passado, que usei para entrar lá, e eles aceitam dinheiro. Nem mesmo Conley pode me encontrar aqui. Amanhã cedo vou pegar o trem até o aeroporto. Tenho um voo para Quito.

Legal, mas não foi isso que perguntei.

— Quito fica no Equador — acrescenta ele.

— Eu sei onde fica Quito! — respondo, irritada, o que é mesmo verdade, porque ele acabou de me contar. — Quer dizer, o que está havendo? Com você, Conley e todo o resto. E não me mande voltar para casa como uma boa menina. Se você fizer isso de novo, juro que...

— Não vou fazer isso de novo. — Mas diz isso menos como uma promessa e mais como... se admitisse a derrota. — Você devia ter ido para casa quando eu falei, mas agora é tarde demais.

— Então você vai me explicar? Finalmente?

— Vou.

Ele olha para o céu como se estivesse com medo de estarmos sendo observados. Mas a verdade é que a Tríade tem muitos satélites. Conley poderia estar nos espionando do espaço, se quisesse.

Acho que a paranoia de Paul está me afetando.

— Venha — diz ele. — Vamos para o albergue.

Andamos juntos, lado a lado, sem dizer nada. O tenente Markov, na Rússia, me ofereceria seu braço. E se soubesse que não havia ninguém nos olhando, me daria a mão. Paul não faz nada disso.

Quase tudo o que sei sobre albergues aprendi com Josie, que fez um mochilão pela Europa num verão e pela Austrália e sul da Ásia no seguinte. De acordo com ela, isso existe para as pessoas que querem todo o desconforto de um acampamento, mas sem a paz e o sossego. Mas, de qualquer forma, ela gosta de albergues porque são bons lugares para conhecer pessoas do mundo todo. A recepção, de fato, está cheia de estudantes suecos tentando descobrir qual é o melhor caminho para chegar em Alcatraz. Paul paga os dez dólares a mais para ter direito a um acompanhante no quarto e me apresenta como sua "namorada", tão constrangido que me pergunto se a moça da recepção acha que sou uma prostituta. Mas ela me deixa entrar com minha identidade falsa.

— Albergues têm quartos individuais? — pergunto enquanto ele fecha a porta do quarto.

— Às vezes. Peguei um aqui porque eu sabia que precisava de alguma privacidade para trabalhar.

O quarto mais parece um computador gigante aberto. Ele conectou cinco laptops e mais alguns acessórios que não reconheço. As telas mudam sem parar, com diversas linhas de códigos cintilando. Ainda que o quarto seja um tanto escuro, quase sem nenhuma luz natural, Paul não acende a luz, talvez para evitar o reflexo nas telas, que piscam a cada nova informação.

— O que você está fazendo?

— Entrando nos servidores da Tríade.

— Achei que você já tivesse feito isso.

Com certeza já fez, porque vejo um tablet na parede exibindo várias imagens das câmeras de segurança da sede da Tríade.

— Alguns dados estão mais protegidos. Se eu conseguir acessá-los antes de sair do país, ótimo. Caso contrário, terei que fazer algumas suposições.

— Sobre o quê?

Ele não me responde diretamente, só tira o casaco. O Firebird brilha em cima do suéter preto.

— Você queria respostas. Então vamos começar.

Eu me sento no lado da cama que não está abarrotada de computadores. Paul senta-se no chão, com as pernas cruzadas, a menos de meio metro de mim. Não sobra lugar aqui para que cada um tenha seu espaço pessoal. Meu celular vibra no bolso da saia, o que está acontecendo direto, e só agora me dou conta. Eu nem tinha reparado. Olho para a tela e vejo dezenas de mensagens de Theo em diferentes estados de pânico.

Onde você está?

O que você

Este não é Paul

Meu carro

Pq vc

Meg, vc tá bem?

Estremecendo, coloco o celular no modo "Não perturbe".

— Theo vai me matar — digo, e depois imagino o que ele pode estar fazendo neste momento. — Conley não o machucaria, não é?

Quando saí correndo da Tríade, em nenhum momento pensei que poderia estar colocando Theo em perigo.

— Provavelmente não — responde Paul.

— Provavelmente?

— Cinquenta por cento de chance. — Por alguma razão, Paul parece achar que essa resposta é satisfatória, mas não é. — Hoje ele está seguro. Não vi nada de inesperado pelas câmeras de segurança depois que você saiu. Theo está confuso, e Conley está irritado.

Eu me lembro de como Conley agiu como se tivesse nos encontrado por acaso, mas depois começou a nos seguir como se o CEO de uma empresa global gigantesca não tivesse mais nada para fazer no primeiro dia do ano. Ele tentou ser casual ao nos acompanhar até o Laboratório Onze, onde faríamos... o que mesmo?

— Theo idolatra Wyatt Conley — explica Paul. — Ele já começou a perceber que a situação da Tríade é esquisita, mas se recusa a enxergar a extensão disso.

— Como assim, se recusa?

Ele balança a cabeça de forma afetuosa.

— Theo é... ambicioso, no melhor sentido da palavra. Ele acredita nas aplicações do nosso trabalho na vida real e quer que todos se beneficiem e lucrem com o que descobrimos. Trabalhar com grandes empresas e convencer pessoas como Conley a continuar nos financiando... Eu não sei fazer esse tipo de coisa. Tento e me sinto ridículo. Como um cão andando só com as pernas de trás.

— Você foi pedir financiamento para a pesquisa dos meus pais na Tríade?

— Basicamente eu fiquei parado enquanto Theo fazia isso — explica ele. — Theo falou com eles, e pouco tempo depois o departamento de Pesquisa e Desenvolvimento fez chover milhares de dólares no nosso colo. Mas ele não está apenas usando Conley e a Tríade a nosso favor: está encantado com eles. Acredita em Conley porque quer acreditar.

Por mais que eu queira defender Theo, eu o conheço bem o suficiente para reconhecer a verdade no que Paul está dizendo. E ele continua:

— Theo nunca teria feito você chegar perto da Tríade se soubesse quais são os verdadeiros planos de Conley. É algo que vai além de espionar com o intuito de coerção, talvez um sequestro entre dimensões, e Conley está apenas começando.

— Estamos chegando na parte em que isso tem a ver comigo? Porque as coisas ainda não estão fazendo sentido. Ou você só disse aquilo para me tirar da Tríade?

Ouvimos risadas na escada do lado de fora do quarto, e pessoas conversando alto em italiano ou português, não sei direito. Esperamos ouvir o som dos passos descendo a escada para continuar a conversa. Qualquer palavra nossa ouvida fora de contexto pode ser perigosa.

Enfim, silêncio. Paul sustenta meu olhar.

— Não falei só por falar. É verdade.

— Ainda não faz sentido. O que tenho a ver com isso? Meus pais são os gênios da tecnologia. Você e Theo tipo em segundo lugar. Eu fico sentada à mesa de arco-íris fazendo perguntas idiotas.

— Para de se chamar de idiota. Você não é. — Ele respira fundo. — Você tem uma inteligência única. Um valor único. Mas não é isso que Conley quer de você.

— Ele nem me conhece.

— Não. Mas ele nos conhece. Seus pais, Theo e eu. E precisa nos manipular, nos controlar. E há apenas uma forma de fazer isso. Você não vê, Marguerite? Você é a única pessoa que nós quatro amamos.

Sinto minhas bochechas corarem.

— E isso... isso... Por que Conley se importa com isso?

A iluminação fraca deixa os ângulos do rosto de Paul mais evidentes. O queixo marcado, o olhar fundo.

— Você já viajou para três dimensões paralelas. O que você reparou sobre essas viagens? Sobre a sua reação a elas... a sua reação, especificamente?

— Eu me lembro das coisas melhor do que vocês — respondo. — Nunca precisei de nem um lembrete.

— Exato. Eu e Theo precisamos de lembretes para saber quem somos, mas você não. Em todas as dimensões que você entra, se mantém totalmente no controle. Entende como isso é valioso?

Eu me lembro do que meus pais estavam conversando ontem à noite, de todos os seus medos tomando forma, criando um muro ao meu redor.

Paul inclina a cabeça como se estivesse me analisando.

— Nesta dimensão, descobri... ou este Paul descobriu que Conley já está mandando espiões para outras dimensões. Encontraram formas de estabilizar essas pessoas por períodos mais longos de tempo do que os choques dos lembretes, por cerca de um ou dois dias, mas os métodos deles ainda não são perfeitos. Qualquer pessoa que viaja para outra dimensão fica vulnerável. Qualquer pessoa, menos você.

— Deve haver outros — protesto. — Se eu posso, outras pessoas também devem conseguir.

— Não. Na nossa dimensão, é só você.

— Você não tem como saber isso! Reflita melhor, ok? — Talvez, no fim das contas, Paul esteja mesmo paranoico. Apoio as mãos na cama, tentando conter minhas frustrações, e pergunto: — Quais são as chances de que a única pessoa da nossa dimensão capaz de viajar dessa forma é, por coincidência, a filha do casal que inventou essa tecnologia?

Paul balança a cabeça.

— Não é coincidência. É proposital. Conley fez isso.

— Ele *fez* isso?

— O Acidente. O dia do “teste de sobrecarga”. Você se lembra, não é?

As imagens voltam à minha mente, mais vívidas do que no próprio dia em que tudo aconteceu. Aquele dispositivo esquisito que a Tríade nos deu, como Theo e Paul surtaram quando o negócio explodiu... O medo de que eu estivesse correndo sério perigo... A maneira que Paul me segurou nos braços, como se quase tivesse me perdido...

Pela minha expressão, Paul deve saber que estou compreendendo, porque ele assente.

— Só é possível criar uma perturbação como aquela uma vez em cada dimensão. Só é possível usá-la para alterar apenas uma pessoa. Conley armou tudo para que o dispositivo alterasse você.

— Josie também estava lá — observo.

— Ela era o plano B. O alvo alternativo, alguém que ele também poderia usar para manipular seus pais. Mas acho que ele queria você todo o tempo.

— Por que eu? — Mas não me esqueci do que ele me disse antes, sobre ser a única pessoa que todos os quatro amam. — Ele quer me usar contra vocês, não é?

Ele confirma com a cabeça.

Destino e matemática. Posso atingir tantas versões diferentes dos meus pais... As pessoas que inventaram a viagem interdimensional, aquelas que Conley terá que controlar universo atrás de universo se quiser manter a tecnologia para ele. Ainda que eu queira acreditar que Conley nunca teria como me obrigar a fazer o que ele quiser, eu sei que ele poderia. Tudo o que ele precisaria fazer é ameaçar alguém que eu amo.

— Qual Conley está fazendo isso? — pergunto. — O da nossa dimensão ou o desta?

— Acho que o Conley daqui já visitou nossa dimensão algumas vezes. Por meses, provavelmente. Eu diria que ele estava usando a versão da nossa dimensão, mas não posso garantir que os dois não estejam trabalhando juntos. — Ele dá um sorriso fino e triste. — Uma conspiração única.

Meus pais me disseram que a espionagem já deve ter começado nesta dimensão, mas nunca me dei conta de que a Tríade estava *nos* espionando. Estremeço e Paul parece chateado, como se estivesse se odiando por me assustar. Ele se esforçou tanto para manter esse segredo e não me deixar com medo...

E finalmente, finalmente, entendo.

— Por isso você apagou tudo — sussurro. — Por isso roubou o Firebird. Você sabia que assim que tivéssemos a tecnologia, ele viria atrás de mim.

Paul confirma com a cabeça.

— Quando entendi o que ele tinha feito com você, sabia que iriam testar você em breve. Pensei que... se eu roubasse nosso único Firebird confiável, e dificultasse a construção de outro, isso iria paralisar os testes por alguns meses. O que me daria tempo suficiente para chegar nesta dimensão e descobrir mais sobre os planos deles, e quem sabe aprender alguma coisa útil para a gente.

— Mas então por que fomos para outras dimensões antes?

Ele parece quase derrotado. Encolhe os ombros e abaixa a cabeça, que está bem próxima do meu joelho.

— Foram... erros de programação. Dimensões matematicamente semelhantes a esta. Os universos logo ao lado. Achei, a princípio, que Londres fosse o lugar certo, mas quando fui lá confrontar Conley, você apareceu e ele não a reconheceu. Já na Rússia... eu teria saltado dali imediatamente se Azarenko não tivesse pegado meu Firebird.

— Depois você chegou aqui. E esta é a dimensão que você estava procurando.

Paul parece muito cansado.

— Pensei que teria a chance de sabotá-los de dentro. Mas o Paul desta dimensão já tinha entendido o que estava acontecendo e saíra atrás da Tríade por conta própria. Acho que... que ele queria proteger todas as versões de você. Em todos os lugares.

E é isso que Paul estava tentando fazer quando tudo começou: tentando impedir que todos descobrissem que haviam me transformado no espião perfeito. Mas fui atrás dele, porque estava irritada, sem saber de nada, me sentindo confusa, e acabei comprovando exatamente o que ele estava tentando esconder.

— Estraguei tudo quando fui atrás de você, né?

— Era Theo quem tinha os outros Firebirds — diz ele, cerrando os punhos, mas relaxando logo em seguida, como se ainda estivesse tentando se forçar a aceitar que seu plano deu errado. — Eu devia ter previsto que ele não deixaria isso de lado. Assim que vi vocês dois em Londres, suspeitei de Theo. Mas depois entendi que ele também estava tentando proteger você, sem saber quais seriam as consequências. Eu não fazia ideia do que tinha acontecido com Henry.

Agora entendo tudo, exceto o que aconteceu com meu pai, mas posso tentar adivinhar. É provável que ele tenha começado a entender o que Conley estava armando. Ele sabia demais, e Conley mandou matá-lo. Menos de um mês depois da morte dele, Conley entra no elevador e sorri para mim. Isso me dá náuseas.

— Por que você não nos contou? — pergunto.

— Não queria dizer nada antes porque queria que todos agissem normalmente. Dessa forma, Conley não suspeitaria de nada. Mas programei uma nota criptografada para Sophia a ser entregue 48 horas depois que eu saí.

Se Theo e eu tivéssemos esperado mais um dia teríamos entendido tudo.

— Você podia ter morrido. Ainda pode.

— Minha intenção é sobreviver, se possível — responde ele, muito sério.

— Mas você arriscou tudo.

Ele desvia o olhar. Depois, com uma grande força de vontade, me encara novamente.

— Você estava em perigo... Eu tinha que fazer o possível para protegê-la. — Ele procura meu olhar. — Os riscos não importam. Você importa.

Nenhum dos dois consegue dizer mais nada. Ficamos ali, sentados, sozinhos sob a luz difusa, isolados do resto do mundo.

Então meu celular toca.

Nós dois levamos um susto e Paul dá uma risadinha, tentando acobertar o momento constrangedor. Mas fico arrepiada de medo quando lembro que programei meu telefone para o modo "Não perturbe". Ninguém deveria conseguir me ligar. Tiro o telefone do bolso. Na tela está escrito "Número desconhecido".

Como cerca de 75 por cento dos americanos, uso um celular da Tríade.

— Conley consegue invadir tPhones?

— Teoricamente, sim — responde ele, com uma expressão preocupada ao entender o que está acontecendo.

— Acho que isso não é um caso teórico. — O celular continua tocando. A esta altura já devia ter caído na caixa postal, mas isso também parece ter sido driblado. — Não posso atender, ou ele vai saber onde estou.

— A torre de telefonia celular já deve ter indicado seu paradeiro — diz ele, olhando para a porta como se a polícia pudesse invadir a qualquer momento. Talvez isso realmente aconteça.

— Atenda.

O assassino do meu pai está no telefone. O que será que ele quer? Mas já sei a resposta. Tudo o que ele quer sou eu.

23

Aceito a ligação e digo:

— Alô, sr. Conley.

— Marguerite! — diz ele, sendo tão simpático quanto foi no prédio da Tríade. A voz dele parece ainda mais jovem que seu rosto. Ele soa como mais um aluno dos meus pais que surgiu na mesa de arco-íris para socializar. O volume do meu telefone está baixo, mas Paul e eu nos aproximamos para ouvi-lo acima do barulho dos computadores. — Que alívio finalmente ter alguma notícia sua. Imagino que tenha encontrado a pulseira da sua amiga, né?

Isso me irrita. Se Conley estivesse aqui, eu seria capaz de dar um soco bem na sua cara cheia de sardas.

— Ah, por favor. Você acha que tem o direito de *me* chamar de desonesta? Não sou a mentirosa épica aqui. Então deixe de palhaçada e diga logo o que tem que dizer.

Paul olha para mim como se dissesse: *caramba.* Acho que ele ficou impressionado.

— Ok, deixando de palhaçada, então — diz Conley, sendo tão amável quanto antes. — Você é uma garota talentosa. Acho que precisamos discutir como podemos fazer bom uso desses talentos. Como progredir.

— Não sou sua viajante. Não sou sua espiã. E assunto encerrado.

— Vejo que já conversou com o sr. Markov. Ele está aí com você agora? — Não respondo, mas o silêncio deve ser quase o mesmo que dizer sim. Paul não fala nada, só semicerra os olhos. Conley continua: — Se pelo menos as coisas fossem assim tão simples. Você se tornou uma pessoa muito importante, em um lugar muito importante. Isso significa que adquirir seus talentos é uma das maiores prioridades da Tríade.

— Suas prioridades não me interessam — retruco.

— As pessoas que me ajudam a atingir meus objetivos são recompensadas, Marguerite. Eu poderia recompensá-la de forma tão magnífica que você nem consegue imaginar.

— Dinheiro não compensa o que você fez — digo, e sinto um nó na garganta ao pensar no meu pai, morto no rio de outro universo.

— Consigo compensar muita coisa.

Paul se levanta devagar. Percebo que ele está se preparando para sair dali. É claro, se Conley já está rastreando nossa localização, alguém pode chegar a qualquer momento. Eu me levanto também, saindo do caminho para que Paul possa começar a desligar tudo e guardar na mala.

Para abafar o som da arrumação, começo a falar de novo:

— Já chegamos na parte em que você começa a ameaçar todo mundo que eu amo?

— Você está se referindo ao sr. Beck? Ele está ótimo, no momento. Um pouco chateado porque alguém roubou o carro dele. Mas já voltou para seu escritório e está aguardando o carro da empresa levá-lo para casa. Finalmente.

A ameaça sutil a Theo me deixa nervosa. Paul fica paralisado, tão assustado por Theo quanto eu, mas logo volta a guardar as coisas. O tempo está voando.

Conley continua:

— Precisamos nos encontrar, Marguerite. Tenho que fazer alguns testes para determinar a extensão completa do seu potencial. Nada que vá doer, prometo.

— Suas promessas não significam muito — digo.

— Você está me subestimando. As pessoas não costumam fazer isso. — Ele parece quase entretido com a novidade. — Apenas se encontre comigo. Escolha um local neutro. Paul pode ir junto, se achar que vai ser mais reconfortante para você. Deixe-me entender o quanto você está disposta a negociar, e então negociaremos.

Como é possível que ele não esteja entendendo o recado?

— Você não tem nada que eu queira!

A voz dele fica muito baixa:

— Tenho, sim. Tenho uma coisa que você quer muito.

E, pelo modo que ele diz, acredito.

Ele está se referindo a Theo? Olho para Paul, que está com os olhos arregalados. Ele sabe do que Conley está falando... E o que quer que seja, é importante. É real.

— O portão do dragão em Chinatown — digo. É o primeiro lugar público que me vem à mente. — Me encontre lá daqui a uma hora. Tem que ser você, e terá que ir sozinho. Entendeu? Uma hora a partir de... agora.

E em seguida encerro a ligação e desligo o telefone. Nem mesmo os hackers de Conley poderiam desfazer o fato de que meu celular está desligado.

Paul me encara.

— Você não pode se encontrar com ele.

— Nem a pau. Mas ganhamos uma hora. Enquanto ele estiver em Chinatown, podemos levar você até o aeroporto.

— Você é boa nisso — diz ele, sorrindo. — Em fugir.

— Tenho praticado bastante.

Paul e eu nos sentamos próximos um do outro no trem, e sua mala enorme mais parece uma terceira pessoa com a gente. Chegaremos ao aeroporto em mais ou menos meia hora, o que nos dá mais algum tempo para conversar.

E tenho tanto a perguntar, a dizer, que é difícil encontrar palavras.

Por fim, faço a pergunta mais simples na qual consigo pensar.

— Por que o Equador?

— Foi o outro Paul que fez esses planos, não eu. Deduzo que seja porque é um país sem acordo de extradição com os Estados Unidos.

É claro. Apagar os dados dos meus pais foi uma coisa. Mas quando Paul atacou a Tríade, cometeu um crime que não será perdoado. O Paul desta dimensão precisa fugir, então este Paul está ajudando.

— Mas você sempre deixa uma porta aberta, não é?

— Antes que você se meta em confusão, vale a pena se perguntar como vai sair dela. — Paul olha para mim, os olhos cinzentos escurecidos pela intensidade deles. — Você também precisa sair dessa, Marguerite.

— Uou. Você quer que eu fuja com você para o Equador?

— Você não vai comigo — responde ele imediatamente.

Ainda que eu não tivesse nenhuma intenção de fugir para a América do Sul, a recusa seca dele me magoa. Paul faz uma pausa e depois diz:

— Quer dizer... você precisa ir para casa.

— Nós dois estamos indo para casa. Certo? — Suponho que ele esteja esperando sua versão daqui ficar segura no aeroporto para saltarmos para nossa dimensão. Mas ele hesita por um segundo longo demais e não responde. — Para onde você está indo?

— Ainda não posso contar.

Sinto vontade de estrangulá-lo.

— Guardar segredos trouxe alguma coisa boa em algum momento dessa jornada? Por que você não pode confiar em mim?

Ele fecha os olhos com força, como se estivesse com dor de cabeça por minha causa.

— Não tem a ver com não confiar em você.

— Então tem a ver com o quê? Tentei confiar em você, mesmo quando todo mundo me disse que eu não devia...

— Você acreditou que eu tinha matado Henry — retruca ele. O que é um bom argumento.

— Isso não conta. Conley armou para você. Fez parecer que você havia sabotado os freios do carro do meu pai.

Paul dá de ombros, achando que eu não podia ter desconfiado dele, e talvez tenha razão.

— Desculpe — digo, baixinho.

— Não. Não peça desculpas. Entendo que você estava fora de si. E Conley pode ser convincente quando quer.

Mas o corpo inteiro de Paul continua tenso. Se não é raiva, o que pode ser?

Ah.

— Na Rússia... — Não sei o que dizer, por onde começar. — Você e eu... Não sei se você se lembra de tudo... ou de alguma coisa...

— Eu me lembro de fazer sexo.

Sinto vontade de desviar os olhos. Mas seria muito ridículo ficar envergonhada agora? E Paul percebe que foi, mais uma vez, muito brusco.

— Quer dizer, também me lembro, hum, de levar um tiro. Ele sobreviveu?

— Não. Você... Ele... morreu nos meus braços.

Ele baixa a cabeça como se sentisse a mesma dor da perda que eu. Talvez seja verdade.

— Sinto muito.

As lágrimas enchem meus olhos, mas tento contê-las. E ele acrescenta baixinho:

— Sei que você o amava. E não a mim.

— Talvez. Não sei — sussurro.

Ele respira fundo, quase surpreso. Entendo que mesmo um *talvez* é mais do que Paul já ousou sonhar. Tudo o que ele fez, tudo de que abriu mão e arriscou por mim: ele fez tudo isso sem ter a menor ideia de se seu amor era correspondido.

— Marguerite...

— Não sei onde ele acaba e você começa.

O trem reduz a velocidade até parar completamente na próxima estação, e pelo visto metade da população do bairro está indo para o aeroporto hoje. Conforme as dezenas de pessoas se amontoam, carregando malas, Paul e eu seguimos calados, sem conseguirmos olhar nos olhos um do outro. Penso no toque do Rachmaninoff no meu celular. O que será que somos um para o outro nesta dimensão? Devemos ter quase a mesma relação, se a mesma música ainda me faz lembrar dele. Se Paul estava mais uma vez disposto a desistir de tudo — e destruir a própria vida — tentando proteger o trabalho dos meus pais, e tentando me proteger...

O trem volta a andar e todos começam a conversar ou a ouvir música. As vozes nos cercam e nos dão privacidade de novo.

— Mas e você e Theo? Eu achava que ele era... Bem. Eu achava que ele era o seu escolhido.

Gosto de Theo. Não há como negar, deixar isso de lado. Mas o que quer que eu sinta por ele, não se compara ao que sinto por Paul.

— Não. Não é Theo.

Eu me apaixonei por um Paul. Eu me apaixonei por sua alma imutável. Será que isso significa que me apaixonei por todos os Pauls, de todos os lugares?

Ele se apressa para preencher o silêncio, atropelando as palavras, como se tivesse esperado tanto tempo para dizê-las que não consegue mais esperar um segundo sequer:

— Sei que não sou... nunca fui... — Ele olha para as próprias mãos na mala. — Não sou bom com palavras, nunca sei a coisa certa a dizer. Porque com você... toda vez que conversamos parece que eu digo tudo errado.

— Você não diz sempre tudo errado.

Ele balança a cabeça de leve e sorri, nervoso.

— Não sou o Paul da Rússia. Não sei falar como ele. Bem que eu queria.

— Não foi isso que eu quis dizer. — Tudo seria tão mais simples se eu tivesse certeza de que gostava apenas do tenente Markov. Mas quando foi que o amor se tornou algo simples? — Naquele dia em que você ficou me observando pintar, e me disse que eu sempre mostro a verdade... falou a coisa certa. Realmente certa.

O sorriso dele se atenua, como se estivesse começando a acreditar em mim.

— Você disse que não sabe onde o tenente Markov acaba e eu começo.

Assinto, envolvendo os braços ao redor de mim mesma, me encolhendo no banco.

— Eu me lembro de ser uma parte dele. — Sua voz está baixa e suave. Olho para ele. Ao mesmo tempo sinto que é difícil encará-lo e tenho a impressão de que nunca vou conseguir desviar o olhar. — Sei que nós dois gostávamos de como você vê beleza em todas as pessoas. Em todos os momentos. Ele queria ser engraçado como você, seguro do que diz, e eu também. Nós dois sonhamos em beijar você encostada num muro. Nenhum de nós jamais imaginou que teríamos chance com alguém tão incrível quanto você. Nós dois faríamos qualquer coisa, desistiríamos de qualquer coisa, para mantê-la em segurança.

A essa altura, minha visão está borrada com as lágrimas. Paul deve ter reparado isso nos meus olhos, e fica hesitante, como se sentisse culpa por me deixar triste. Mas ele continua:

— O tenente Markov e eu não somos o mesmo homem. Ninguém sabe disso melhor que eu. Mas também não somos completamente diferentes. E o que tínhamos de mais parecido era... como nos sentíamos em relação a você.

O trem chega à última parada, no aeroporto. Todos começam a sair dos vagões com suas malas; eu seco as lágrimas nas minhas bochechas e começo a ajudar Paul a passar com a bolsa pelas portas. No entanto, em vez de seguir a multidão, ele para na plataforma mal iluminada e sei que é porque ele quer dizer adeus enquanto ainda estamos sozinhos. Assim que todos se afastam, eu começo:

— Paul...

— Eu te amo.

Isso me faz arquejar. Não de surpresa, exatamente. Eu já sabia disso, tinha a maior certeza do mundo. Mas é que ainda me sinto como se estivesse descendo uma corredeira, passando por uma queda d'água.

Ele continua, como se estivesse com medo de confiar na minha reação:

— Eu disse a mim mesmo que não importava se eu nunca conseguisse ficar com você. Amá-la já era suficiente. Quando você estava em perigo, eu precisava que ficasse segura. Você não me deve nada por isso. Não precisa dizer... fingir que...

Tapo a boca de Paul com os dedos. Por mais assoberbada que eu esteja neste momento, tenho que tocá-lo. Tenho que *saber*.

Ele respira com força, como se tivesse levado um soco. E me puxa para perto, acariciando meu rosto com suas mãos enormes como se eu fosse frágil e delicada. Como uma pombinha. Lentamente, ele aproxima o rosto do meu, roçando minha testa, minhas bochechas, o canto da minha boca. Sinto o cheiro da pele dele enquanto aperto seus braços e os guio muito gentilmente para baixo.

Claro que eu sempre soube que Paul era um homem grande, muito mais alto que eu, mas nunca tinha me dado conta de como era fácil ele se enroscar em mim. Como ele podia se acoplar a mim, na escuridão, e se tornar meu mundo inteiro.

Ele dá o primeiro beijo na minha bochecha. O toque é tão suave, até mesmo tentador... mas o poder da emoção por trás disso se sobrepõe e mexe comigo bem mais do que deveria. Inclino a cabeça para trás e ele responde ao convite beijando meu pescoço, depois encontra o local onde minha pulsação está mais acelerada. Quando ele me puxa para o seu peito, sinto seu coração batendo tão forte quanto o meu. Nós dois estamos apavorados, mas ao mesmo tempo ninguém quer se afastar.

Ele passa os dentes pelo meu pescoço. A linha tênue entre prazer e dor me faz exclamar no mesmo instante em que ele me silencia com seu beijo.

Nossos lábios se abrem. Sinto a língua dele roçando a minha enquanto respiramos um no outro. O mundo está virando de cabeça para baixo. Seguro a camiseta dele e cerro os punhos. Suas mãos grandes apertam minha cintura e tudo em que consigo pensar é que isso é perfeito, assim como…

… como o outro Paul me beijou na Rússia.

Isso deveria me acalmar, mas me apavora. O homem que eu amava morreu dois dias atrás, e eu já estou nos braços de outro... Se bem que nem sei se ele conta como outro. Eu viro a cabeça para longe de Paul, interrompendo o beijo.

— Pare — sussurro. — Por favor, pare.

Ele para imediatamente, mas mantém os braços ao meu redor.

— Marguerite? O que foi que eu fiz de errado?

— Nada. — Minha voz sai trêmula. — Eu me sinto sendo infiel. Sei que é uma maluquice completa, mas... não consigo.

— Ok. Está tudo bem. — Ele me puxa mais para perto, mas não com paixão. Ele esfrega minhas costas, devagar e com carinho, me confortando enquanto tento conter minhas lágrimas pensando no Paul que perdi.

Estou traindo ele? Ou estou sendo idiota porque o homem que amo basicamente ressuscitou, mas não consigo amá-lo de novo?

— Você não está maluca — sussurra ele. — Essa situação… É difícil saber o que pensar. O que sentir.

Concordo com a cabeça. Ele passa os lábios pela linha do meu cabelo, com tanto carinho que nem sei se posso chamar isso de beijo, e continua acariciando minhas costas.

Então ouvimos o som de um walkie-talkie, o que significa que a polícia está por aqui.

Nós ficamos tensos no mesmo instante, abraçados, enquanto a policial perambula pela plataforma. Se ela viu nosso beijo, não demonstra. É só uma patrulha comum... Espero.

— Não estão atrás de nós. Por que estariam?

— Conley pode ter feito Theo reportar o roubo do carro. Ele pode até ter dito que eu a sequestrei, ou qualquer outra coisa para recuperar o controle sobre você. A essa altura, ele já deve ter percebido que você não vai aparecer no portão do dragão.

Paul está certo. Não temos mais tempo a perder.

— Este Paul precisa ir embora. Você tem que ir — digo.

— Ok. Está bem.

Ele hesita por mais um tempo. Sei que ele quer me beijar, mas não sei se quero que ele faça isso. Ele não se aproxima.

Por alguns instantes nós apenas nos empertigamos: arrumo os cachos que estão caindo no rosto, ele alisa a camiseta. Paul está com uma marca forte de batom rosa na bochecha, e tento limpar com o polegar. Ele me olha, sorrindo com o toque.

Mas o sorriso logo desaparece.

— Vá para casa — diz ele. — Conte à Sophia o que está acontecendo e espere por mim lá.

Tantas coisas aconteceram que até esqueci que ele continua guardando segredos de mim.

— Vou contar o que está acontecendo para a minha mãe assim que eu souber. Me diga para onde você está indo.

— Ainda não.

— Mas você achou a dimensão certa! Você já tem todas as informações de que precisa sobre Conley e a Tríade! O que mais falta fazer?

— Quando comecei a investigar a Tríade aqui, encontrei... algo que preciso verificar. Vamos deixar assim.

Eu não sabia como era fácil estar beijando um cara num instante e menos de um minuto depois querer bater com força na cabeça dele, mas é.

— Você continua guardando segredos de mim. *Ainda.*

— Marguerite...

— Chega de segredos! Não sei quanto mais as coisas têm que piorar para você finalmente entender isso.

— Por favor, escute. — Paul segura minha mão e se inclina para mais perto de mim. A maneira que ele me olha não é como um cara dando uma desculpa. Ele parece tranquilo, forte e ridiculamente seguro de si. — Sei que cometi erros, escondendo tantas coisas de você. Mas isso é diferente. Se eu contar o que estou pensando, e eu estiver errado, seria terrível. Não, pior que terrível. Seria a coisa mais dolorosa que eu teria feito com você.

Do que ele está falando? Nem consigo imaginar. Quão profundos são os crimes da Tríade?

Ele aperta os dedos ao redor dos meus.

— Sei que você foi obrigada a ter muita fé. Você nunca vai ter noção do que significa você ter recuperado a confiança em mim. O fato de que você ainda conseguia acreditar. Mas preciso que continue acreditando só mais um pouquinho.

Nem consigo começar a explicar como estou cansada de ficar no escuro. Mas, ainda assim, acredito nele.

— Ok. Tudo bem. — Acreditar em Paul não é o mesmo que fazer o que ele diz. — Você não precisa explicar se é assim tão importante. Mas vou com você.

Ele passa o polegar na palma da minha mão.

— Eu me sentiria muito melhor se soubesse que você está segura.

Isso não é sobre os seus sentimentos, quero dizer, mas sei que Paul passou por muita coisa, assim como eu, nessas últimas semanas. Nós dois estamos no limite, e é por isso que precisamos um do outro para nos manter fortes, para nos ajudar a enxergar com mais clareza.

— Wyatt Conley está me perseguindo em dimensões diferentes, certo? Isso significa que fico mais segura quando estou com você.

— Você é teimosa demais.

— Vá se acostumando.

Ele ri, apesar de tudo. Aquela expressão... não tem nada a ver com Paul da Rússia. É algo que pertence ao meu Paul, e ainda assim parece despertar algo dentro de mim.

— Vamos — diz ele. Vou pegar meu Firebird, mas ele me interrompe. — Ainda não. Vou pegar as passagens antes de saltar para outro lugar. Porque pode ser que o outro Paul não tenha tempo de perceber o que está acontecendo.

— Ok. Espero uns quinze minutos?

— Quinze minutos. E depois vá atrás de mim.

Acho que eu devia ter ficado na estação de trem. Após trazer essa versão da Marguerite até uma parte segura de São Francisco, preciso pelo menos facilitar o retorno dela para casa. Por um instante, penso em mandar uma mensagem para Theo, de forma que ele fique sabendo o que está acontecendo. Mas isso não é necessário, pois o Firebird dele vai apitar, avisando que Paul e eu pulamos para mais uma dimensão adiante, e Theo com certeza vai nos seguir.

Então é isso. Por mais um instante, Paul e eu ficamos ali, parados no escuro, digerindo a nova descoberta sobre nós dois e a compreensão de que em cinco minutos poderemos estar mais uma vez em lados diferentes do mundo.

Ele ajeita sua mala, seus olhos cinzentos procurando os meus.

— Você está bem?

— Na medida do possível. Apenas... tome cuidado.

Ele assente. Mesmo esse pequeno detalhe, meu pedido para ele tomar cuidado, parece uma luz no fim do túnel. Uma razão para ter esperança. Eu queria lhe dizer que ele está certo em ter esperança. Eu queria poder saber.

Então ele se vira e se afasta de mim, seguindo direto para o corredor do aeroporto. Mas logo antes de sumir de vista, ele olha por cima do ombro para mim pela última vez.

Vamos nos encontrar, digo a mim mesmo enquanto ele desaparece. *Sempre nos encontramos.*

Pego o Firebird na mão, contando os segundos antes de seguir Paul.

24

Desta vez, ao cair na próxima versão de mim mesma, eu me acordo. Sinto como se tivesse acabado de sair da cama. Ainda devagar, me apoio nos cotovelos para olhar ao redor. Ainda que este quarto seja bem menor que o da minha casa, é claramente meu: trabalhos de arte pendurado nas paredes, e há um cachecol estampado sobre a mesa de cabeceira que parece muito com algo que eu teria.

Deve ser tarde da noite, a julgar pela escuridão no meu quarto. Então me pergunto onde estou. Os Firebirds me permitem viajar por dimensões, mas não no tempo. Considerando que deixei minha casa na Califórnia pouco depois do almoço, devo estar do outro lado do mundo, em algum lugar onde já é muito tarde ou muito cedo.

Três dos retratos na minha parede são mais do que familiares: mamãe, papai e Josie me observam das telas. Contanto que a gente esteja junto, essa dimensão deve ser boa.

Os retratos são diferentes aqui: o cabelo da minha mãe é mais curto, e o de Josie está preso. Papai parece mais motivado. E minha técnica também não é a mesma: faço camadas de tinta muito mais grossas, indo para um lado mais impressionista. É diferente do meu estilo fotorrealístico de sempre, e também do estilo delicado e detalhado da grã-duquesa Margarita. Passo o dedo pela pintura de Josie e sinto as pinceladas grossas e a tinta seca.

O alarme dispara na minha mesinha de cabeceira, tocando alguma música pop que não reconheço. Quando o desligo, vejo que são sete horas da manhã e franzo o cenho. Mesmo no inverno eu esperaria alguma luz vindo de fora neste horário. Então me lembro da Rússia e de como São Petersburgo só contava com poucas horas de sol por dia em dezembro. Será que moramos no extremo norte aqui também?

Eu me levanto da cama e ando em direção à janela escura, curvada de uma forma esquisita, na esperança de entender melhor onde estou. Mas ao olhar para fora, a princípio, não vejo nada...

... até que um peixe tropical passa nadando por mim.

Está escuro lá foram porque estamos debaixo d'água.

Bom, essa é nova.

Minha casa, no fim das contas, é a estação oceanográfica *Salácia*, localizada no meio da barreia de coral a nordeste da Austrália. *Salácia* é uma das estações mais sofisticadas do mundo, e é por isso que o comandante é o ilustríssimo oceanógrafo dr. Henry Caine.

Com uma pesquisa rápida na internet descubro que, nesta dimensão, os níveis de água globais subiram muito mais e bem mais rapidamente. Na nossa dimensão, essa é uma projeção pessimista de uma mudança climática cem anos no futuro. Será que aqui é mais poluído? Ou ocorreu algum outro fenômeno? Acredite ou não, os políticos *ainda* estão discutindo isso em um planeta que tem continentes com formatos totalmente diferentes dos que me lembro. Enquanto as pessoas brigam pela causa, a humanidade teve que encontrar novas formas de viver. A maior parte da população mundial continua vivendo em terra, ainda que às vezes em cidades que não existem na minha dimensão, ou em versões semiaquáticas de antigas cidades (aqui Nova York parece mais com Veneza). Só que cada vez mais pessoas estão se mudando para a água em grandes navios que funcionam como cidades ou para estações científicas, como esta onde estou.

Aqui a oceanografia é a mais importante das ciências. O que está acontecendo com a vida marinha; ferro, oxigênio e níveis de contaminação da água; o comportamento de marés novas e imprevisíveis e os vagalhões constituem o tipo de informação que as pessoas precisam para criar uma nova sociedade que é pelo menos parcialmente subaquática. Dessa forma, meu pai nunca largou a oceanografia para se dedicar à pesquisa da minha mãe: aqui foi ela quem mudou de área e passou para a oceanografia. Os dois se conheceram trabalhando em um navio científico (pelo menos é o que diz a página deles na Wikipédia. Meus pais não são tão famosos aqui como na minha dimensão, mas ainda assim têm biografias on-line). Faz cinco anos que moramos na *Salácia*. Para mim, esta é minha casa.

Mas em uma estação oceanográfica, ninguém pode ficar sem fazer nada, nem mesmo as crianças. Todo mundo que mora aqui trabalha bastante para ajudar a manter a estação. É o que descubro quando meu computador exibe a LISTA DE TAREFAS DO DIA.

É por isso que me pego escalando um dos tubos de manutenção antes do café da manhã, indo checar manualmente os sensores de vento (seja lá o que isso significa). Subo por uma água que varia de quase preta para um tom translúcido de azul, e depois fica cristalina. Ver o oceano se esticando em todas as direções pelo horizonte me deixa sem fôlego. O aspecto da luz nas ondas muda em brilho e profundidade a cada segundo, e o efeito é deslumbrante.

Será que a outra Marguerite ainda percebe como é incrível, embora esteja cercada por isso todos os dias? Sorrio ao me dar conta de que ela percebe, sim, se tivermos pelo menos uma coisa em comum.

De calça jeans e camiseta, passeio pela plataforma de metal rugoso de forma a proporcionar tração na umidade, que deve ser sempre constante. Tudo cheira a sal e a sol. A brisa do mar se impregna nos meus cachos, e logo entendo por que minha mãe e Josie usam penteados diferentes aqui. Enquanto faço depressa um rabo de cavalo frouxo, escuto um chamado do outro lado da plataforma:

— Que demora!

Eu me viro e vejo Josie, que está tirando algas de alguma coisa na superfície da água. Ela já deve estar aqui há algum tempo, mas em qualquer universo sei como lidar com as provocações da minha irmã. Sorrio ao lhe mostrar o dedo do meio e depois começo a subir a escada de metal que leva até os sensores de vento.

Não sou exatamente fã de alturas. Não é fobia nem nada assim, mas quando Paul fala em escalar montanhas, nunca consigo acreditar que tem gente que faz isso por *diversão*. Então, enquanto subo a escada, lembro que, para esta Marguerite, escalar doze metros não é nada.

Você tem botas com garras de aço e solas tão grossas que daria para cavar um buraco na escada! Fico me lembrando dessas coisas, tentando ficar animada enquanto subo cada vez mais alto. *Há uma corda de segurança, que você tem 85% de certeza de que amarrou direito! Não tem nada com o que se preocupar!*

Ao menos, a vista do mar ao nosso redor só melhora a cada passo. O setor de superfície da *Salácia* parece um brinquedo de hamster gigante, com canos de metal enormes e tubos conectados por várias plataformas. No entanto, para esta Marguerite, isso é bem familiar.

Conforme vou passando por cada sensor por vez, preciso me concentrar bastante nas instruções que li no meu quarto. Basicamente, estou checando para garantir que está tudo certo e... e acho que está.

Nem tudo isso é capaz de silenciar meu medo mais profundo, nem as palavras que ficam se repetindo:

Atrás de mim. A Tríade está atrás de mim.

Ainda que as famílias jantem nas próprias bases, o café da manhã e o almoço aparentemente são servidos no estilo de uma lanchonete. Mas essa lanchonete não se parece com nenhuma que já vi. É subaquática, mas fica próxima do nível da superfície, com enormes janelas abauladas que revelam uma luz bruxuleante que atravessa a água azul. As pessoas cumprimentam seus amigos, reunidos em várias mesas redondas, e todas as famílias ficam juntas, incluindo as crianças pequenas e até alguns idosos. Embora aqui seja uma estação científica de trabalho, também inclui pessoas normais. É metade laboratório, metade uma cidade pequena.

Quando meu pai entra, as pessoas não fazem nenhuma reverência nem nada formal, elas apenas observam e sorriem. Ele para em cada mesa para saber como as pessoas estão. É estranho vê-lo no comando, mas também não me surpreende que ele seja ótimo nisso. Eu o observo do outro lado do ambiente, com minha bandeja nas mãos. Já pareço ter superado a sensação estranha e dolorosa de saudade do meu pai ao vê-lo diante de mim.

— Bom dia, Marguerite. — Minha mãe me dá um beijo na bochecha e se senta. — Tudo bem com você?

Percebo que faz algum tempo que estou parada com minha bandeja.

— Ah, claro. Tudo bem.

Ao nos sentarmos, Josie se junta a nós, perguntando para nossa mãe:

— Quais são as últimas notícias do tempo?

— Hoje à noite não vai ser muito agradável, mas a pior parte da tempestade só deve começar mais ou menos na hora do almoço de amanhã. — Minha mãe toma um gole do seu chá, parecendo não se importar com a arraia gigante nadando atrás da cabeça dela. — Provavelmente podemos ficar sem comunicação também.

Josie faz uma careta.

— Ainda bem que já baixei o campeonato de surfe.

Por que não voltamos para terra firme, se tem uma tempestade chegando? — penso. Mas me lembro do que li no meu quarto sobre a *Salácia*... ou mais especificamente, sobre este lugar em que estamos. As massas de terra mais próximas (Nova Zelândia e Papua Nova Guiné) estão a horas de voo daqui. Então temos que enfrentar as tempestades daqui. A *Salácia* foi construída para aguentar esse tipo de dificuldade, deduzo... *espero*. Mas, com base no que minha mãe falou, podemos ficar horas ou até mesmo dias incomunicáveis.

Espere aí. Eu tenho pouco contato com o mundo externo?

— Sabe, não estou com fome — digo, apesar de estar enfiando alguns pedaços de torrada na boca. — Vou voltar para a cabine um pouquinho, ok?

Minha mãe me olha com aquela cara de *Tem alguma coisa errada, eu sei, e você sabe que eu sei, mas não vou falar nada por enquanto.*

— Ande logo. Não se esqueça que você tem aquele teste importante hoje.

Teste importante? Merda. Aparentemente, as festas de fim de ano em uma estação científica não proporcionam muitos dias de recesso. Mas este é o menor dos meus problemas.

Dando uma última olhada no meu pai, saio da lanchonete e volto para os níveis residenciais da estação. Tenho quase certeza de que lembro de onde moramos. Ainda que meu pai esteja no comando aqui, nossos quartos parecem ser exatamente iguais aos de todo mundo: quartos pequenos e uma combinação de cozinha e sala grande o suficiente para ser confortável, mas nada além disso. Na verdade, tirando o fato de que estamos debaixo d'água, nossa casa aqui parece totalmente comum: temos latas de Coca-Cola na geladeira e os chinelos de Josie estão ao lado da porta, como sempre.

Pego meu tablet para começar as pesquisas e vejo a logomarca da ConTech, que era a empresa de Wyatt Conley na dimensão de Londres. E, pelo visto, aqui também. Quão influente será que ele é aqui?

Com certeza não muito para a barreira de coral. Minha tensão diminui um pouco quando penso que Conley não pode me alcançar tão facilmente aqui.

Será que foi por isso que Paul escolheu esta dimensão? Porque é mais segura de Conley? Aqui os cientistas concentraram todas as suas energias em fazer a humanidade se adaptar à vida sobre e sob a água. O que significa dizer que minha mãe não inventou a tecnologia do Firebird. Então Conley não teria muitos motivos para viajar até aqui.

Mas não estou convencida disso.

O objetivo de Paul continua nebuloso. O que quer que o tenho trazido até aqui, até esta dimensão, aparentemente é muito grandioso para que ele possa me contar.

Escolhi confiar nele, mas não é muito fácil quando não se tem respostas.

Até o momento, o wi-fi da estação continua funcionando perfeitamente. Dou busca em "Paul Markov físico". Depois apago e digito "Paul Markov oceanógrafo". É isso que os melhores e mais brilhantes cientistas estudam aqui.

Descubro que Paul está fazendo sua pesquisa de doutorado sobre um navio com base em amostras do fundo do Pacífico, mas não consigo descobrir exatamente onde. Ele pode estar a apenas algumas horas de distância de mim ou do outro lado do planeta. Procuro pelo nome dele no chat, mas ele não deve estar na frente do computador. Então toco a tela para deixar uma mensagem de vídeo.

— Oi, Paul. Sou eu. Quer dizer, sou eu mesma. — Coloco o polegar embaixo da corrente do Firebird para que ele possa ver. — Estou segura aqui e com a minha família. Então... não se preocupe comigo. Parece que você também está bem. Mas pode ser que eu fique sem internet por um tempo. Ligue para mim quando receber essa mensagem, ok?

Espero que ele tenha acabado de usar um lembrete quando receber isso. Caso contrário, ele vai ficar totalmente confuso.

Theo está estudando na Austrália, em uma cidade portuária chamada New Perth que fica a uns trezentos quilômetros mais para o interior de onde Perth ficava. Procuro por ele também, e por mais que deva ser muito cedo onde ele está, ele atende quase imediatamente. Seu rosto aparece na tela — o cabelo bagunçado, a barba por fazer —, e logo diz:

— Você roubou meu carro.

— Oi para você, também. — Não consigo evitar um sorriso.

— O que diabo foi aquilo? Em um minuto estou contando para Conley como você é incrível e no outro você está bancando a louca no estacionamento. — Ele parece irritado, e sei que não é por causa do carro. — Diga que você não foi encontrar Paul.

— Fui encontrar Paul.

— Ai, meu *Deus*.

— Você está errado sobre ele, Theo. Paul finalmente me explicou o que está acontecendo de verdade, com Conley e com... — Não consigo terminar a frase e dizer *comigo*. Dizer que sou o verdadeiro alvo de Conley torna tudo mais real. — É complicado. Seria melhor contar tudo isso pessoalmente para você. Acha que pode vir para cá? Não fica muito longe.

— São milhares de quilômetros, Meg. Você precisa estudar mais geografia. — Theo inclina o corpo para trás e bate a cabeça na parede. Em sua camiseta amassada, mais uma vez, está escrito The Gears. Parece que os Beatles não existiram em muitas dimensões. — Mas, claro, posso ir para aí. Parece que as estações de ciência e os institutos de oceanografia trabalham juntos nesta dimensão. Se eu mandar uma mensagem por rádio dizendo que estava em um cruzeiro e preciso de um ancoradouro, com certeza vão me deixar entrar. Agora só preciso encontrar um cruzeiro.

Se tem alguém que é engenhoso o suficiente para conseguir isso, esse alguém é Theo.

— Maravilha! — Sorrio para ele.

— Paul está aí com você? — pergunta.

— Não. Ele está em um navio de pesquisa.

É a primeira vez que tenho mais informação que Theo, e dá para notar que ele não gosta de estar por fora das coisas. Ainda assim, não posso culpá-lo por estar impaciente por respostas. Ainda que eu tenha concordado em dar mais um voto de confiança para Paul, estou muito curiosa para descobrir o que mais está acontecendo.

De forma mais gentil, Theo acrescenta:

— Se ele ligar para você, ou aparecer aí... Escute, sei que você acha que Paul é inocente, mas você pode, por favor, ser só um pouquinho cuidadosa até eu chegar aí? Um pouquinho cética?

— O que exatamente você acha que Paul vai fazer agora? Se ele quisesse me machucar, já teria aproveitado a chance.

— Ele já machucou todos nós. — A forma que Theo diz isso me faz lembrar do sofrimento pela morte do meu pai, e a dor fica mais forte quando é compartilhada. Toco o tablet, e ele faz o mesmo, de forma que a ponta dos nossos dedos parecem se encostar pela tela. — Só estou tomando conta de você. Tentando tomar conta de você. Por que não consegue ver isso? Queria ser capaz de fazer você entender, pelo menos uma vez.

— Theo...

Ele não me deixa terminar.

— Está bem, Meg. Vejo você em breve.

A imagem dele some e eu fico ali parada, com os dedos ainda tocando a tela, por algum tempo, me perguntando se parti o coração de Theo.

Faço as tarefas do dia desta Marguerite, que, por sorte, são até bem legais. Frequento a escola aqui, mas não é como os colégios enormes e elitistas que vejo na TV. Aqui temos um grupo de cerca de cinquenta adolescentes da minha idade até os pequenos da pré-escola, e tudo é muito leve e livre. O "teste importante" que eu tinha para fazer era de francês. Foi uma sorte eu ter passado três semanas na Rússia estudando Molière. Enquanto escrevo um parágrafo sobre *Tartuffe*, penso: *Estou pegando o corpo desta Marguerite emprestado, mas pelo menos desta vez estou retribuindo o favor.*

Penso em Paul. Minha vontade de saber como ele está, o que está fazendo, por que veio para cá... queima dentro de mim, como uma tocha. Sempre que tenho tempo, verifico se ele retornou minha ligação. Mas logo antes do almoço ficamos sem comunicação, de modo que a única resposta que recebo é uma tela preta.

Para o jantar temos um frango embalado a vácuo com legumes congelados que parecem um pouco murchos. É provável que aqui nada seja fresco, exceto os frutos do mar, o que eu acho ok, mas diria que o resto da família discorda, depois de alguns anos morando na *Salácia*.

Mas não me importo com a refeição ruim. Estamos todos juntos, Josie, eu, mamãe e papai. Subestimei isso na minha dimensão original, até perder tudo. Então não vou cometer o mesmo erro. De agora em diante, tenho total consciência de que todo momento com meu pai pode ser o último.

— Só conseguimos salvar metade dos dados antes de perdermos a comunicação — diz minha mãe enquanto se serve de um pouco de chá. — E as previsões dizem que só vai piorar.

— Já estamos balançando feito uma rede — responde meu pai, animado.

— Por isso você é o chefe aqui — fala Josie, balançando a cabeça. — Só você é esquisito o suficiente para gostar de tempestades no mar.

Ele sorri, genuinamente orgulhoso.

— Pela esquisitice, me declaro culpado. — Depois que ele menciona, percebo que o chão está *realmente* balançando um pouco. Eu me dou conta de que a *Salácia* deve ter sido construída com certa maleabilidade para poder lidar com a maré e as correntes, em vez de sofrer com elas toda vez. O normal seria eu me sentir enjoada com o balanço do mar, mas parece que esta Marguerite já deve ter se acostumado há alguns anos.

— Você está muito quieta hoje — comenta minha mãe. — Tem certeza de que está bem? Você ficou um pouco desligada o dia todo. — Ela encosta o dorso da mão na minha testa, como se quisesse verificar se estou com febre, do mesmo modo que fazia quando eu tinha cinco anos.

— Só estou pensativa.

Sinto falta da minha mãe de verdade, da minha dimensão. Sinto um nó na garganta, mas consigo me manter tranquila. Não quero estragar a noite.

Depois de comermos, Josie pergunta se quero ver o campeonato de surfe com ela. Acho difícil acreditar que eu seja fã de surfe, mesmo aqui nesta dimensão, ou em qualquer outro lugar, mas uma distração me parece uma boa ideia. Nós nos sentamos juntas no sofá enquanto meu pai vai lavar a louça, mas quando ele começa a cantarolar, novamente sinto vontade de chorar.

Josie me olha de soslaio.

— Mamãe tem razão, hoje você está mais esquisita que o normal.

— Rá, rá.

Jogo o cabelo para trás e tento agir de forma casual. Então me lembro da camiseta de Theo: The Gears.

Minha cabeça está a mil, comparando o conhecimento das diferentes dimensões.

Os Beatles nunca existiram aqui. The Gears foram uma banda com Paul McCartney e George Harrison, mas sem John Lennon. Mas foi John Lennon quem escreveu "In My Life", tenho certeza. Sendo assim, a música não existe nesta dimensão.

Então como meu pai pode conhecer?

Volto a pensar no que Paul me contou em São Francisco. Ele descobrira que uma dimensão espionava a nossa, e provou que Conley estava por trás disso. Mas ele não podia voltar comigo, porque tinha feito uma nova descoberta, algo importante, que não podia me contar porque seria terrível demais se ele estivesse errado...

Quando viajamos para uma nova dimensão, nossos corpos deixam de ser "observáveis". Quando saí de casa, a polícia ainda não tinha retirado o corpo do meu pai do rio. Eles ainda estavam procurando, jogando redes na água, enviando mergulhadores para o fundo do rio. Não pensei muito sobre isso porque só imaginar já é uma coisa horrível. Pior ainda era imaginar minha mãe tendo que reconhecer o corpo depois de passar dias no rio, quando não parecia mais meu pai, nem mesmo humano.

Mas e se ele não ficou perdido no rio? E se o corpo dele apenas deixou de ser observável porque foi sequestrado para outra dimensão?

E se meu pai não estiver morto? E se ele estiver *bem aqui*?

— Marguerite? — Josie copia o gesto da nossa mãe e coloca a mão na minha testa. — Você está completamente desligada.

— Já volto — digo, sem nem pensar em uma desculpa.

Meu coração está acelerado.

Entro na cozinha e olho para o meu pai. Ele sorri para mim, distraído.

— Não me diga que ainda está com fome.

— Podemos conversar?

— Claro.

— Aqui, não. No corredor, talvez.

Ele parece confuso, mas concorda.

Ninguém presta atenção na nossa saída da cabine. Minha mãe está no quarto e Josie já voltou a se concentrar no campeonato. Os corredores da *Salácia* não têm muita privacidade, mas a maioria das pessoas parece estar jantando no momento, o que significa que meu pai e eu estamos sozinhos. Nossas únicas testemunhas são os peixes nadando do outro lado da escotilha.

Ele não está usando um Firebird. Mas, se foi sequestrado, alguém o trouxe para cá e o abandonou sem recursos. Sem um Firebird próprio, meu pai não só não poderia voltar para casa, como não conseguiria receber nenhum lembrete. Ele não teria a menor ideia de quem é. Meu pai seria apenas um pedacinho desta versão do dr. Henry Caine, uma pequena parte do seu subconsciente.

A parte que ainda cantarola a música dos Beatles.

— Está tudo bem, querida? — Ele cruza os braços no peito. — O que houve?

— Preciso que você confie em mim por um instante. — Minha voz sai trêmula. — Ok?

Ele parece bastante preocupado, mas assente.

Pego o Firebird do meu pescoço e coloco no dele. Ele ergue uma sobrancelha, mas eu ignoro esse gesto. Então começo a programar o lembrete. Coloco no peito dele, percebendo que estou prendendo a respiração…

— Aaaah... Que droga! — grita ele, se apoiando na parede enquanto segura o Firebird. Mas depois fica paralisado. Primeiro, baixa o olhar lentamente para o Firebird na sua mão, o reconhece, e em seguida ergue o rosto para mim.

— Marguerite? — Ele suspira. — Ai, meu Deus.

É o mesmo rosto, os mesmos olhos, mas noto a diferença. Conheço o *meu pai*.

Então começo a rir e a chorar ao mesmo tempo, mas não importa, porque meu pai está me abraçando. Estamos juntos e ele está vivo.

E agora sei por que Paul me trouxe para cá.

25

— Meu Deus. — Meu pai passa a mão no cabelo, tão desorientado quanto qualquer pessoa que acordasse em outra dimensão. — Faz quanto tempo?

— Quase um mês. Vai fazer um mês no dia 5 de janeiro, ou seja, daqui a três dias.

— Um mês se foi. Não, não se foi. Eu me lembro... eu estava consciente... mas era um estado mental muito estranho, Marguerite. Como nos sonhos, às vezes, quando a gente fica ao mesmo tempo observando e vivendo os eventos ao seu redor. Acabei nunca me perguntando onde estava ou por quê.

Talvez essa fuga dissociativa seja como a maior parte das pessoas se sinta ao viajar entre dimensões.

— Você se lembra agora — digo, segurando a mão do meu pai. — E tenho o Firebird, então posso fazer você se lembrar sempre que for necessário.

Estamos sentados juntos na lanchonete. A essa hora, não tem ninguém aqui, e a iluminação vem principalmente das luzes do lado de fora, filtradas pelas janelas. Nas águas escuras mais além, um ou outro peixe nada de um lado para o outro, mas as correntezas ficaram agitadas com a proximidade da tempestade. Até mesmo os peixes estão procurando um abrigo seguro. Minha mãe e Josie já devem ter percebido que eu e papai estamos tendo uma conversa franca sobre alguma coisa, embora ninguém possa culpá-las por não saberem exatamente sobre o quê.

— Minha pobre, querida Sophia. — Meu pai fecha os olhos, como se sentisse dor. — E Josephine. Meu Deus!

— Elas vão ficar bem assim que você chegar em casa. — Abro um sorriso largo. *Casa*. Tenho que levar meu pai para casa.

— Não sei se estrangulo ou se agradeço ao Paul e ao Theo. Acho que vou fazer as duas coisas.

— Não fique bravo, pai. Eles têm sido tão fortes, tão leais a você, e tão protetores comigo. Antes disso eu não sabia como eles eram incríveis. Tanto Paul quanto Theo amam muito você. — Quero contar para o meu pai o que Paul e eu sentimos um pelo outro, mas isso pode esperar até voltarmos para onde deveríamos estar. — Foi Conley quem sequestrou você?

— Não. Foi outra pessoa, alguém que eu nunca tinha visto. Uma mulher... — Sua voz desaparece, e em seguida ele balança a cabeça. — Sinto muito, mas está tudo bastante confuso ainda. Fui dirigindo até a faculdade para descobrir que diabo tinha acontecido com nossos dados, e assim que saí do carro, ela se aproximou de mim. Lembro-me de pensar que ela poderia ser uma caloura ou talvez uma futura professora. Algo nela era muito refinado, eu acho, para uma simples aluna de graduação. — Meu pai suspira. — Quando me dei conta, estava a 20 mil léguas submarinas. Ainda mantive minhas lembranças por alguns minutos, mas eu não tinha o Firebird. Então eu sabia que estava preso nesta dimensão, talvez para sempre. Isso foi... difícil.

Seu rosto se transfigura de uma forma que eu não via desde a morte da vovó, anos atrás, e percebo que a lembrança da impotência do medo quase o faz chorar. Um ódio mortal de Wyatt Conley me consome e digo a mim mesma que vamos dar um jeito nele quando voltarmos à nossa dimensão. Ele está no poder nesse momento, mas todo o seu poder se apoia na genialidade da minha mãe e no trabalho dos meus pais. Temos Paul. Temos Theo. E, em última instância... eles têm a mim.

Contra todos nós juntos? Conley não tem chance alguma.

Papai diz:

— Era como se eu estivesse atordoado. Ou drogado. Ao mesmo tempo, eu era e não era eu, e não tinha consciência suficiente para lutar contra isso. Eu estava trancado na prisão perfeita. — Ele respira fundo e sorri ao olhar para mim. — Até minha filha corajosa me encontrar.

Achei que nunca mais fosse me sentir tão feliz assim.

— Agora só precisamos levar você de volta para casa.

Apesar de ainda estar sorrindo, consigo sentir a tristeza do meu pai.

— Marguerite, você já deve ter feito as contas. Nós somos dois, e você só tem um Firebird.

— Por enquanto — digo. — Você fez um, então pode fazer outro. Quando Paul e Theo chegarem aqui, eles podem ajudar.

— Construir um Firebird leva meses... Espere. Você disse que Paul e Theo estão vindo para cá?

— Theo já está a caminho. Paul deve estar também, mas a comunicação está cortada há algum tempo, então não sei.

— Sair daqui com uma tempestade como essa a caminho? É loucura. — Meu pai suspira. — Por outro lado, pular de uma dimensão a outra atrás de um homem morto também é loucura. Já fazia tempo que eu desconfiava da sanidade deles, mas mesmo assim a confirmação é angustiante.

— Viu? Vai dar tudo certo.

Papai afasta meu cabelo do rosto, como ele fazia quando eu era pequena e ficava toda descabelada brincando no jardim.

— Os recursos necessários para fabricar um Firebird foram muito difíceis de achar. Nesta dimensão, pode ser impossível encontrá-los.

— Impossível?

Então me dou conta do que ele quer dizer. Um dos metais usado no Firebird só é encontrado em um vale do mundo e os outros componentes também são raros e valiosos. Neste mundo até água dessalinizada é um luxo. Os países não têm mais liberdade para usar seus recursos. Conseguir os materiais dos quais precisamos vai ser um desafio considerável.

— Se você tiver que voltar sem mim — diz ele, baixinho —, diga para sua mãe que eu a amo muito. E Josie também. E você precisa avisá-las sobre a Tríade. Se Conley fez isso, é capaz de fazer qualquer coisa.

— Pare com isso. A gente vai dar um jeito, está bem? Vamos, sim.

A única resposta que meu pai consegue dar é um abraço.

Enquanto o envolvo em um abraço apertado, observando o mar revolto, sei que vou levá-lo de volta para casa, custe o que custar.

Nem que eu tenha que dar o meu Firebird a ele. Mesmo que eu tenha que ficar aqui para sempre.

De volta na nossa cabine, a noite começa a ficar agradável, como quase todas as outras. Minha mãe não se intromete na conversa entre pai e filha e Josie está tão entretida assistindo ao campeonato de surfe que nem tenho certeza se ela percebeu que a gente saiu. Eu me enrosco perto do meu pai no sofá como eu fazia quando era pequena, ainda comemorando por tê-lo de volta.

Mas, na minha cabeça, fico repensando sem parar na situação.

A Tríade sequestrou meu pai. Por quê? Para ter um trunfo contra minha mãe? Não, porque se esse fosse o caso, eles teriam contado para ela o que fizeram, em vez de deixá-la acreditar que o marido estava morto.

Seria, então... um trunfo contra *mim*? Se Theo e eu não tivéssemos partido naquela data, será que Wyatt Conley ou qualquer outra pessoa teria vindo até mim e deixado bem claro que, se eu não viajasse com eles, se eu não fizesse o que tudo o que eles mandassem, meu pai nunca voltaria para casa?

Sim. Eles teriam feito isso.

Eles só queriam me afetar. Toda a angústia que minha mãe e Josie sentiram, toda a dor que causaram em Theo e em mim... foi para que a Tríade pudesse me controlar.

Ainda não consigo aceitar que estou no centro de tudo isso, anos depois de ter escutado do outro lado da sala mamãe, papai, Theo e Paul discutirem sua tecnologia fantástica. No entanto, acho que é mesmo lá que eu deveria estar. Também não faço a menor ideia de como evitar que a Tríade continue machucando as pessoas que eu amo, e que continue tentando me controlar.

Mas se tenho um poder que a Tríade quer... isso significa que *eu tenho poder*. E pretendo usá-lo.

Quando vou para a cama, estou totalmente exausta. Mas não tanto a ponto de não perceber uma luzinha piscando, que significa que recebi uma mensagem. Leio, ansiosa, me sentindo renovada na mesma hora. A comunicação deve ter voltado por alguns minutos, o suficiente para Paul entrar em contato.

A mensagem é dele, mas não é um vídeo, nem um áudio. Talvez eu não devesse esperar uma carta de amor de um cara que se expressa através de ações, e não de palavras. Ele só me enviou três palavras, mas são as únicas de que eu precisava: *Estou a caminho*.

— Proteja-se da chuva — grita minha mãe enquanto procuro o alarme na manhã seguinte. — A chuva deu uma melhorada, mas não muito.

Pois é, mesmo nas condições climáticas mais adversas, a manutenção matinal precisa ser feita. Minha proteção contra a chuva consiste em uma parca laranja-néon e em uma calça de plástico, então estou *muito* sexy. Ao passar pela nossa cozinha, meu pai apenas me cumprimenta com um sorriso bobo, sem qualquer lembrança da noite anterior. Ele voltou a ser o Henry Caine daqui, e meu pai é apenas uma centelha dentro dele, observando, mas sem saber de nada.

Vou trazê-lo de volta, penso, apertando a borda do Firebird no meu peito. *A qualquer hora que eu quiser, em breve e para sempre*.

— É *isso* que ela chama de "melhorada"? — reclamo com Josie, enquanto andamos pela plataforma.

— Fala sério, você já viu coisas piores! — Josie ri.

Sério? Já vi? Porque esse tempo é uma catástrofe. Rajadas de vento ardidas de sal me atingem diversas vezes. Minha roupa frouxa balança com o vendaval, e meu capuz fica caindo para trás o tempo todo. Um pouco de cabelo molhado nunca fez mal a ninguém, mas o vento e a água o deixaram gelado, mesmo sendo pleno verão aqui. Acima de nós, o céu está cinzento e as nuvens seguem um padrão específico que não pode ser um bom sinal.

Então faço a manutenção rapidinho, duplamente grata pelo meu macacão de segurança. Em minutos, estou de volta e sigo para a porta, quando escuto Josie gritar:

— Temos refugiados!

Olho na direção dela e noto que há um helicóptero se aproximando ao longe.

Josie se junta a várias pessoas para preparar o heliporto. Mas eu não faço isso. Esse é o tipo de situação na qual não gosto de me meter. Essas pessoas precisam de ajuda, e não de mim estragando tudo. Mas observo os outros prenderem o helicóptero ao deque assim que a aeronave pousa.

Enquanto estou lá, as hélices agitam ainda mais o ar, espalhando chuva. À nossa volta, o oceano ficou mais escuro, da cor de aço. Assim que o helicóptero pousa, as pessoas começam a se mobilizar, amarrando os cabos antes mesmo que o rotor pare de girar. Vou até a porta do piloto para ajudá-lo a descer. Assim que a abro, o piloto ergue as mãos e diz:

— Não me culpe, está bem? Esse sujeito insistiu que ia me pagar o triplo. Aliás, acho bom mesmo que ele pague.

— Está tudo bem, cara. Relaxe. — Theo se apoia no homem e sorri para mim. — Sério, a gente tinha que parar de se encontrar desse jeito.

Dez minutos depois, embora minha barriga esteja roncando por um café da manhã, ainda estou na pista de pouso com Theo, radiante com tudo o que descobri. Enquanto isso, ele continua discutindo.

— Você está imaginando coisas. Qualquer um estaria, a essa altura. Este foi o mês mais doido da sua vida — diz ele, enquanto nos sentamos em um dos bancos baixos de plástico entre os compartimentos de acessórios. — Eu saberia, porque este foi o mês mais doido da minha vida também, e porque eu também amava muito Henry, mesmo ele não sendo meu pai.

— Ama. — Não consigo parar de sorrir. — Ama, no presente. Meu pai está bem aqui.

Theo suspira na toalha que está usando para secar o cabelo e o rosto úmidos.

— Você não percebe que tudo o que Paul lhe disse é exatamente o que você quer ouvir?

Inclino a cabeça ao analisá-lo.

— Nunca tinha me dado conta de como você é cínico.

Ele adoraria discutir comigo, mas nesse momento meu pai aparece, encarando Theo com seu olhar mais penetrante.

— Ouvi dizer que temos alguns refugiados da tempestade — diz ele. — Mas estou mais interessado em saber como exatamente um desses refugiados conhece minha filha.

— Desculpe por isso — digo para o meu pai, me levantando e colocando o Firebird no seu pescoço. Alguns cliques, um lembrete que o faz se contorcer de dor e...

— Theo! — Meu pai ri alto, e imediatamente toca a corrente do Firebird de Theo, visível por baixo do seu macacão de voo. — Meu Deus, Theo. Vou matar você por ter arrastado Marguerite por aí. No que você estava pensando? Mas, antes, venha aqui, meu filho.

Theo arregala os olhos quando meu pai o envolve com os braços.

— Puta merda — murmura ele. — Uau. *Uau.*

— Eu falei! — Não consigo parar de rir.

Theo retribui intensamente o abraço do meu pai.

— Henry, fico feliz por você estar bem. Você não sabe... não faz ideia do quanto.

Meu pai dá mais um tapinha no ombro dele, acho que para garantir que o abraço seja totalmente másculo.

— Estou falando sério. Você está encrencado por ter colocado Marguerite nessa história. Mas parece que minha filha é uma viajante bem mais corajosa do que eu imaginava.

Quero protestar que não fui envolvida nessa história por Theo, considerando o que sei sobre os reais objetivos da Tríade, e sobre minhas habilidades, agora tenho certeza de que teria sido envolvida mais cedo ou mais tarde. Mas cada coisa no seu tempo.

— Agora tudo que Theo precisa fazer é descobrir como fazer outro Firebird. Você reconstruiu os outros, então você deve conseguir construir um do zero, não é, Theo?

— Provavelmente. Talvez. Nossa. Preciso pensar. — Ele parece totalmente atordoado, como se tivesse sido atropelado por um caminhão. Não posso culpá-lo. — Vai demorar um tempo até que eu consiga dizer algo mais coerente do que "nossa".

— Descanse um pouco. Respire. — Meu pai semicerra os olhos para a janela de concreto armado da porta da plataforma de pouso. — Acho que a chuva terá uma boa pausa em breve. Recebemos notícias de outros refugiados vindo de navio. Parece que vamos conseguir atracá-los. Quem sabe? Talvez um deles seja Paul. Seria bom estarmos todos juntos novamente. — Ele sorri, sereno, e sei que a felicidade no coração dele é um espelho da minha.

Meu pai retorna para cuidar da estação, deixando Theo e eu sozinhos de novo. Não consigo me conter.

— Eu falei!

— Você falou. Realmente falou. Mas eu tinha que ver com meus próprios olhos. — Ele balança a cabeça devagar. — Não consigo acreditar que Paul... que ele descobriu tudo isso.

— Nem eu. Quando chegarmos em casa, temos que passar tudo a limpo com a Tríade. — Então penso em como Conley é cruel, no risco que estou pedindo para Theo correr. — Sei que é perigoso lutar contra eles. Eu nunca ia querer que você se machucasse. Não precisa...

— Você está preocupada *comigo*? — A voz de Theo fraqueja na última palavra. — Acabou de descobrir que estão caçando você em diversas dimensões e lá vem você tentando cuidar de mim.

Todos devemos cuidar uns dos outros, é o que quero dizer, mas Theo se levanta e me pega nos braços.

— Pare com isso, está bem? — diz ele, me abraçando forte. — Você é quem precisa de cuidados. Não perca seu tempo se preocupando comigo.

A gente se afasta, e Theo sorri como se estivesse constrangido, o que vindo dele é praticamente uma novidade. No entanto, antes que eu possa falar algo, alguém entra ali. Eu não lembro quem é esse cara, sequer se o conheci ontem, mas o macacão dele é muito parecido com o do meu pai e ele age como se tivesse certa autoridade.

— Senhorita Caine, precisamos de você nos serviços submarinos. Alguém precisa sair e recuperar o guincho que caiu.

Minha mãe estava falando sobre isso de manhã. Um guincho caiu de um dos guindastes na noite passada, por causa do vento. Agora está no fundo do oceano, num recife "não tão profundo assim" ocupado pela *Salácia*, mas as correntezas mais fortes da tempestade podem puxá-lo para um fosso próximo dali.

Então o que eu preciso fazer exatamente? Serviços submarinos? O que isso significa?

Meus olhos se arregalam quando me dou conta de que um submarino é uma nave que opera embaixo d'água. São serviços num submarino?

— A embarcação comporta duas pessoas — explica o homem para Theo. — Seu histórico diz que você também tem licença de piloto. Quer acompanhá-la? Ser útil, já que está aqui?

— Sim — diz Theo, devagar. — Claro. Sim. Eu... é... eu... piloto submarinos muito bem.

O cara olha desconfiado, mas, antes de sair, diz apenas:

— Ancoradouro quatro.

Theo se vira para mim e diz apenas mexendo os lábios: *Ah, merda.*

— Temos que pilotar um submarino? Não. De jeito nenhum — digo.

— Até fiz algumas simulações no caminho para cá. O Theo desta dimensão tinha várias delas no computador...

— Theo, não.

Ele me lança seu melhor olhar de cãozinho implorando — e, acredite em mim, ele faz isso muito bem — mas, por fim, diz:

— Você não é nada legal.

— *Não* podemos.

— Então o que vamos fazer?

Passo a mão no meu cabelo molhado.

— Vamos para o ancoradouro quatro e... — E o quê? Dizer que tem algo errado com o submarino? Eles vão descobrir que não há problema algum e que estamos mentindo. — E então chamamos meu pai de lá. Ele vai mandar outra pessoa.

Achamos o ancoradouro quatro com facilidade. Não é um submarino gigante, nuclear, estilo *Caçada ao outubro vermelho.* Na verdade, é bem pequeno e encurvado, com paredes brancas brilhantes e controles de *touchscreen* pretos e planos, tipo um tPhone. Além da abóbada transparente e curvilínea, logo em frente há uma infinita extensão de água azul-escura.

— Olhe só para isso — diz ele, analisando os controles. — Igual ao simulador. Tipo, *igual* mesmo.

— Theo...

Ele dá de ombros, mas seu rosto se ilumina daquele seu jeito de menino travesso.

— Passei horas jogando no simulador no caminho para cá. É melhor do que qualquer videogame. — Theo batuca o encosto dos assentos com as mãos. — Não é sempre que temos a chance de jogar um videogame de verdade...

— Não. Sem chance. De jeito nenhum.

— Fala sério! Sei o que eu estou fazendo!

— Porque você jogou um simulador?

— Porque tenho quase sete horas de prática e porque a gente só precisa descer uns 800 metros e voltar. E isso seria totalmente, verdadeiramente, eternamente incrível. No fundo do seu coração você sabe que estou falando a verdade.

Eternamente incrível, mas inalcançável. Isso não é motivo para pilotar um submarino. Mas há algo por trás do entusiasmo de Theo, uma melancolia que revela a tristeza que há dentro dele.

Ele fez tanto por mim na viagem. Arriscou a vida para ajudar meu pai. E tudo o que ele está pedindo em troca são apenas alguns momentos de diversão. Não é pedir muito, é?

— Se a qualquer instante, você tiver a menor dúvida que seja sobre o que está fazendo, a gente volta na mesma hora — digo, do jeito mais rígido que consigo. Mas não consigo evitar um sorriso ao ver Theo batucar forte nos assentos em comemoração.

Então, cincos minutos depois, estamos prontos para ir. E preciso admitir que ele realmente parece saber conduzir esse negócio.

— Vou liberar as garras — diz ele. — Pronta?

Faço que sim com a cabeça. Então ele vira o botão no painel de controle que solta o submarino da *Salácia*. Por um instante, flutuamos à deriva, mas em seguida Theo abaixa as escoras, o suficiente para nos soltar do cais subaquático.

A proa do submarino é feita de um vidro superespesso, o que significa que temos uma vista panorâmica perfeita do oceano à nossa frente. Nesse instante, vemos a areia branca opaca, algumas folhas de gorgônias sobressaindo das rochas em alguns pontos e o azul infinito. Theo e eu estamos sentados lado a lado no compartimento dianteiro, embora as portas impermeáveis que dão para os fundos não estejam fechadas. Ele explica que, como ninguém vai mergulhar nessa viagem, não precisamos fechá-las.

Isso é bom, porque senão isso ficaria íntimo demais. Num submarino, não há espaço sobrando, então Theo e eu estamos muito próximos. Só vesti minha regata preta e uma calça legging por baixo da roupa de chuva hoje de manhã, então isso é tudo o que estou usando. Embora Theo esteja vestindo uma camiseta branca normal, ainda está levemente úmida por causa da chuva. Ele não é tão grande quanto Paul, então às vezes esqueço que Theo é bastante musculoso. Mas não tem como esquecer isso nesse momento.

Apenas digo:

— Hum, como vamos procurar o guincho que deveríamos encontrar?

— Ativando o sonar.

As mãos dele se movem com habilidade pelo painel de controle, como se ele fizesse isso há séculos.

A varredura crua do sonar começa, e lanço um olhar enviesado para a tela, tentando determinar quais daquelas formas são apenas rochas, e quais podem ser o equipamento que estamos procurando.

— Ali. Será?

Aponto para o objeto ao qual estou me referindo. Theo faz o mesmo. Nossas mãos se esbarram e não acho que foi coincidência.

— É — diz Theo, sem olhar para mim. A silhueta do seu perfil contrasta com o azul. — Vale a pena tentar.

Então ele direciona o submarino para a frente, numa velocidade moderada. Conforme avançamos pela escuridão, a iluminação direcionada para a água ao nosso redor, continuo olhando de relance para Theo, que parece estar se esforçando para encontrar as palavras certas. Será que ele vai pedir desculpa por duvidar de Paul? Ou será que ele vai tentar me beijar de novo?

— Você deve... — Faltam palavras porque não sei o que dizer. — É bom saber que Paul estava falando a verdade o tempo todo, não é?

— Claro. Com certeza. — Theo abre a boca para dizer mais alguma coisa, mas depois a fecha. Ele parece mais atormentado com isso do que eu podia imaginar que ficaria.

Nesse momento, meu pai surge no rádio.

— Que *diabo* vocês dois estão fazendo num submarino?

— Estamos indo bem — insiste Theo. — E nos divertindo. Admita, você está com inveja.

— Estou preocupado. Com inveja também, mas isso equivale a 15% contra 85% de preocupação. Como estão as coisas por aí?

— Até agora, tudo bem — respondo, dando uma olhada no alto-falante no teto. — A gente acha que viu o guincho.

— Perfeito. Vou diminuir a preocupação para 50%, então. Escute, um dos navios de fugitivos acabou de sinalizar. Achei que iam querer saber. — Pelo seu tom de voz, sei que ele está sorrindo. — Depois nos falamos.

Então há um momento de estática quando a ligação original é substituída pela nova, e escuto uma voz marcante dizer:

— Marguerite?

Parecem fogos de artifício sendo detonados.

— *Paul*. Você conseguiu.

— Quase. Eu deveria atracar nos próximos dez minutos.

— E você falou com meu pai?

— Sim. Graças a Deus ele estava aqui. Pelos arquivos da Tríade achei que estaria... mas eu não tinha certeza, não até nos falarmos.

— Vamos construir mais um Firebird e voltarmos para casa. — Sorrio para o alto-falante, como se eu pudesse ver Paul ali, mas nem toda a minha felicidade consegue me fazer esquecer de que não estamos sozinhos. — Theo também está aqui.

— Oi, irmãozinho — diz Theo, com uma expressão bem pesarosa. — Parece que você esteve o tempo todo um passo a frente de nós.

— Eu devia ter contado para você lá no início.

Quando ele diz isso, é impossível não visualizar o rosto de Paul: sombrio, arrependido.

— Eu não tinha ideia do que eles fariam com Henry ou do que teriam feito.

— São águas passadas. — Theo olha para o brilho distante da superfície do mar acima de nós e acrescenta: — Perdão pelo trocadilho.

Ainda não consigo acreditar que Paul conseguiu chegar até aqui.

— Onde você estava? — pergunto. — Você saiu imediatamente ou precisou de um lembrete?

— Comecei a procurar você assim que cheguei aqui. Não preciso mais de lembretes — conta Paul.

— Não precisa mais? — Franzo o cenho. Ao meu lado, Theo se ajeita na cadeira.

— Na última dimensão que visitamos, a Tríade desenvolveu uma forma de seus espiões continuarem no controle ao longo de suas viagens. É uma droga... prejudicial e, às vezes, até difícil de conseguir, portanto não é uma solução permanente. Mas funciona em pequenas doses — explica ele. — Dá para preparar com substâncias simples, facilmente encontradas em quase qualquer dimensão que a pessoa vá. Eles chamam de Nighttief. Um líquido injetável, de uma cor verde vibrante...

Paul continua falando. Mas não ouço nenhuma palavra.

Lentamente, olho para Theo, que está me encarando diretamente. Ele não diz nada, pois sabe que eu sei.

Nighttief. O líquido verde que vi Theo injetar em Londres.

Theo nunca faria...

Não. Meu Theo nunca faria isso.

Mas esse não é meu Theo.

26

— O Nightthief causa alucinações, uma dor forte, mas proporciona dias de consciência controlada. Eu sabia que precisaria usar isso para alcançar você.

Paul continua falando pelo interfone, sem saber que conseguimos ouvi-lo, mas não estamos prestando atenção.

Encaro Theo. Ele me observa com calma, e vejo vergonha em seu rosto, mas também alívio. Como se ele estivesse pensando: ela finalmente descobriu.

Repudio totalmente essa ideia. *Theo não faria isso. Ele nunca nos espionaria para a Tríade, nunca faria mal à minha família. Nunca faria mal a mim.*

O meu Theo realmente não faria. Mas este não é o meu Theo e já faz um tempo que não é ele.

Desde antes do início dessa jornada...

Grito no momento em que ele se joga em cima de mim.

— Paul, é Theo! Theo é o espião!

Mas Theo esmaga o rádio com o cotovelo enquanto me empurra para a parede. Tento afastá-lo, mas o submarino é tão pequeno que fico espremida embaixo dele, incapaz de me firmar ou pegar impulso.

— Você pode... apenas... me escutar? Pode ser?

Theo se estica para me manter imobilizada. Seus braços me seguram. Seus olhos castanhos me suplicam algo, mesmo que seu peso esteja me obstruindo com força.

— Por favor. Não quero machucar você.

— Era você o tempo todo. Por isso que você tinha os Firebirds.

É claro! Ele não ficou com os sobressalentes e os consertou. Esse outro Theo, de uma dimensão onde a Tríade está um passo à nossa frente, conseguiu usar os materiais para recriar uma tecnologia superior própria.

— Você adulterou o carro do meu pai e incriminou Paul por homicídio.

— Sou réu confesso, Meg.

— Pare de me chamar assim! — sibilo bem diante dele.

Ele me arranca do lugar. Nós dois caímos no chão. Sinto o submarino perdendo altura... vamos bater na areia, mas ainda não consigo me livrar dele. Seus joelhos prendem minhas pernas e suas mãos me algemam ao chão de metal.

— Você vai continuar lutando ou vai me escutar? — Ele respira com força, como se ele é quem estivesse irritado. — Posso explicar.

— Ah, é claro que pode!

Theo me segura mais forte. O rosto dele está rente ao meu.

— Eu fui para a sua dimensão três meses atrás. Sabíamos que seus pais estavam prestes a fazer a descoberta. E, pelo que sabemos, vocês são a segunda dimensão mais remotamente equivalente à nossa no que se refere ao desenvolvimento dessa tecnologia. O que significa que precisávamos estabelecer uma aliança estratégica.

Três meses atrás foi quando ele começou a usar drogas, desaparecendo por horas a fio, passou a me chamar de Meg... a agir diferente de diversas formas. Como é que eu pude não perceber? Por mais que eu tente escapar de debaixo dele, mal consigo me mexer.

— É isso o que você chama de... fazer amigos?

— Toda aliança tem um líder. — Theo parece mais triste do que irritado. — Assim como toda guerra tem um general.

— Guerra? Você está ouvindo o que está dizendo? Duas dimensões não podem... entrar em guerra! Isso seria insano.

— Antigamente pensava-se que a invenção do avião tornaria a guerra impossível. Tipo, como poderiam mobilizar tropas em segredo com pessoas olhando de cima? Mas então alguém teve a ideia de colocar bombas nos aviões e tudo mudou. Toda tecnologia que a humanidade inventa é usada para colocar os homens uns contra os outros. É só questão de tempo. Se a gente não começar a batalha, outra dimensão fará isso, e eles podem ser mil vezes piores.

Eu me lembro do discurso do Conley na Conferência de Londres sobre como a guerra evolui junto conosco. Aquilo me faz parar um pouco para refletir. Não sinto menos raiva de Theo, mas a ideia de que ele estava lá... observando, esperando, em busca do momento para atacar...

Theo assente, ficando esperançoso de repente.

— Agora você entende, né? Temos que nos unir. Temos que conquistar o poder para nós, antes que seja tirado de nós.

— Ninguém está ameaçando você. — Meus punhos doem, pois o aperto de Theo é até mais forte que algemas. — Vocês é que foram ao ataque. Não finjam o contrário.

Ele continua, como se eu não tivesse dito nada:

— Quando cheguei, eu devia atrasar seus pais um pouco, ganhar vantagem para a gente, mas já era tarde demais. O que eu podia fazer era criar um viajante. Um viajante perfeito. Só temos uma chance por dimensão, sabe. Conley é a nossa. Na sua dimensão, entre todas as pessoas no mundo, ele escolheu você.

— Nossa, me sinto superespecial. — Cuspo nele. De verdade. Nossos rostos estão muito próximos. O submarino está balançando, desgovernado, o volume de areia branca aumentando no lado de fora da janela. — Então você deixou que eles sequestrassem meu pai?

— Paul estava estragando tudo. Eles pegaram Henry e eu... Bem, joguei o carro dele no rio, adulterei os freios e me certifiquei de que afundaria na água. Com o carro na água, vocês não esperariam encontrar o corpo imediatamente, se é que iriam encontrar. Era uma questão de ganhar tempo para a Tríade.

Claro. Era sempre Theo que mexia nos carros. Como não me dei conta de que ele é que tinha cortado os freios?

— Você me fez acreditar que meu pai estava morto. Minha mãe ainda acha isso, e Josie também. Você ao menos se perguntou o que estava fazendo com a gente?

— Olhe só, me escute, pode ser? Você entende quanto poder isso lhe proporciona? Essa é uma grande oportunidade, se você apenas aceitá-la. — Theo balança a cabeça e de fato há lágrimas nos seus olhos. — Eu *detestei* mentir para você. Para vocês todos. O que sinto por você não é só o que o seu Theo sentia, sabe? Eu não parecia ter muita chance com você na minha dimensão e quando percebi que poderia ter outra oportunidade, não quis desperdiçá-la. Mas não tirei vantagem. Você sabe que não. Em Londres, segurei a onda. Eu queria que você tomasse sua decisão. Eu disse: *Quando formos nós dois mesmos*, lembra?

— Nossa, você merece uma medalha.

— Juro por Deus que se eu pudesse livrar você dessa confusão, eu faria isso. Mas não posso, Marguerite. Não posso. A única forma de salvar você é fazer com que entenda como entrar nesse jogo.

— Jogo? Isso não é um jogo, Theo! Você teria matado Paul.

Neste instante, também estou prestes a chorar, como Theo, embora minhas lágrimas sejam de raiva.

— Eu ia mesmo confessar, mais cedo ou mais tarde. O que você achou que ia acontecer no Laboratório Onze? O que Conley falaria para você se a tivesse encontrado no portão do dragão? A gente ia contar a verdade, toda a verdade, fazer você perceber que poderia levar Henry para casa são e salvo. Conley ia incluí-la na equipe! Não entende? A decisão certa é se juntar a ele. A *nós*. Se você se juntar a nós, nunca mais vai se machucar. Nunca mais. Eu passaria o resto da vida garantindo isso, Meg. Prometo.

Quer dizer, você ia me chantagear, fazendo meu pai de refém. Estou prestes a gritar isso para Theo, tentando fazê-lo cair na real a respeito dessas ilusões sobre Conley, mas então o submarino balança de forma mais violenta e só conseguimos ver tudo branco de areia ao nosso redor. Grito logo antes de batermos.

O submarino atinge o chão e suas hélices rangem ao raspar nas pedras. A gente capota diversas vezes, Theo e eu tombando um no outro, dezenas de colisões, todas aparentemente graves. Consigo me agarrar ao banco enquanto o submarino derrapa na borda de um fosso, e a gente começa a despencar numa profundeza sem fim.

Theo tinha me falado mais cedo que esse submarino só consegue aguentar até cerca de 500 metros. Além disso, a pressão submarina nos esmagaria feito uma mão amassando uma lata de refrigerante.

— Merda — diz Theo se escorando numa parede, e depois se arremessando no painel de controle. Ele tenta religar as hélices, mas um rangido horrível nos indica que não estão funcionando. O mostrador mostra 200 metros... 215... 230...

Balanço no banco, tentando ignorar os solavancos terríveis e os arranhões que estão nos levando para um breu cada vez maior.

— O que vamos fazer? — pergunto. — Vamos tentar nos segurar.

Com as mãos trêmulas e feridas, Theo ativa a garra de segurança, que é arremessada, tentando encontrar um ponto de apoio.

Estamos sentados um ao lado do outro, sem palavras, ouvindo o metal batendo na pedra. Nossa queda não desacelera. Meu medo começa a virar pânico assim que a garra encontra alguma espora ou pedra saliente e fica travada. Paramos ali, depois oscilamos, suspensos. Por enquanto estamos seguros, mas, como nós dois sabemos, a garra pode ter atracado em algo bem frágil. A qualquer momento, o peso do submarino pode quebrar esse apoio e nos lançar para baixo novamente, nos lançar para a morte.

— Tudo bem — diz Theo, respirando fundo. Ele liga o rádio outra vez. — *Salácia, Salácia,* esse é... o quê? O Submarino Um? Theo e Marguerite. Câmbio.

Sem resposta, nem mesmo estática. Estamos fundo demais para nosso sistema de comunicação funcionar.

Ele passa a mão no cabelo.

— Bom, temos que manter a calma e descobrir...

Bato a cabeça de Theo no painel o mais forte que consigo. Durante a fração de segundo em que ele fica desorientado, agarro seu pescoço, arremessando-o no mesmo lugar onde ele tinha me jogado.

— Não somos parceiros. — As palavras saem rangendo por entre meus dentes trincados. — Nem nunca seremos. Diga isso para Conley.

Theo é mais forte que eu. Ele me empurra para longe e caio para trás. Mas antes que ele consiga me alcançar, vou para o outro lado da divisória e aperto o botão que faz a separação dos dois subcompartimentos. A porta se fecha, me deixando longe de Theo. Ele, na frente, com o painel de controle sem funcionar, e eu, atrás, com o equipamento de mergulho.

Por sorte, a trava está bem sinalizada. Verifico que está ativada, nos mantendo separados.

— Marguerite? — O rosto dele aparece na fresta de vidro superespesso da porta. — O que diabo você acha que está fazendo?

— Dando o fora daqui.

Porque outra coisa bem sinalizada na parte de trás é a CÁPSULA DE FUGA.

Consigo me esgueirar com facilidade pela passagem circular. O que me aguarda do outro lado é uma esfera escura e minúscula que exige que eu me enrole em posição fetal. E o ar? Como faço para voltar à superfície? Suponho que esse tipo de coisa seja bastante automatizado, mas não gosto de fazer suposições a quase trezentos metros debaixo d'água. Minha única alternativa é ficar por aqui. Mais cedo ou mais tarde Theo vai descobrir um jeito de abrir aquela trava. Provavelmente em breve. Por isso, preciso ir.

— Você não tem como chegar à superfície sozinha dessa profundidade — grita ele pelo vidro espesso. — Não vá se matar tentando fugir de mim, ok? Não vou machucar você.

— Vou dar o fora daqui e ir para minha casa — repito, me aproximando mais perto da porta onde ele está. — E vou levar meu pai junto.

Então esmurro o vidro com a mão e noto que os olhos de Theo se arregalam ao ver o que eu estava segurando na palma da mão... o Firebird dele.

O que arranquei de seu pescoço durante nossa luta. Aquele com o qual Theo contava para sair daqui e que vai levar meu pai de volta para casa.

— Por favor, não faça isso.

O rosto dele está pálido. Ótimo.

— Você achou que esta era a dimensão perfeita para prender meu pai — digo, seguindo para a porta da cápsula de fuga. — Então espero que você também curta ficar preso por aqui.

— *Marguerite!*

Vou até a cápsula e as palavras de Theo ficam abafadas; não consigo mais ouvi-lo.

Neste momento, estou correndo muito mais perigo do que ele. Esse submarino parece intacto, por mais que não consiga se mover, é impermeável e pressurizado. Theo está preso, claro, mas a tripulação da *Salácia* deve aparecer aqui assim que possível. Por mais furioso que meu pai vá ficar ao descobrir a verdade sobre Theo, ele nunca deixaria alguém para morrer.

Mas eu? Estou me jogando no mundo hostil fora do submarino, saindo para o frio e a escuridão esmagadora.

Mas, se eu ficar aqui, em algum momento Theo vai passar por essa porta. Ele vai tirar o Firebird de mim e assim meu pai e eu ficaremos mais uma vez à mercê dos esquemas de Conley.

Isso não vai acontecer.

Tremendo, aperto o botão "Preparação para lançamento".

Discos de metal giram nas laterais da porta para me vedar por completo. Escuto pancadas distantes, provavelmente Theo se jogando na porta numa última e desesperada tentativa de atrair minha atenção, mas eu me recuso a olhar.

Não existem janelas largas aqui, há apenas uma pequena fresta transparente que me permite ver quão hostil é lá fora. Não tem nada por perto, nada exceto a profundidade da fenda. Mas essa é minha única chance. Respiro fundo, toco no botão que diz "Lançamento final"... e aperto.

No mesmo instante as garras de metal estalam e fazem barulho, e então a cápsula afunda no mar.

A princípio, fico aterrorizada. *Estou caindo! Vou cair até o fundo.* Mas então uma turbina é acionada e me ejeta para cima. O sentimento é de libertação. Por mais absurdamente escuro e apertado que esteja aqui, estou livre.

Daqui de baixo é muito escuro e não dá para ver a superfície da água. Talvez eu conseguisse enxergar num dia mais claro, mas a tempestade na superfície está obstruindo qualquer feixe de luz que pudesse chegar até aqui. A única iluminação vem da tinta fosforescente da cápsula... mas não é suficiente, só alguns poucos filetes nos painéis. Talvez eu devesse ter trazido uma lanterna comigo. *Vou me lembrar disso na próxima vez*, penso, mas isso não tem graça.

Com certeza aqui tem algum tipo de calefação ou cobertores térmicos de segurança que ainda não achei. Só sei que esse frio não pode ser normal. Estou cercada de metal e água poucos graus acima do ponto de congelamento, o que significa que já está tão frio aqui dentro que estou tremendo. A cada instante que passa fico cada vez mais travada porque meus membros estão ficando dormentes.

Outro fator que eu não tinha previsto é meu cansaço. Theo e eu caímos no tapa diversas vezes e isso depois da minha manhã ter começado com a escalda nas estações meteorológicas em meio a vendavais estratosféricos. É importante permanecer acordada, para descobrir como acionar ajuda assim que chegar à superfície, mas o frio e o cansaço estão me derrubando. Já gastei toda a minha adrenalina, mas estou determinada a fazê-la me levar até onde for necessário.

Você vai conseguir, penso, mas isso soa desesperado e irreal, até mesmo para mim. *Tenho certeza de que é seguro. Você vai chegar logo na superfície, não tem como estar muito distante.*

Meu Deus, quanto mais falta? Quanto?

E então, cintilante como o sol nascendo, a luz atravessa a água, chegando até minha única janelinha que dá para o mar.

Os holofotes me banham no seu brilho, tão forte que preciso virar a cabeça e apertar os olhos. Ao se aproximarem, a sombra por trás da luz ganha forma: é um submarino, mas não da *Salácia*.

O que quer dizer que só pode ser uma pessoa.

Aos poucos, minha visão embaçada do mundo acima assume a forma de um casco branco de submarino que se aproxima da cápsula de fuga. Parece que estou olhando para o céu. Uma fresta crescente expande-se acima de mim, feito uma lua da cor da noite. A cápsula passa pela abertura, seguindo em direção ao compartimento de mergulho do submarino. A porta se fecha de novo e a água começa a ser bombeada para fora, e seus níveis caem cada vez mais conforme a cápsula se aloja no piso do compartimento de mergulho.

Eu me sinto muito pesada. Muito cansada. Mas consigo me manter acordada, até bastante calma, apesar da tontura e da náusea que reconheço como sintomas bem prováveis da descompressão.

A água escoa da cápsula de fuga, e restam apenas alguns pingos no chão. De onde estou, sentada, encolhida dentro da cápsula, observo o indicador de pressão na parede ficar vermelho... ainda vermelho... e depois verde.

Aperto o botão verde "Abertura de porta". As espirais metálicas voltam a se abrir, e consigo empurrar a porta da cápsula. Fraca e trêmula, caio pesadamente na rede úmida de metal no chão, parecendo um peixe no anzol. Respirando fundo, ouço as portas perto de mim se abrirem. Eu me viro e vejo Paul correndo até mim com algo prateado nas mãos.

— Marguerite — sussurra ele, colocando uma máscara de respiração sobre meu nariz e minha boca. — Você está segura, ok? Você está segura. Apenas inspire e expire o mais fundo que puder.

Só consigo assentir e respirar.

Após duas inalações, já me sinto um pouco melhor. O que significa que me sinto uma bosta, mas não parece mais que vou desmaiar.

— O que é esse negócio?

— Não fale — diz Paul, desenrolando um cobertor térmico brilhante e me cobrindo, acomodando-o nos meus ombros e nas minhas pernas.

— Você está respirando um gás especial desenvolvido para neutralizar problemas causados por descompressão. É algo bem avançado. Inventado pela brilhante oceanógrafa dra. Sophia Kovalenka.

Claro que minha mãe acabou sendo tão genial em oceanografia quanto ela era em física. *Claro*. Não consigo evitar um sorriso embaixo da máscara.

Paul se senta ao meu lado no chão molhado, perto o suficiente para erguer minha cabeça e apoiá-la no seu joelho. As mãos dele me aquecem, esfregando minhas pernas e meus braços frios. Depois ele se inclina para beijar minha testa.

— Eu não tinha certeza se era você — sussurra ele. — Podia ser Theo na cápsula, e eu ficava me perguntando se ele a tinha deixado para trás, se tinha machucado você, se livrado de você...

— Não, eu é que me livrei dele.

Olho para Paul do melhor jeito que consigo com uma máscara prata no rosto.

— Peguei o Firebird de Theo. Isso significa que meu pai pode ir para casa.

— Meu Deus.

Paul se inclina sobre mim e me envolve nos braços, como se estivesse me protegendo do mundo inteiro. Fecho os olhos e, apesar de tudo, acho que nunca me senti tão segura.

Emergimos da água, até que tudo ao nosso redor fica azul outra vez e a máscara de respiração não é mais necessária. Paul para de cuidar de mim para atracar o submarino, que é um daqueles modelos enormes, de longa distância, que só viaja com grandes navios de pesquisa.

— Conseguimos chegar em casa — sussurro. Há pouco tempo eu estava cansada e assustada, mas agora estou aquecida e segura nos braços de Paul. Eu bem que poderia adormecer bem aqui no colo dele, fazendo seu peitoral forte de travesseiro. Seus músculos se flexionam enquanto ele opera os controles de direção. Fico feliz por ele estar conduzindo o submarino sem deixar de lado. — Vencemos.

— A batalha, não a guerra.

— Sei que a Tríade virá atrás de mim de novo. Tenho noção disso. E acham que pertenço a eles e que podem me manipular. — Sou vulnerável a eles enquanto houver pessoas no mundo que eu amo, isso é verdade. Mas vulnerável não é o mesmo que impotente. — Eles vão ter que se superar.

Paul sorri.

— Quando a Tríade foi atrás de você... não sabia onde estava se metendo.

Ele volta sua atenção para os controles após atracarmos. As garras assentam ao redor do submarino com um zunido metálico, sólido. Escuto o ruído da eclusa da estação parear com o nosso. Paul põe a mão embaixo dos meus joelhos e me pega nos braços, carregando-me até o portal.

Quando a porta se abre, Josie está em pé do outro lado para conferir quem são os novos refugiados. Ela se assusta ao me ver.

— Marguerite?

— A gente afundou — digo. — Theo ainda está lá. Tive que nadar os primeiros trinta metros e Paul me pegou depois.

— Puta merda. *Vocês bateram com o submarino?* — Josie coloca as mãos no quadril. — E quantos caras exatamente vão visitar você hoje?

— Acho que ela está um pouco aérea — diz Paul para Josie, colocando-me gentilmente de pé. — De qualquer forma, seria bom ela beber algo quente e descansar bastante. E sei que Marguerite quer ver o pai.

— Sabe que posso ouvir você, né? — digo. Mas Paul não está totalmente errado ao dizer que estou aérea. Eu me sinto exausta fisicamente, emocionalmente, o que for. Nesse momento, só quero me enroscar de volta nos braços dele.

Pego a mão de Josie e a deixo me ajudar a subir o degrau. Ela me leva até um dos bancos, enquanto diz:

— Você não vem?

— Não — responde ele.

— Paul? — Olho de volta para ele. Ele fica ali, parado no seu submarino, com a camisa e a calça respingadas de água e o Firebird no pescoço. Olha para mim como se estivesse me absorvendo, como se estivesse tentando memorizar. — O que você está fazendo?

— A tempestade está muito forte. Theo está num submarino quebrado, pendendo na beira de um fosso. Não posso deixá-lo lá.

Josie se vira para mim.

— Espere, o quê? Vocês bateram num fosso?

Ignoro a pergunta dela.

— Se é perigoso para ele, é perigoso para você. E foi ele quem começou tudo isso.

— O Theo espião começou tudo isso — retruca Paul. — Mas o Theo desta dimensão nunca nos fez mal. Ele não merece morrer pelos pecados de outra pessoa. Além disso... é *Theo*.

Ele está certo... tão certo que fico até com vergonha.

— Eu não devia ter abandonado ele.

— Você abandonou o cara? De *propósito*? — A essa altura, Josie já está surtada.

Paul dá um passo na minha direção. Seus olhos cinza estão intensos.

— Você fez o que era preciso para salvar seu pai e a si mesma. Não se culpe por uma situação em que outra pessoa te colocou. Mas tenho que resgatar Theo, se eu conseguir.

— Você tinha que me abandonar mais uma vez nessa viagem, né?

— Marguerite...

Nem sei mais o que dizer.

— Vá. Mas volte inteiro. Ou juro que mato você.

Paul toca o meu rosto, passando o polegar pelos meus lábios ainda úmidos, como se fosse um beijo... e depois volta para o submarino. Ele bate num botão na parede e as portas se fecham.

Quando me viro para Josie, ela está me encarando como se eu tivesse uma segunda cabeça.

— Será que posso saber o que está acontecendo? — pergunta ela, baixinho.

— Não.

Ela bufa, frustrada. Mas rapidamente volta à ativa.

— Precisamos da eclusa. Vamos.

Em minutos, estou diante de uma das janelas mais baixas, observando o submarino branco de Paul desaparecer nas águas turvas. Toco o vidro gelado com a mão.

— Marguerite? — Viro o rosto e vejo meu pai vindo na minha direção, a preocupação estampada em cada centímetro do seu rosto. — Josie está abalada. Ela me contou o que aconteceu, ou o que ela acha que aconteceu, mas a história não faz muito sentido. Você está bem?

Não sei dizer se nesse momento ele se lembra de quem é ou não. Mas não importa.

— Estou bem. — Pego o outro Firebird e o coloco na sua mão. — Vamos para casa.

27

Abro os olhos.

Dessa vez, não há nenhuma sensação de força, nenhum momento de desorientação. Na verdade, é quase como se eu adormecesse por um instante e depois calmamente acordasse. Aos poucos, olho ao meu redor. Já anoiteceu aqui, mas faz pouco tempo... No canto esquerdo do céu, ainda há um tom azul-pálido com leves pinceladas de rosa no horizonte. Estou sentada nos degraus do nosso deque, usando meu vestido de renda e o casaco do meu pai por cima, apertando com ambas as mãos o Firebird no meu pescoço. Em outras palavras, estou no exato lugar de onde saí um mês atrás.

— Estou em casa — sussurro. — Estou em *casa*.

Subo apressada a escada dos fundos em direção às portas de correr de vidro. Como de costume, minha mãe não as deixou trancadas, então corro para dentro. A visão da minha própria casa me enche de uma felicidade quase delirante: pilhas de papéis! Equações de física nas paredes! Os vasos de planta da minha mãe! Até a mesa de arco-íris...

... e, no sofá, mamãe, sentada.

— Marguerite! — exclama ela, ofegante.

— Mãe! — Corro até ela, mas ela me encontra no meio do caminho. Seus braços me apertam tão forte que me dou conta de como ela deve ter ficado preocupada comigo nas últimas semanas. — Desculpe, mãe, mas eu consegui. Conseguimos.

— Você está em segurança? Está bem? — As lágrimas escorrem pelo rosto de minha mãe enquanto ela afasta meu cabelo do rosto. — Mas você não machucou Paul, né? Nós decodificamos o bilhete dele horas depois de receber o seu...

— Ai, meu Deus, você voltou! — Josie sai em disparada da cozinha e me derruba no sofá. — Vou *matar* você por ter nos dado esse susto. Mas antes preciso dizer que te amo, sua maluca.

— Também te amo — respondo, dando um abraço apertado nela. — Mas temos muita coisa para conversar.

— A Tríade... — começa minha mãe. Seu sorriso diminui, mas só um pouco. — A gente sabe. Mas isso não importa, querida, desde que você esteja bem e em casa.

— É, mas como... — Minha voz some quando uma terceira pessoa aparece no corredor.

Theo.

Ele tenta sorrir para mim, mas não me convence.

— Bem-vinda de volta.

A princípio, só consigo sentir pânico. *Ele me seguiu até aqui. Ele deu um jeito de sair do submarino e me seguiu até aqui.* Mas depois me dou conta do que isso significa. Esse cara com camiseta do Mumford & Sons e calça cargo é o *meu* Theo, que foi pego pela Tríade meses atrás para que o espião pudesse agir em seu lugar. Esse Theo nunca teria feito nada daquilo comigo ou com qualquer pessoa da minha família.

Sei disso. Acredito nisso. Mas ainda assim é difícil fazer meu coração aceitar.

— Então você sabe a verdade. Está estampada na sua cara. — Theo faz uma careta. — Você não tinha medo de mim.

— Não estou com medo. É só que... É muita coisa para digerir. E, sim, eu sei.

— Ele machucou você? — A voz de Theo muda. — Se aquele filho da mãe machucou você...

— Não — respondo, o que quase não é mentira.

— E Paul? Ele está bem?

Nesse momento, quando vejo que Theo está tão amedrontado por Paul quanto estava por minha causa, me lembro do amor que eles sentem um pelo outro, e que, mesmo agora, com uma dimensão de distância, Paul está arriscando a vida para salvar um Theo que ele sequer conhece, um Theo que tentou matá-lo.

— Paul está bem. Ele vai voltar logo — respondo.

Josie respira aliviada, e percebo que Theo fica pelo menos um pouco mais sossegado.

Minha mãe dispara:

— Theo veio nos procurar assim que o espião da Tríade partiu. Ele nos contou tudo. Mas já era tarde demais. Você não estava mais aqui e sabíamos que a Tríade podia encontrá-la, e nós, não. Então, não podíamos fazer nem dizer nada sem colocar você em perigo. Focamos nos nossos próprios Firebirds, na esperança de conseguir seguir você, mas é um trabalho demorado. Mês passado foi um inferno. — E ao dizer isso, ela parece ter envelhecido mais do que quatro semanas. — Mas agora você está aqui. Voltou para casa.

Eu me afasto do abraço de Josie, sorrindo outra vez.

— E agora precisamos ir. Todos nós, nesse instante.

— Para onde? — pergunta minha mãe, franzindo o cenho.

Ela não entende. Ninguém entende. Ninguém sabe ainda... a melhor notícia de todas.

— Para a faculdade. — Seguro as mãos da minha mãe para amenizar o choque e olho para o rosto de todos eles antes de dizer: — Temos que buscar o papai.

Apesar de tudo o que aconteceu comigo nas últimas horas, sou a única capaz de manter a calma para dirigir. Então conduzo o Volkswagen prata de Josie pelas ruas íngremes. No banco de trás, minha mãe e Josie alternam rompantes de alegria com terríveis momentos de dúvida. Elas ainda estão abaladas, com medo de acreditar.

Theo está no banco do carona, com uma expressão severa, olhando fixo para a frente. Ainda não dissemos nenhuma palavra desde que entramos no carro. Acho que não temos a mínima ideia do que falar.

Então me dou conta de qual é a primeira coisa de que preciso saber.

— Como foi quando você foi, você sabe... pego?

Mesmo sem olhar para mim, ele relaxa um pouco.

— No início parecia apenas que eu estava perdendo a noção do tempo, a consciência ou algo assim. Achei que estava trabalhando demais no projeto do Firebird, dormindo muito mal, essas coisas. Nunca disse nada para Henry nem para Sophia porque achei que eles me mandariam diminuir o ritmo e eu poderia acabar perdendo alguma oportunidade. — Theo suspira. — Mas se eu tivesse contado, talvez um deles pudesse ter percebido o que estava acontecendo. Ou seja, foi bem idiota da minha parte.

— Não tinha como você saber. — Começo a pensar em todas as Marguerites que habitei. Naquela época, eu achava que estava fazendo escolhas responsáveis... ou que se eu errasse, seriam erros que aquelas Marguerites teriam cometido no meu lugar. Mas ao ver em Theo essa forte sensação de violação, me pergunto se elas se sentem assim também.

— Depois que ele começou a usar aquele negócio verde, tudo mudou. Eu tinha noção do que estava acontecendo, mas era uma coisa... distante. Nebulosa. Parecia aquela sensação de entorpecimento na cadeira do dentista. Então ele saía. Voltava para sua própria dimensão para, sei lá, reportar algo ou o que for. Mas quando eu conseguia recobrar a consciência, ele voltava.

Eu me lembro, lá no Triadiverso, da conversa sobre o estágio demorado que Theo fez com Conley. Ele viajava pelas dimensões enquanto o espião de Conley retornava sempre que fosse necessário para sustentar sua história de fachada.

Theo finalmente olha para mim, embora de forma hesitante.

— Quando o canalha se foi de vez, só eu conseguia me lembrar dos detalhes mais importantes, que eles tinham feito algo horrível com Henry, que eu tinha incriminado Paul por isso, e que eles estavam atrás de você. Sempre estiveram atrás de você, e eu nem podia preveni-la. Tínhamos que esperar aqui, sem saber se veríamos você de novo.

Por mais que eu simpatize com o sofrimento que ouço na voz de Theo, não posso deixar que ele continue se martirizando pelo ocorrido.

— Eu voltei. Está bem? Você precisa parar de se preocupar com o passado. Preocupe-se com o futuro, porque a Tríade certamente continuará tentando.

— Ah, tenho pensado na Tríade. Acredite em mim, tenho pensado bastante. Já tiveram a oportunidade de nos surpreender, agora eles é que vão levar alguns sustos em troca.

Theo chega a sorrir, mas é o sorriso mais assustador que já vi. Eu não gostaria de ser Wyatt Conley nesse momento.

Chegamos ao campus da faculdade. É um lugar tranquilo entre o recesso dos semestres, quase abandonado, com apenas meia dúzia de carros nos estacionamentos e alguns alunos estrangeiros desamparados vagando sem rumo. Piso forte no pedal, acelerando em direção ao laboratório e estaciono o carro na vaga mais próxima.

O carro de Josie é tão minúsculo que a gente deve parecer um bando de palhaço saindo de um fusca. Dando uma olhada na escuridão do lugar, não encontro ninguém por perto.

Minha mãe fica na minha frente.

— Henry? — A voz dela sai trêmula ao chamar o nome dele mais uma vez: — *Henry?*

Então vejo o mesmo que ela: um vulto saindo da penumbra.

— Sophie! — grita meu pai, correndo direto para os braços de mamãe.

De alguma forma, todos nós acabamos dando um abraço coletivo, e todo mundo está chorando e rindo. Devemos parecer pessoas surtadas, mas não ligo a mínima.

Mas mesmo assim, lá no fundo, ainda sinto medo.

E Paul?

Assim que nos afastamos e retomamos nossos lugares, minha mãe beija meu pai — e não foi, tipo, um selinho; foi um *beijão*. Sempre fiquei feliz por saber que meus pais se amavam muito, mas nunca tive a impressão de estar assistindo a nada tão íntimo assim. Viro o rosto para lhes dar certa privacidade e Josie dá um risinho.

— Muito bem — diz minha irmã, secando as lágrimas nas bochechas. — Você não estava comigo quando dei de cara com eles fazendo *aquilo*. Puro terror freudiano.

— Você viu seus pais fazendo seu melhor — sussurra minha mãe, antes de meu pai arrebatá-la em outro beijo.

— Continuem — grita Josie. — Copulem em público. Hoje nem vamos nos importar. Vocês merecem quebrar algumas regras da decência.

Não consigo mais aguentar e falo:

— Tenho que ir. Preciso encontrar Paul.

Theo concorda lentamente com a cabeça.

— Vamos. Eu levo você até lá.

Juntos, nós atravessamos correndo aquele campus escuro, passando por prédios enormes e vazios e depois pelos alojamentos. Os dormitórios são mais bonitos do que eu achava que seriam. Parecem apartamentos residenciais. A tranca na porta é muito moderna: um leitor magnético bem grande e preto que me faz parar.

— Leitor de identidade — diz Theo, procurando sua carteirinha de estudante na carteira.

Basta um movimento para a tranca dar um clique, permitindo nossa entrada.

Eu e Theo subimos dois lances de escada, depois seguimos pelo corredor, até chegar diante da porta de Paul. Contrariando todas as expectativas, bato na porta e grito:

— Paul?

Nenhuma resposta.

Então ficamos ali no corredor, sem nada para fazer a não ser esperar.

— Você diz que Paul corre perigo porque está salvando o meu eu malvado? — Theo se apoia numa parede, cruzando os braços no peito.

— É o seu outro eu, que é oceanógrafo naquela dimensão e foi tragado contra sua vontade, assim como aconteceu com você.

— Irmãozinho... — diz Theo, com ternura.

— Você sabe que ele nunca abandonaria você se estivesse em perigo.

— Sim, eu sei. Mas até o meu eu malvado?

Faço uma pausa para escolher as palavras certas, porque é uma coisa difícil de aceitar e provavelmente ainda mais difícil para alguém que passou por tudo o que Theo passou.

— O seu eu malvado ainda é você — digo, da forma mais gentil que consigo. — Na verdade, ele achou que estava me ajudando. O cara não é um monstro. É só uma versão um pouco... inferior.

Theo suspira.

— Se você está dizendo.

O silêncio se instaura entre a gente. Continuo olhando fixo para a porta, desejando que Paul apareça de repente do outro lado e a abra para mim. Nada acontece.

A chuva estava ficando mais forte. E se o submarino de Paul não conseguiu atracar? E se ele tiver batido, como aconteceu comigo e com Theo? Talvez os dois estejam se afogando até agora, ou sendo arrebatados pela pressão absurda...

— Me diz uma coisa — pede Theo.

— Claro. O quê? — digo, sem desviar os olhos da porta de Paul.

— Esse outro Theo... Ele arruinou minhas chances com você, não é?

Chocada, viro o rosto para ele, que abre um sorriso estranho para mim.

— Porque eu tinha uma chance, né? Por um tempo? Eu podia jurar que tinha. — Ele dá de ombros. — Mas agora você está aqui, olhando para essa maldita porta de Paul do jeito que eu sempre quis que olhasse para mim.

Meses atrás, se Theo tivesse dito alguma coisa... será que eu teria me apaixonado por outra pessoa? Não sei. Nunca vou saber.

Então, apenas digo:

— Desculpe.

— Desculpe também. Mas se eu tiver que deixar outra pessoa ficar com você, que pelo menos seja ele.

Theo aponta com a cabeça para a porta. E alguma coisa se mexe dentro do quarto.

Respiro fundo. Theo e eu nos entreolhamos, e começo a gritar:

— Paul? Paul, você está aí? — Bato depressa na porta. — Sou eu. É...

A porta se abre, meu punho bate no peito de Paul.

Nesse primeiro momento, não consigo falar. Só consigo observá-lo abrindo lentamente um sorriso. Eu me jogo em seus braços. Paul me dá um abraço apertado, como se nunca mais quisesse me soltar.

— Finais felizes por todos os lados, ou quase... — diz Theo, recuando alguns passos. — Estou de saída, gente.

— Theo? — Sem me soltar, Paul olha por cima dos meus ombros, um pouco menos feliz com esse segundo reencontro. — É você mesmo?

— Único e especial... — responde Theo. — Não aceito substitutos. Mas percebo que hoje em dia isso é mais fácil falar do que fazer.

Ele parece o antigo Theo. Não consigo conter um sorriso.

Paul estende a mão para o amigo, que a segura de um jeito que é mais do que um aperto de mão: parece a forma que os romanos juravam lealdade, juravam morrer um do lado do outro naquelas pinturas antigas. O vínculo entre eles é muito forte para ser destruído pelos sentimentos que os dois têm por mim ou por qualquer rivalidade.

Mas Theo não consegue disfarçar que o incomoda nos ver agarrados assim. Ao soltar a mão de Paul e dar alguns passos para trás, seu sorriso vai ficando forçado.

— Eu vou... Preciso pegar a dra. Kovalenka boazinha, dr. Caine ressuscitado e a aspirante a médica Josephine e trazê-los para cá. Em breve, teremos o bando todo junto de novo.

— Obrigada, Theo — sussurro.

— Seus doidos, divirtam-se — diz ele, então se vira e vai.

Por um instante, ficamos observando-o se afastar, mas em seguida Paul me puxa para dentro do seu quarto e fecha a porta.

Porém, assim que ele faz isso, a verdade aparece. Tudo o que sei sobre Paul, tudo o que sinto por ele é tragado pela incerteza. Em nome do amor que senti pelo tenente Markov, que está morto a um universo de distância daqui.

Não digo nenhuma palavra, mas Paul entende. Ele respira fundo ao se aproximar de mim.

— Não sou a pessoa que você amou. Sei disso.

— Como você pode saber se nem eu sei?

Ele balança a cabeça, sem negar o que estou dizendo, mas deixando isso para lá.

— Algo em nós dois deve ser igual, Marguerite. Sei que ele e eu sentimos o mesmo por você. Considerando como você o perdeu, não espero que você... se apresse em nada, nem que entenda seu coração imediatamente. Mas gostaria que a gente descobrisse se o que você sentiu... se não foi só por ele. Se algo do que você sentiu também foi por mim.

Parte era. *É*. Sei disso. Sempre soube.

— Você me dá uma chance, Marguerite? — pergunta Paul.
Sinto meu sorriso aumentar, me iluminando por dentro.
— Sim — sussurro, pegando a mão dele. — Claro que sim.

AGRADECIMENTOS

Este livro não poderia ter sido escrito sem Jordan Weaver (meu antigo assessor de imprensa na Austrália); Dan Wells e Lauren Oliver (meus companheiros na turnê durante a qual tive a ideia para esta história); Diana Fox (minha agente e destruidora de buracos narrativos); Ruth Hanna, Edy Moulton e Amy Garvey (leitoras da versão beta e extraordinárias líderes de torcida); Sarah Landis (minha antiga editora na HarperTeen, cujos comentários no manuscrito foram valiosíssimos); Rodney Crouther, Jesse Holland, Whitney Swindoll Raju e Eric O'Neill (pelo encorajamento constante); Walter Wolf e Alexandra Mora (que me recomendaram um livro que acabou sendo inspirador); meus pais e o resto da minha família (por todo o entusiasmo e encorajamento); Kiersten White (pelo apoio constante); Florence Welch (a cantora famosa da banda Florence and the Machine); e, por fim, mas não menos importante, Marina Frants (quando se está escrevendo um livro que aborda tanto a Rússia quanto a oceanografia, é bem útil ter uma amiga que é russa e oceanógrafa). Nem todas as pessoas acima sabiam que estavam contribuindo — tenho certeza de que Florence Welch não tinha ideia de sua participação nisso —, mas cada uma delas trouxe alguns elementos críticos para *Mil pedaços de você*.

PUBLISHER
Kaíke Nanne

EDITORA EXECUTIVA
Carolina Chagas

EDITORA DE AQUISIÇÃO
Renata Sturm

EDITORA AGIR NOW
Giuliana Alonso

COORDENAÇÃO DE PRODUÇÃO
Thalita Aragão Ramalho

PRODUÇÃO EDITORIAL
Jaciara Lima
Daniel Siqueira

REVISÃO DE TRADUÇÃO
Nina Lopes

REVISÃO
Thamiris Leiroza

DIAGRAMAÇÃO
Ilustrarte

Este livro foi impresso no Rio de Janeiro, em 2015,
pela Edigráfica, para a Editora Agir Now.
A fonte usada no miolo é IowanOldSt BT, corpo 10/16.
O papel do miolo é avena 80g/m^2, e o
da capa é cartão 250g/m^2.